KB190037

# 정년이

# 정년이

대본집

최효비

다산책방

# 차례

## 일러두기

- 이 책은 최효비 작가의 드라마 대본 집필 형식을 존중하여 최대한 원본에 따라 편집하였습니다.

- 대사는 글말이 아닌 입말임을 감안하여, 한글맞춤법과 다른 부분이 있더라도 작가가 의도한 것이라면 고치지 않고 그대로 두었습니다.
  특히 사투리는 최대한 유지하였으며, '오디션'을 '오디숀'으로 표기하는 등 극 중 시대상을 고려하여 외래어표기법과 다르더라도 그대로 둔 부분이 있습니다.

- 이 책에는 작가의 최종 대본을 실었습니다. 방영되지 않은 부분이 포함되어 있을 수 있고, 실제 방영된 장면과 일부 다를 수 있습니다.

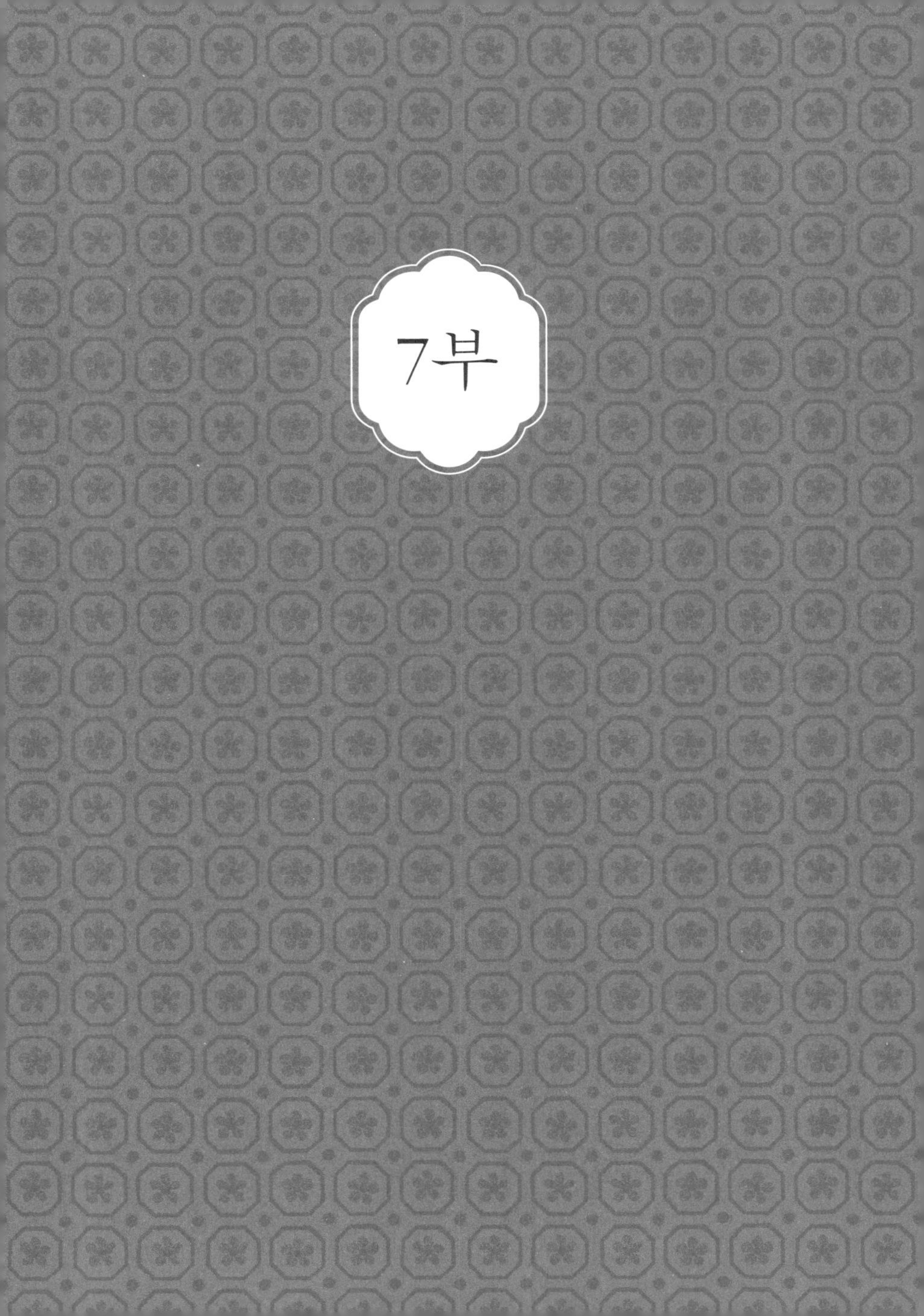

# 7부

(영서) 나는 아무리 노력해봤자 될까 말까래.
근데 그런 게 어딨어?
연습으로 안 되는 게 어딨어!
몇천 시간을 들여서 안 되면,
몇만 시간을 들여서라도 할 거야!
그러니까 가르쳐달라고!

### #1 국제극장 공연장 안. 낮 (6부 엔딩 이어서)

정년, 신들린 듯이 군사설움을 부르고 대부분의 관객들, 환호하는 가운데 일부 관객들, 수군거리는.

관객1 근데 쟨 춧대잖아. 무슨 춧대가 이렇게 튀어?
관객2 그러게, 원래는 고구려군이 쳐들어왔다는 것만 알리고 사라져야 되는데.
관객1 극이 완전히 삼천포로 빠졌어. 이게 무슨 〈자명고〉야.

혜랑, 처음 겪어보는 제어할 수 없는 상황에 어찌할 바를 모르고 식은땀을 흘리며 관객들을 보는.

### #2 국제극장 대기실 안&공연장 안. 낮

소복, 혜랑 쪽을 간절하게 보는.

소복 (혼잣말로) 혜랑아, 정신 차려. 관객들 보지 말고 빨리 집중해…….
도앵 (조급해하며) 단장님, 지금이라도 막을 내리고,
소복 (혜랑에게 시선 떼지 않으며) 잠깐 기다려.
도앵 단장님!
소복 (여전히 혜랑 보며 단호하게) 기다리라니까!

혜랑, 지푸라기라도 붙잡고 싶은 심정으로 거의 패닉 상태에 빠져 관객들을 본다. 혜랑, 덜덜 떨며 관객들을 보다가 안 되겠다 싶어 눈을 질끈 감는다.
호흡을 고르는 혜랑. 차분해지며

눈을 다시 뜬다. 패닉 상태에서 벗어나 더 이상 떨지 않는 혜랑. 소복을 본다. 소복, 혜랑의 얼굴을 보고 안정됐구나 싶어 표정 밝아지는. 혜랑, 소복을 향해 할 수 있다고 고개 끄덕인다. 소복도 혜랑을 믿는다고 고개 끄덕인다. 혜랑, 호흡을 고르고 관객들 쪽을 본다.

도앵 (여전히 불안한) 어쩌시려고요.
소복 (단호하게) 혜랑이가 정리할 거다.

---

**#3 국제극장 공연장 안. 낮**

정년 (계속 소리하는) *어찌 여자가 전장에 가시오,*
*이팔홍안 젊은 년을 나 혼자만 떼어두고—*

혜랑, 북채를 들고 북을 두들기며 춤을 추기 시작한다. 관객들 시선, 혜랑에게 쏠리는.

정년 *어찌 전장을 가랴시오,*
*혹여 내가 전장에서 죽어도 이 내 충심 알아줄 군사들이 여기 있고,*

혜랑, 혼신의 힘을 다해 춤을 추고, 관객들, 혜랑의 춤을 보다 눈물 흘리는.

---

**#4 국제극장 대기실 안. 낮**

도앵 됐어요! 혜랑 선배가 자연스럽게 들어왔어요!
소복 (혼잣말) 이제 끊기만 하면 돼. 혜랑아, 제발 여기서…….

---

**#5 국제극장 공연장 안. 낮**

정년 *이 내 마음 내가 아니*
*육신은 죽어도 영혼을 영생이라,*

혜랑, 재빨리 안무의 일부인 척 징을 울려버린다. 정년, 움찔 놀라서 소리를 멈춰버리고 관객들, 다들 벌떡 일어나서 환호하는. 정년, 관객들 환호에 또 놀라는. 혜랑, 안도의 한숨 내쉬는. 미친 듯이 환호하는 관객들에게 인사하는 정년. 정년, 얼떨떨하면서 좋은.

---

### #6 국제극장 분장실 안. 낮

정년, 분장실로 들어온다.
상기돼서 들어온 정년, 주란을 보고 뛰어가는.

정년　주란아, 봤냐? 사람들이 다 내 군졸을 보고 박수 치드라! 다들 내 군졸만 봤당게!

주란, 뭐라고 말 못 하고 정년을 보고 정년, 어리둥절해서 주란 표정 보다가 주위를 보는. 단원들, 싸늘한 분위기. 옥경도 표정 굳어서 정년을 보고 있는. 정년, 주춤하는데 소복, 정년 쪽으로 다가온다.

소복　(무서울 정도로 싸늘한) 윤정년, 넌 내일부터 무대에 설 수 없다.

정년, 당황해서 소복을 보는데,

소복　못 들었니? 내일부터 무대에 서지 말라고.
정년　제가…… 뭘 잘못했는디요?
소복　(헛웃음) 공연을 망쳐놓고 자기가 망쳤다는 것조차 모르는구나. (금희 향해) 김금희! 내일부턴 네가 윤정년 역할을 한다. (단원들 둘러보며) 뭣들 해! 아직 막 안 내렸어!

정년, 멍해지는. 단원들, 정년을 보고 수군거리면서 흩어진다.
주란, 안타깝게 정년 보다가 자리

뜨는. 정년, 억울하고 분해서 표정 일그러지는.

정년 (말하면서 억울함에 점점 눈 뒤집혀서 대드는) 방금 관객들이 저한테 박수 치는 거 못 들으셨당가요? 지는 제 모든 걸 쏟아부어갖고 소리를 하고 연기를 했구마이라, 그래서 극장의 모든 관객들이 저한테서 눈도 못 떼고 환호해줬는디, 오히려 극을 살린 거 아니어라? 근디 뭐를 망쳤다는 건디요!

소복 (냉랭하게) 그래서 망쳤다는 거다. 관객들이 극에 집중한 게 아니라 촛대인 너한테만 집중을 했으니까! 관객들이 좋아해줬다고? (비수를 꽂아넣듯) 다음번에 또 천둥벌거숭이처럼 날뛰면 제일 먼저 야유를 할 사람들이 바로 그 관객들이야!

정년 (충격받는)

소복 그렇게 보여주고 싶은 게 많으면 촛대가 아니라, 니마이를 맡았어야지!

충격받아서 할 말 잃는 정년.

---

**#7 국제극장 분장실 안. 밤**

다들 공연 때문에 바쁘게 왔다 갔다 하는데 정년, 멍하니 넋을 잃고 한쪽에 앉아 있는. 단원들, 정년을 흘끔흘끔 보며 지나가는. 그때 밖에서 환호 소리와 박수 소리가 들린다. 정년, 그 소리를 듣자 더 비참해지는. 정년, 일어나 밖으로 나간다. 마침 공연 끝나고 들어오던 영서와 주란, 그런 정년을 본다. 영서, 무표정하고 주란, 심란해지는 표정. 뒷정리 돕던 초록, 복실, 연홍이 정년이 분장실 나가는 것을 흘끔흘끔 보다가 자기들끼리 떠드는.

초록 윤정년 진짜 그렇게 대형 사고 칠 줄 몰랐다. 앞으로 무대

못 서겠지?

복실 당연하지. 공연 망치고 단장님 눈 밖에 났는데.

초록 눈에 뭐가 씌었나, 왜 갑자기 거기서 그렇게 튄 거지?

연홍 왜긴 왜겠어, 관객들이 환호해주니까 이성을 잃은 거지.

아이들 이야기 들으며 점점 더 침울해지는 주란.

주란 정년이 어떡하지.

영서 ……춋대로선 가장 하지 말아야 할 행동을 했으니까 벌을 받아야겠지.

주란 (한숨)

영서 ……무서웠어.

주란 (의아해서 영서 보면)

영서 (골똘히 생각에 잠겨 있는) 그런 집중력은…… 아무나 흉내 낼 수 있는 게 아니야.

원철 (영서에게 다가오는) 저기 밖에 어머님 찾아오셨는데.

**#8 국제극장 분장실 밖. 밤**

영서, 기다리는 기주 쪽으로 다가간다.

영서 어머니.

기주 (덥석 영서를 안아주는)

영서 (놀라는)

기주 잘했다, 우리 딸! 소리도, 연기도 최고였어!

영서, 너무 놀라고 좋지만 한편으로는 얼떨떨해서 표정 관리가 안 되는.

---

**#9 국제극장 주연배우 분장실 안. 밤**

화장도 지우지 않은 혜랑, 피곤한 듯 의자에 앉아 있는. 물끄러미 거울 속 자신의 모습을 보는 혜랑. 옥경, 꽃다발을 한 아름 안고 분장실 안으로 들어온다. 분장실 밖에서는 옥경을 부르는 소리가 아우성인. 옥경, 기분 좋은 듯 콧노래를 흥얼거리고 있는.

혜랑 (옥경을 보는) 기분 좋아 보인다? 윤정년 때문에 기분 별로일 줄 알았는데.

옥경 (피식 웃는) 원래 중간이 없는 애라서 언젠가 크게 사고 칠 줄 알았어. 그나마 네가 잘 수습해서 다행이었지.

혜랑 윤정년 분명히 한계가 있을 거라고 했잖아. 역할에 대한 무서운 몰입력 때문에 단기간에 클 수 있었지만 결국 그게 윤정년 발목을 잡은 거야. 윤정년은 이 이상으로 클 수 없어. 그러니까 너도 이제 윤정년은 그만 챙겨.

옥경 만약에 이번에도 그 애가 자기 껍질을 스스로 깨고 나올 수 있다면?

혜랑 ……그게 무슨 소리야?

옥경 정년이 아직 어리잖아. 어리다는 건 끊임없이 남의 장점을 흡수해서 성장해나갈 수 있다는 거지.

혜랑 (옥경을 빤히 보다가) 정말 네가 무슨 생각을 하는 건지 모르겠어. 윤정년이 그 정도로 대단한 애라는 거야?

옥경 아님 네 말대로 여기까지가 윤정년 한계인지도 모르고. 그럼 진짜 재미없는데.

옥경, 화장 지우기 시작하는. 혜랑, 속을 알 수 없는 옥경을 불안하게 보는.

---

**#10 국제극장 전경. 밤**

간판을 비추던 불이 꺼진다.

---

**#11 국제극장 빈 객석. 밤**

모두가 빠져나간 극장에 적막만이 가득한. 정년, 충격에 빠져 멍하니 앉아 있는. 주란, 조심스레 정년 쪽으로 다가오는.

주란 (조심스럽게) 정년아.
정년 (못 듣고 멍하니 앉아 있는)
주란 (조금 더 크게) 정년아.
정년 (그제야 보는)
주란 (조심스럽게) 다들 갔어.
우리도 그만 가야 돼.
정년 (둘러보고는 텅 비었다는
걸 깨닫는) 아……. (일어나는)

---

#12 국제극장 앞. 밤

정년과 주란, 나오는데 기다리고
있던 여학생 무리 꽃다발 들고
다가와서 정년 에워싸고 떠드는.

여학생1 정년 언니! (꽃다발
안겨주며) 오늘 공연 진짜
잘 봤어요! 오늘 공연 진짜
대단했어요.
정년 (당황스럽고 민망한)
고맙네요.
여학생2 오늘 공연에서
언니밖에 안 보였어요.
정년 (표정 굳는) 나밖에요?
여학생2 네, 군사설움 듣고 난
뒤로는 그 뒤에 뭘 본 건지 잘
기억이 안 날 정도예요. 군졸
분량 더 늘어났으면 좋겠어요!
정년 (충격으로 혼란스러워서
어쩔 줄 몰라 하는) 아, 난…….

주란, 그런 정년을 걱정스럽게
지켜보다가 학생들하고 정년 사이
자연스럽게 막아서는.

주란 (웃으며) 학생들,
늦었는데 그만 가봐야 하는 거
아니에요?
여학생1 아, 맞다! (정년 향해)
암튼 오늘 정말 대단했어요!

왁자지껄 떠들며 사라지는
여학생 무리. 정년, 확인사살 받고
멍해지는.

주란 (걱정스럽게) 정년아…….
정년 단장님 말씀이 맞았구만.
오늘 관객들은 공연을 본 게

아니었어. 그냥 윤정년이 활개 치고 다닌 걸 본 거였어. 혜랑 선배 아니었으면 내 손으로 오늘 공연을 아주 말아먹을 뻔했구만.

허탈한 표정으로 허공을 보는 정년.

---

**#13 영서 집 거실. 낮**

영인, 피아노 치고 기주, 커피 마시면서 듣고 있는. 영서, 들어가려다 기주가 만면에 미소 띠고 영인을 뿌듯하게 보는 모습에 멈춰 선다. 영서, 익숙하게 밀려오는 소외감에 표정이 어두워지는. 영서, 돌아설까 말까 거실로 못 들어가고 망설이는데,

영인 (연주 멈추고 반갑게 웃는) 영서 언제 왔어?
기주 (돌아보고는 반갑게) 어서 와, 우리 작은딸! 왔으면 어서 들어오지 왜 그러고 서 있어. (다가가 영서 손 잡아끄는)
영서 (생전 처음 받아보는 따뜻한 환영에 얼떨떨한. 선뜻 못 들어가고 망설이는데)
기주 (다정하게 영서 얼굴 감싸고 걱정스러운 듯) 어제 잠은 푹 잤니? 얼굴이 까칠하네.
영서 (적응 안 돼서 얼떨떨한) 아녜요, 괜찮아요.
기주 식사부터 해야지. 너 온다고 스테끼 준비해놨어. 스테끼 괜찮지? 아버지도 원래 온다고 하셨는데 갑자기 급한 약속 생기셔서 캔슬하셨어. 우리 영서 배고플 텐데 얼른 밥 먹자.

기주, 거실 나가는. 영서, 그저 얼떨떨, 너무 오랫동안 기다려왔던 엄마의 반응이라 현실처럼 느껴지지가 않아서 웃을 듯 말 듯.

영인 엄마가 네 공연 보고

와서 기분이 아주 날아가신다, 날아가셔. 큰 효도 했다, 너.

영서 (비로소 좋아서 미소 번지는)

---

#14 영서 집 식사 공간. 낮

식사하는 가족들.

기주 국극을 제대로 끝까지 다 본 건 처음이었는데 진짜 재밌지 뭐니. 영인이 너도 영서 공연하는 거 봤어야 돼. 연기, 춤, 노래, 뭐 하나 빠지는 게 없었어.

영서 (미소 번지는, 수줍어서) 이 정도로 좋아하실 줄 몰랐어요.

기주 (흡족해서) 우리 딸이 그렇게 보란 듯이 잘해냈는데 좋지, 그럼. (잠시 사이) 근데…… 그 중간에 군졸 역 맡은 애 말이다.

영서 (살짝 굳는) 윤정년이요?

기주 그래, 윤정년. 혹시 그 애 엄마가 누군지 아니?

영서 (의아한) 아뇨, 모르는데요. 윤정년 엄마는 왜요?

기주 그 애 목소리, 채공선 목소리랑 똑같았어.

영서 (놀라는)

영인 채공선이면, 추월만정 채공선 말이에요?

기주 그래, 예전에 사라졌던 천재 소리꾼. 아무래도 이상하다 싶어서 전화를 몇 군데 돌렸더니 내 짐작이 맞았어. 방송국에서 그 애가 채공선 딸이란 걸 눈치채고 가수로 데뷔시킬 계획도 있었다더구나. 막판에 어그러지긴 했지만.

[플래시백 – 5부 #36]

정년 (어색해하며) 있냐, 내가 최근에 알게 된 게 있는디, 우리 엄니가 옛날에 유명했던 명창이라 하더라.

영서, 표정 굳어지는.

기주 살다 살다 채공선 딸을 그런 데서 볼 줄은…… 지 엄마 닮아 목소리 하나는 진짜 타고났더구나.
영인 그렇게 잘 불러요?
기주 하늘이 내린 목소리니까. 출발점부터 다를 수밖에 없지. 인생 그렇게 불공평한 거야. 누군 죽어라 노력을 해도 될까 말깐데 누군 태어날 때부터 탤런트를 타고나니까.

영서, 그 소리가 가슴에 와서 확 박히는. 영서, 입술 깨무는데,

기주 그러니까 네가 더 빨리 치고 올라가야 돼.
영서 (표정 굳어서 기주를 보는)
기주 (미소를 띠고) 그 애가 천부적인 소리꾼이지만 어제 그 애는 완전히 공연을 망칠 뻔했어. 국극배우로서는 너하고 비교도 할 수 없는 초짜인 거야. 그러니까 그 애가 치고 올라오기 전에 네가 완전히 기를 꺾어놓으면 돼. 우리 딸, 엄마가 믿는다?

표정 굳어서 기주를 보는 영서.

---

**#15 매란국극단 일각. 낮**

정년, 옆에 빨랫감 잔뜩 쌓아놓고 빨래하는데 초록, 복실, 연홍, 자기들끼리 수군거리며 지나가는.

연홍 계속 연습도 못 들어오고 저렇게 허드렛일만 하는 거야?
초록 그렇게 찍혔는데 못 들어오지.
복실 촛대로도 못 서는데 이제 잰 끝났어.

정년, 묵묵히 빨래만 계속하는. 주란, 지나다가 그들의 대화를 듣고 정년을 심란하게 보는.

#### #16 매란국극단 부엌 안. 밤

주란, 부엌에 들어가려다가 멈칫한다. 아궁이 앞에 앉아 불 때고 있는 정년의 어깨가 우는 듯 들썩인다. 주란, 정년이 힘들어 울고 있구나 싶어 절로 같이 울먹이는.

주란 (울려고 하며) 정년아, 울지 마.

정년 (돌아보며) 응?

정년, 손으로 눈을 문질러서 얼굴이 눈물과 검댕 범벅이 된 채 눈을 껌벅껌벅하는.

주란 (울먹울먹하며) 또 좋은 기회가 올 텐데 울긴 왜 울어.

정년 (어리둥절한) 뭔 소리여. 연기가 자꾸 눈에 들어간께 매워서 눈물 난 건디.

주란 뭐? (무안하면서도 다행이다 안도하는) 난 또 너 무대에서 쫓겨났다고 우는 줄 알았잖아!

정년 (표정 좀 가라앉는) 실은 나 아직도 많이 힘들긴 해. 그날 내가 공연 망칠 뻔한 거 생각하면 쥐구녕이라도 들어가고 싶단 말이여.

주란 (짠하게 보는)

정년 그래도 이대로 주저앉을 수는 없지 않겄냐. 그날 내가 뭐를 잘못한 줄 알았응께 같은 잘못을 두 번은 안 하도록 해야제. 그래서 요새 혼자 연습도 하고 있어야.

주란 무슨 연습?

정년 (눈 반짝이는) 아야, 네가 나 좀 도와주면 되겄네.

주란 (어리둥절해서 정년을 보는)

---

#### #17 매란국극단 연습실 안. 밤

정년, 주란에게 공책 몇 권을 보여주는. 주란, 공책을 넘겨 보다가 놀라는. 〈자명고〉 모든 역할에 대해서 빼곡하게 메모가 돼 있다.

주란 뭐야, 이게? 모든 역할을 다 분석했어?

정년 내가 말이여, 첨에 왜 군졸을 하겠다고 했었는지 아냐? 다른 역할들 관찰하려고 그랬던 거였어. 근디 언젠가부터 그건 홀랑 다 까먹어불고 내가 가진 재주 늘어놓을 생각에 정신이 없었제. 인자부터라도 초심으로 돌아가서 한 명씩 들여다볼라고.

주란 ……근데 너 이렇게 열심히 연습해도 〈자명고〉 무대에 못 서면 아무 소용이 없잖아.

정년 그래도 상관없어야. 언젠가 다시 기회가 올 때 잡을라면 공부를 야무지게 해놔야제.

주란 (감동한) 좋아, 내가 뭐든 도와줄게.

정년 내가 구슬아기 할랑께, 네가 고미걸을 좀 해줘. (주란을 외면하며) 아아, 더러운 말 듣기 싫어! 고미걸, 한나라의 재상이라지만 나는 당신이 싫습니다. (멈추고 갸우뚱하는) 뭔가 이상한디? 역시 구슬아기는 네 걸 아무리 흉내 낼라고 해도 잘 안 된단 말이여.

주란 구슬아기가 은근히 까다로워. 마냥 연약하지도 않고, 그렇다고 강하지도 않고.

정년 그 말이 딱이네. 한없이 약한 것 같음서도 약하지 않고 강한 것 같음서 그렇다고 대놓고 씨게 표현해서도 안 되고…… 안 되겄다. 바꿔서 해보자.

[시간 경과]

정년 구슬아기여. (주란의 손을 잡는) 귀여운 구슬아기, 오늘도 어여쁘구나. 목련이 없었더라면 너를 첩으로 들였을지도.

주란 (외면하며) 아아, 더러운 말 듣기 싫어! 고미걸, 한나라의 재상이라지만 나는 당신이 싫습니다.

주란, 정년의 손을 뿌리치려고 하는데 정년, 더 강하게 손을 끌어당기며 주란의 눈을 들여다보는. 주란, 움찔하며 정년을 보는.

정년 (나긋나긋하게) 구슬아기여, 목련과 호동이 결혼한다는 소식을 들었느냐?

주란 (홀린 듯 정년을 보다가 간신히 정신을 차리고 외면하는) 저, 저잣거리의 뜬소문일 뿐이옵니다.

정년, 가만히 주란의 뺨 위로 손을 가져간다.

정년 아아…… 가련한 구슬아기, 어여쁜 구슬아기!

주란을 보는 정년의 다정한 눈빛. 주란, 그런 정년의 눈빛에 어쩐지 가슴이 떨리고 순간 부끄러워지는. 주란, 흔들리는 눈빛으로 정년을 본다.

정년 (다정하게) 주란아.

주란 (여전히 정년에게 눈 떼지 못하고) 으, 응?

정년 내 고미걸 어쩌냐?

주란 (자신의 마음을 들킬까 봐 얼른 몸 떼고) 좋, 좋았어.

정년 (좋아하는) 그라제? 아따, 구슬아기 할 때는 힘들드만 고미걸은 여간 재밌네. 너랑 나랑 호흡도 잘 맞고.

마냥 좋아하는 정년과 달리 주란, 아까의 여운이 남아 흔들리는 눈빛으로 바라보는.

#### #18 매란국극단 일각. 밤

영서, 표정 굳어서 걸어가는데 정년의 노랫소리가 들린다. 영서, 소리가 난 쪽을 확 돌아보는.

---

#### #19 매란국극단 연습실 안. 밤

정년 (소리를 하는) *누굴까 그 사람, 자명고를 지키는 공주. 흑단 같은 머리, 앵두 같은 입술, 탐스러운 흰 목련, 낙랑국의 공주.*

주란, 감탄하며 지켜본다.

---

#### #20 매란국극단 연습실 앞. 밤

정년의 소리를 듣던 영서, 주먹을 꽉 쥔다.

---

#### #21 매란국극단 숙소 정년 방 안. 밤

방에 들어온 영서, 표정이 굳을 대로 굳어 있다. 정년 책상 위에 채공선의 추월만정 레코드판이 눈에 들어오는.

[플래시백 - 7부 #14]

기주 누군 죽어라 노력을 해도 될까 말깐데 누군 태어날 때부터 탤런트를 타고나니까.

눈이 확 뒤집히는 영서.

---

#### #22 매란국극단 숙소 앞. 밤

기분 좋게 걸어오던 정년. 빠른 속도로 숙소에서 나오는 영서와 부딪힐 뻔하는.

정년 오메, 심장이야. 너 이 밤에 어디 가.

영서 (표정 굳어서 정년 보다가 그대로 가버리는)

정년 (혼잣말) 어째 또 저럴까.

### #23 매란국극단 숙소 정년 방 안. 밤

정년, 방 안에 들어오다가 멈칫한다. 추월만정 레코드판이 산산조각 나서 방바닥에 흩어져 있는. 정년, 영서 짓이구나 싶어서 표정 굳는. 정년, 열받아서 방에서 뛰쳐나가는.

---

### #24 매란국극단 연습실 앞. 밤

정년, 잔뜩 열받아서 영서를 찾아 연습실 여기저기를 둘러보는. 그때, 어디선가 영서 노랫소리가 들리는. 정년, 독이 올라서 그쪽으로 쫓아간다. 그 기세로 연습실 문을 열어젖히려던 정년, 멈칫한다. 영서의 목소리가 젖어 있다. 정년, 문을 조심스럽게 열고 소리를 하는 영서를 본다.

---

### #25 매란국극단 연습실 안. 밤

영서, 혼자서 북을 치면서 추월만정을 부르는. 이미 반쯤 울면서 부르는 영서. 처절한 영서의 모습을 보면서 정년, 분노가 차츰 가라앉고 심란해지는.

영서 *추월은 만정허여 산호주렴 비춰들 제, 청천의 외기러기는 월하에 높이 떠서—*

영서, 더 이상 부르지 못하고 흐느낀다. 정년, 연습실에 들어와 영서 앞에 선다. 영서, 정년을 올려다본다. 영서, 온통 젖어 있는 처연한 얼굴. 정년, 그런 영서를 잠시 내려보다가 앞에 앉는다. 마주 보는 두 사람.

영서 가르쳐줘. 넌 소리 어떻게 하는지.
정년 ……왜?
영서 너는 천재라서 나처럼 연습 안 하고도 소리 잘하는 비법을 알잖아. 그러니까 나한테도 그 비법 좀 가르쳐줘.

정년　(연민으로 말없이 영서 보는)

영서　(비틀린 웃음) 왜, 싫어? 너희 엄마나, 너 같은 천재들은 배우지 않아도 알 수 있는데, 그걸 아등바등하면서 배우겠다는 내가 우스워?

정년　(아프게 영서를 보는) ……우리 엄마가 채공선이란 걸 어떻게 안 거여.

영서　궁금해? 우리 엄마가 네 목소리 듣자마자 알았댄다. (헛웃음) 대단해, 핏줄은 못 속인다고 너 같은 천재는 어딜 가나 눈에 띈다 이거지.

정년　…….

영서　(눈빛이 처절해지는) 나는 아무리 노력해봤자 될까 말까래. 근데 그런 게 어딨어? 연습으로 안 되는 게 어딨어! 몇천 시간을 들여서 안 되면, 몇만 시간을 들여서라도 할 거야! 그러니까 가르쳐달라고!

흐느끼는 영서. 그런 영서를 가라앉아서 보는 정년. 정년의 눈빛이 마구 흔들린다. 정년의 눈이 점점 더 충혈된다.

정년　(목소리 떨리는) 참 신기한 것이…… 단장님도, 방송국 사람도 내가 소리를 하는 걸 듣는 순간 내가 채공선 딸이라는 걸 알았다고 했어. (허탈하게 웃는) 이상하제, 난 태어나서 엄니가 소리하는 걸 한 번도 들어본 적이 없는디, 난 엄니랑 같은 목소리를 타고났단께.

영서　…….

정년　나가 요새 뭐가 젤로 무서운지 아냐? 이대로 엄니 그림자에서 못 벗어날까 봐, 내 노래를 듣는 사람이 전부 다 채공선만 생각할까 봐 그게 무서워.

영서, 눈빛이 흔들리는. 정년,

아프게 영서를 보는.

정년 근디 말이여. 나가 내린 결론이 뭔지 아냐? 채공선은 채공선이고, 윤정년은 윤정년이란 거여. 엄니 그늘에 가려지는 거 무섭다고 그만둘 거 아니면 난 앞만 보고 내 길을 갈 수밖에 없어야. (영서 보는) 그란께…… 너도 멈출 거 아니면 네 앞만 보고 가. 지금까지 네가 피땀으로 쌓아온 것들은, 오롯이 다 네 것이여. 앞으로도 그럴 거고.

정년의 말이 하나하나 가슴에 사무치는 영서, 흐느낀다. 정년, 안타깝게 영서를 보는.

---

#26 매란국극단 숙소 정년 방 안. 새벽

잠 못 이루고 각자 다른 곳을 보고 누워 있는 정년과 영서. 정년, 자꾸 영서가 짠하고 신경 쓰이는. 정년, 일어나 앉아 영서를 본다. 영서, 얼른 눈 감고 자는 척. 정년, 잠시 영서를 보다가 일어나 방을 나가는. 영서, 일어난다. 정년 책상 위 자신이 박살 낸 채공선 레코드판이 눈에 들어오는. 영서, 죄책감과 미안함에 표정 어두워지는.

---

#27 국제극장 공연장 안. 낮

리허설하는 단원들.

영서 구슬아기여.
주란 (멈칫하는)

[플래시백 - 7부 #17]
정년 귀여운 구슬아기, 오늘도 어여쁘구나. 목련이 없었더라면 너를 첩으로 들였을지도.

눈앞에 선 영서를 멍히 보는 주란. 영서, 넋 놓고 자신을 보는 주란을 의아하게 본다. 지켜보던 단원들, 웅성거리는.

도앵 구슬아기! 뭐 해!
주란 (그제서야 퍼뜩 정신없이) 아아, 더러운 말 듣기 싫어! 고미걸, 한나라의 재상이라지만 나는 당신이 싫습니다.
영서 구슬아기여, 목련과 호동이 결혼한다는 소식을, (대사 씹히는) 죄송합니다, 다시 하겠습니다.
도앵 그만! 홍주란! 리허설이라고 그냥 막 할 거야? 대사 칠 타이밍을 놓치질 않나, 줄줄 읽어버리질 않나, 아주 눈 뜨고 봐줄 수가 없어. 그리고 허영서, 너도 오늘 이상하게 자꾸 대사 엉키고 있어. 너 때문에 상대역까지 같이 대사 꼬이고 있잖아! 뭐야 두 사람, 정신을 어디다 팔고 있어?!
영서 죄송합니다.
주란 (작게) 죄송합니다.
도앵 아직 공연 남았어. 끝까지 긴장 늦추지 마. 구슬아기부터 다시.

---

#28 국제극장 일각. 낮

리허설 끝내고 나오는 단원들. 영서, 걸어가는데 쫓아오는 주란.

주란 영서야!
영서 (돌아보는)
주란 아까 미안. 담부턴 좀 더 집중할게.
영서 ……아까 누굴 본 거야?
주란 어?
영서 아까 대사 맞출 때 눈이 날 안 보고 딴 사람을 보고 있었어. 눈앞에 내가 있는데 누굴 생각하고 나를 본 거냐고.
주란 (정곡을 찔려 당황한) 어, 그게…….
영서 본 공연 때는 나한테만 집중해.

영서, 자리 뜨는. 주란,
심란해지는.

---

#29 매란국극단 연습실 안. 밤

혼자서 구슬아기 부분 연기를 하는
정년.

정년 저잣거리의 헛소문일
뿐입니다. 아니, 뜬소문, 뜬소문!
아, 진짜! (짜증 나는)

정년, 한숨 푹 쉬고 연필로
바를 정 자에 한 획을 더 긋는.

옥경 (들어오며) 무슨
구슬아기가 그렇게 힘이
넘치냐?
정년 (돌아보고 반가운) 옥경
선배!
옥경 너 요새 역할 전부 다
뜯어보고 있다며. (정년이 써놓은
바를 정 자를 보고 놀라는) 대체
몇 번을 연습한 거야?

정년 아, 구슬아기 대사는
지금 같은 부분에서 마흔
번도 더 넘게 막힌께요.
유독 구슬아기가 집중이 안
되부네요. (옥경 눈치 슬쩍
보고) 선배 처음 국극 시작했을
때는 가다끼 연기도 하지
않으셨어라? 애기들 말이
아조 기가 맥힌 가다끼였다
그라던디.
옥경 나? 그랬지. (눈치채고)
뭐야, 너 혹시,
정년 (능청스럽게) 어떻게……
전설 속의 가다끼랑 호흡 한번
맞춰볼 수 있겄소?
옥경 (귀여워서 웃는) 비행기
태우네? 좋아, 오랜만에 가다끼
연기 좀 해보자. (잠시 사이, 눈빛
바뀌며) 구슬아기여. (정년을
안는) 귀여운 구슬아기, 오늘도
어여쁘구나. 목련이 없었더라면
너를 첩으로 들였을지도.
정년 (외면하며) 아아, 더러운
말 듣기 싫어! 고미걸, 한나라의

재상이라지만 나는 당신이
싫습니다.
옥경 구슬아기여, 목련과
호동이 결혼한다는 소식을
들었느냐?
정년 (외면하며) 저잣거리의
뜬소문일 뿐, (하다가 막혀서
한숨) 또 안 되네.
옥경 뭐가 제일 힘든 거야?
정년 아, 이런 연약한 역할은
저랑 진짜 안 맞어라. 아니,
그 전에 흔히들 구슬아기는
연약하다고 하던디, 저는
구슬아기가 절대 연약하단
생각이 안 든께요.
옥경 네가 생각하는
구슬아기는 어떤데?
정년 보통 당돌한 게 아니제라.
우선 남의 나라를 왔다 갔다
하는 첩자란 게 보통 담력
갖고 되는 일도 아니고, 거기다
고미걸은 한나라의 재상인디
은근 따박따박 대들기까지
한당께요.
옥경 좋아, 그럼 네가
해석한 구슬아기하고 기존의
구슬아기를 절충해서 표현하면
돼. 당돌함을 너무 노골적으로
대드는 식으로 표현하면 오히려
구슬아기 매력이 안 살 거야.
눈빛이나 몸짓에서 살짝살짝
내비쳐야지.
정년 예.
옥경 그리고 가장 중요한 것,
시야를 넓게 가질 것. 자꾸 네가
맡은 역할 하나만 들이파지
말고, 극 전체를 놓고 네 역할을
생각해.
정년 (곰곰이 생각하는) 극
전체…….

정년, 골똘히 생각에 잠긴. 옥경,
그런 정년을 기특하게 보는.

---

**#30 매란국극단 연습실 밖. 밤**

열린 문틈으로 정년과 옥경이
연습하는 걸 지켜보던 도앵,

웃으며 돌아서는.

### #31 매란국극단 일각&소품 창고 앞. 밤

소복과 도앵, 걸어가며 대화하는.

소복 (곰곰이 생각하는) 언제 다시 무대에 설지도 모르는데 혼자 공부를 하더란 말이지? 그것도 배역 전체를 다?

도앵 네, 연구생이 저러긴 쉽지 않잖아요. 저는 정년이 저런 점이 예뻐요. 연기하는 기술이야 가르쳐줄 수 있지만 저런 간절함은 누가 시킨다고 나오는 게 아니니까요.

소복 (피식 웃는) 넌 좋은 연출자가 될 거다.

도앵 (당황하는) 제가요?

그러다 소복, 소품 창고 문이 조금 열려 있자 의아해하며 멈칫 서는. 소복과 도앵, 서로 시선을 주고받는.

### #32 매란국극단 소품 창고 안. 밤

소복과 도앵, 소품 창고로 들어오다가 멈칫하는. 바닥에 의상들 몇 벌이 떨어져 있는. 도앵, 의상들 주워서 살핀다.

도앵 고미걸이랑 구슬아기 의상이에요.

그 순간, 창고 안에서 인기척 느껴지는.

소복 (날카롭게) 거기 누구야!

다음 순간, 후다닥 뛰쳐나가는 소리가 들린다. 도앵, 쫓아 나가는.

### #33 매란국극단 소품 창고 앞. 밤

도앵, 쫓아 나왔지만 아무도 보이지 않는. 소복, 뒤쫓아 나오는.

도앵 없어졌어요.

---

## #34 매란국극단 소품 창고 안. 밤

소복, 의상들을 살피는. 도앵, 옆에서 심각한 표정으로 보는.

도앵 딱히 훼손된 거 같지는 않은데요.
소복 뭘 하려다가 우리가 들어오니까 놀라서 도망간 것일 수도 있어. 아까 문이 열려 있었고 자물쇠도 멀쩡했었지?
도앵 네.
소복 그럼 도둑이 아니라 내부자 소행이구나.

소복, 생각에 잠기는.

---

## #35 국제극장 분장실 안. 낮

옷을 입으며 준비하는 배우들. 옆에서 허드렛일 돕는 초록, 복실, 연홍.

복실 공연 직전에 리허설을 왜 또 하는 거야? 어제 다 했잖아.
초록 왜긴 왜겠냐. 또 윤정년처럼 누가 대형 사고 칠까 봐 미리 준비하는 거겠지. 괜히 우리만 귀찮게 됐어.

주란, 바로 옆 정년의 빈자리를 심란하게 보는. 영서, 그런 주란을 바라본다.

---

## #36 국제극장 대기실 안. 낮

소품을 체크하는 도앵. 소복, 도앵 쪽으로 간다.

소복 어때?
도앵 무대장치, 소품, 무대의상, 전부 다 체크해봤는데 이상 없습니다. 별다른 특이점은 눈에 띄지 않아요.
소복 (생각에 잠긴)
도앵 별거 아니었는데 너무

과하게 생각한 걸까요?

소복　방심하는 것보다 과한 게 낫지. 오늘 공연 끝날 때까진 절대 긴장 늦추지 말고, 조금이라도 이상한 점 있으면 바로 와서 얘기해라.

도앵　네, 단장님.

소복, 돌아서 가다가 이쪽으로 오는 정년과 눈 마주치고 멈칫한다. 사복 입은 정년, 소복 향해 깍듯이 인사하는. 소복, 냉랭한 표정으로 그대로 지나가고 정년, 움츠러드는 마음.

도앵　왔네?

정년　예. 관객석에서라도 좀 보고 싶어갖고요.

---

**#37 국제극장 공연장 안. 낮**

리허설 중. 한창 구슬아기의 장면 진행 중. 정년과 도앵은 관객석에 앉아 지켜보는 중. 소복은 둘에게서 좀 떨어져 앉아 있다.

주란　(소리를 하는) *왕자마마 머리카락 한끝 다침 없이 무사귀환 하시오면, 이 몸은 돌이 되어도 좋사오니, 애달픈 마음, 애타는 가슴, 비나이다 비나이다.*

관객석에서 주란이 소리하는 것을 지켜보던 정년, 감탄하는.

정년　주란이 소리가 더 깊어진 거 같은디요.

도앵　(고개 끄덕이는) 기세를 타니까 무섭게 빨리 느는구나.

공연장 뒤쪽에서 고 부장이 리허설을 지켜보고 있다. 고 부장, 자리를 뜨고 도앵, 자리를 뜨는 고 부장을 의아하게 본다.

[시간 경과]

영서와 주란, 리허설 중.

영서 구슬아기여. (주란을 안는) 귀여운 구슬아기, 오늘도 어여쁘구나. 목련이 없었더라면 너를 첩으로 들였을지도.

그때, 무대 천장의 조명이 흔들린다. 아무도 눈치 못 채는. 정년, 바닥의 조명 그림자가 흔들린다는 것을 눈치챈다. 정년, 의아해서 천장을 올려다보는 순간 조명이 떨어진다.

정년 (벌떡 일어나) 주란아!!!

주란, 반사적으로 영서를 밀치면서 자신도 피한다. 조명, 아슬아슬하게 주란을 비켜나서 바닥에 요란하게 떨어지는. 모두 소리 지르고 아수라장이 돼버린 극장 안. 정신을 차린 영서, "홍주란!" 소리 지르며 몸을 일으켜서 정신없이 주란을 살핀다.

주란, 충격에 제대로 못 움직이는. 정신없이 무대 위로 뛰어온 정년, 주란을 살핀다. 사람들, 주란 쪽으로 몰리는.

정년 주란아!

주란 나 괜찮아. 괜찮아…… 나 좀 일으켜줘.

주란, 정년의 부축을 받아 일어나다가 휘청하며 악, 작게 소리 지르는.

정년 왜 그래?

주란 모르겠어, 발목을 못 움직이겠어. (다시 움직이려다 작게 비명 지르는)

소복 움직이지 마. 빨리 홍주란 업어서 분장실로 옮겨.

---

**#38 국제극장 분장실 안. 낮**

주란의 발목을 살피는 소복.

소복 발목을 삐었어. 아까 갑자기 피하면서 삐끗한 거 같다. 발목 말고는 다른 데 어디 아픈 데는 없니?

주란 네, 다른 데는 멀쩡해요.

정년 (한숨) 이만하길 천만다행이여.

초록 단장님, 근데 조명은 왜 떨어진 거예요? 극장이 낡아서 그런 거예요?

복실 이 극장, 저번에 연습하다가 귀신 본 애도 있다던데요. 춧대만 맡았던 배우가 죽어서 귀신이 됐다던데요. 그래서 주연배우들 해코지하고 다닌다고…….

연홍 (겁먹은) 그럼 귀신이 일부러 떨어트렸단 말이야?

단원들 (웅성거리는)

소복 쓸데없는 소리! 귀신이 어딨어! 도앵아, 네가 주란이 데리고 지금 병원 다녀와.

도앵 네, 알겠습니다.

영서, 고마움과 죄책감이 섞인 눈빛으로 주란을 본다.

주란 내 몫까지 오늘 공연 잘해, 알았지?

영서 (고개 끄덕이는)

소복 (봉선 향해) 그리고 구슬아기 대역, 조봉선 준비해.

봉선 (움찔하는) 제, 제가요? 단장님, 저도 오늘은 좀 몸이 안 좋아서 무리일 거 같은,

소복 무슨 말 같잖은 소리야! 배우가 공연에 맞춰 몸 상태를 준비해야지! 다들 넋 빠진 소리 그만하고 빨리들 준비해!

봉선, 어쩔 줄 몰라 하는. 정년, 그런 봉선과 소복을 번갈아 보고 갈등하며 눈빛 흔들리는. 주란, 그런 정년의 눈빛을 눈치채는.

---

**#39 국제극장 일각. 낮**

도앵 부축을 받아 간신히 걷는

주란.

도앵 기다려, 차 갖고 올게.
(자리 뜨는)

주란, 정년을 본다.

주란 정년아, 들어가서
구슬아기 네가 하겠다고 해.
정년 (깜짝 놀라는) 뭔 소리여?
병원 같이 가야지.
주란 도앵 선배랑 둘이
가도 돼. 빨리 들어가서 네가
하겠다고 해.
정년 (외면하며) 단장님이
알아서 대역 찾으실 거여.
주란 너밖에 할 사람 없어.
정년 안 해. 너 이렇게 되길
기다린 사람처럼 내가 그 자리
차고 들어가라고야?
주란 그럼 어때서? 어차피
누군가는 내 자리 메꿔야 돼. 난
네가 했으면 좋겠어.
정년 (눈빛 흔들리는) ……아직
내가 준비가 된 건지도
모르겄어. 저번처럼 또 무대를
망치면?
주란 (단호하게) 넌 이미
준비가 됐어.
정년 (주란을 보는)
주란 (더욱 단호하게) 나 말고
구슬아기를 수백 번씩 연습해본
건 너밖에 없어. 구슬아기뿐
아니라 〈자명고〉에 나온 모든
배역은 다 연습해봤잖아. 이미
대본도, 무대도 다 네 머릿속에
있어.
정년 (갈등하는)
주란 언젠가 다시 기회를 잡기
위해서 연습한다고 했잖아.
지금이 그때야.

정년, 결심한 듯 주란을 본다.
주란, 고개 끄덕인다.

---

**#40 국제극장 분장실 안. 낮**

봉선에게 벼락같은 호통을 치는

소복.

소복 대사를 못 외웠다니! 대역이 아직도 대사를 못 외웠다니 이런 정신 나간 소리가 어딨어! 그럼 넌 지금까지 뭘 했다는 거야!!

봉선 (겁에 질려) 이렇게 갑자기 올라가게 될 줄 몰라서요…….

소복 (자르는) 더 들을 것도 없다. 한심한 놈! 이게 어떤 기횐 줄이나 알고! (단원들 둘러보는) 구슬아기 대사 외운 사람 있으면 나와. 그 누구든 기회를 주겠다.

단원들, 눈치만 보면서 아무도 못 나서는데,

소복 (머리끝까지 화가 나서) 이 반푼이 같은 놈들! 기회를 줘도 못 잡는다니! 이 중에 단 한 놈도 구슬아기 대사를 외운 놈이 없어?!

정년 지가 할라요!

단원들과 영서, 놀라서 정년 쪽을 보는.

정년 구슬아기 대사도, 노래도, 춤도 전부 다 외우고 있구만요. 그러니까 지가 할라요.

단원들, 놀라서 소리도 못 내고 소복 눈치를 보는. 소복, 정년을 본다. 정년, 똑바로 소복을 보는. 팽팽한 줄다리기를 하는 두 사람. 영서, 정년을 보는.

정년 여기서 외워보라면 외울 수도 있는디요.

소복 ……저번처럼 또 난장판 벌이면 넌 네 발로 이 국극단을 나가는 거다.

정년 예, 이번에 나가면 두 번 다시 돌아오지 않겄습니다.

소복 (잠시 보다가 결심하는)

……좋아.

정년 (마음 놓이는)

소복 명심해라. 이번엔 네 재주를 어떻게 뽐내볼까, 그런 건 꿈도 꾸지 마. 넌 철저히 고미걸에 맞춰서 구슬아기를 연기한다. 영서의 가다끼 연기가 관객들에게 강렬하게 전달될 수 있게 옆에서 윤활유를 쳐주는 것, 그게 네가 할 일이야.

정년 예.

소복 공연 곧 시작한다. 다들 차질 없이 준비해. (자리 뜨는)

단원들, 정년을 흘끔거리며 "미쳤나 봐" "제정신이야?" 웅성거리는. 정년, 아랑곳 않고 자리에 앉아서 분장하기 시작하는. 분장을 하는 손이 떨리는 정년. 정년, 심호흡을 하는. 그런 정년을 보는 영서.

[플래시백 - 7부 #29]

옥경 시야를 넓게 가질 것. 자꾸 네가 맡은 역할 하나만 들이파지 말고, 극 전체를 놓고 네 역할을 생각해.

정년, 손 떨림이 멎는다. 정년, 차분하게 거울 속 자신의 모습을 보는.

영서 (화장하며) 넌 내 연기만 그냥 따라와. 내가 알아서 끌고 갈게.

정년 (영서를 보는 차분한 표정) 응, 부탁한다.

영서 (생각 외로 침착한 정년의 반응에 놀라서 보는)

정년 (침착하게 화장을 하는)

---

**#41 국제극장 공연장 안. 낮**

옥경, 구슬아기가 나오기 직전 장면 연기하는.

옥경 정녕 태평성대인가?

숙영 아니, 왜 그러십니까, 왕자님.

옥경 위에서는 한나라가 쳐들어오고 동에서는 낙랑국 견제해오니 내 나라 신세 가련타.

---

**#42 국제극장 대기실 안. 낮**

정년, 옥경의 연기를 지켜보는.

소복 구슬아기 나갈 차례다.

정년 (고개 끄덕이는) 네.

정년, 마음 굳게 먹고 침착하게 나가는. 소복, 그런 정년을 지켜보는.

---

**#43 국제극장 공연장 안. 낮**

원철 왕자마마! 구슬아기가 돌아왔사옵니다!

정년 (옥경 앞에 무릎 꿇는) 소인 구슬아기, 첩자의 임무를 마치고 돌아왔사옵니다. 자명고는 낙랑의 공주, 목련이 지키고 있었사옵니다.

옥경 낙랑의 공주 목련이라? (싸늘해지는) 아녀자가 보물을 지키다니. 낙랑의 사내들은 형편없구나! 내 직접 낙랑에 숨어들어 북을 찢고 공주의 얼굴을 보리라.

정년, 일어나다가 다리에 통증을 느낀 듯 휘청한다. 옥경, 정년을 잡아준다.

옥경 구슬아기! 다쳤느냐!

정년 (황송해하며 몸을 떼면서 시선 피하는) 고구려를 위해서라면 이까짓 상처가 대수겠사옵니까.

옥경 (정년의 뺨을 만지는) 구슬아기, 내 너의 노고를 절대 잊지 않겠노라.

옥경을 보는 정년의 떨리는 눈빛.

옥경, 숙영, 소영, 퇴장한다.
정년, 옥경이 만진 뺨을 떨리는 손으로 어루만지는. 황홀한 듯 달아오르다 이내 쓸쓸해지는 정년의 표정.

---

#44 국제극장 대기실 안. 낮

지켜보던 소복, 일단 안심해서 표정 누그러지는. 대기실로 들어온 옥경, 소복 쪽으로 오는.

옥경 정년이가 제 연기를 받쳐주고 있었어요. 짧은 시간 안에 저렇게 하기가 쉽지 않았을 텐데…….
소복 (냉정한 말투로) 고미걸이랑 붙는 것까지 좀 더 지켜봐야 돼.

---

#45 국제극장 공연장 안. 밤

정년, 차를 들고 무대에 올라온다. 영서, 정년이 나타나자 긴장해서 보는. 정년, 영서에게 차를 올린다.

영서 구슬아기여.
정년 (멈춰 서는)
영서 (정년을 안는) 귀여운 구슬아기, 오늘도 어여쁘구나. 목련이 없었더라면 너를 첩으로 들였을지도.
정년 (외면하며) 아아, 더러운 말 듣기 싫어! (똑바로 영서를 보며) 고미걸, 한나라의 재상이라지만 나는 당신이 싫습니다.

정년의 눈빛에 순간 움찔 놀라는 영서. 영서, 애써 아무렇지 않은 척 연기를 이어가는.

영서 (약간 목소리 흔들리는) 구슬아기여, 목련과 호동이 결혼한다는 소식을 들었느냐?
정년 (외면하며) 저잣거리의 뜬소문일 뿐이옵니다.

영서, 가만히 정년의 뺨 위로 손을 가져간다. 그런 영서의 손이 살짝 가늘게 떨린다. 정년, 영서의 떨리는 손을 슬쩍 보고 영서의 긴장을 느끼는.

영서 아아…… 가련한 구슬아기, 어여쁜 구슬아기!

정년, 가만히 영서를 올려다본다. 영서를 유혹하는 듯 묘한 눈빛. 영서, 그 눈빛을 보고 자기도 모르게 긴장해서 표정 굳는.

---

**#46 국제극장 대기실 안. 밤**

복실 뭐야, 저 눈빛은. 오히려 구슬아기가 고미걸을 유혹하는 느낌인데.
연홍 홍주란이랑 정반대의 구슬아기야.
초록 (입 벌리고 쳐다보는)
옥경 (흥미진진하게 보는)

**#47 국제극장 공연장 안. 밤**

목발 짚은 주란, 도앵과 들어와서 관객석 뒤쪽에 앉는다. 주란, 긴장한 표정으로 무대를 본다. 영서, 밀서를 집어 드는데 손이 살짝 떨린다. 정년, 그런 영서를 예리하게 지켜보는.

영서 (정년에게 밀서를 건네며) 이 밀서를 목련공주에게 전하거라.

그 순간 다음 대사를 까먹은 영서. 영서, 머릿속이 새하얗게 변하고 아무 생각도 안 나는. 영서, 굳은 얼굴로 어찌할 바를 모르고 서 있는. 정년, 설마설마하다 일이 벌어지자 표정 굳어서 영서를 보는. 관객들, 이상한 낌새를 느끼고 웅성거리는. 영서, 어떻게 해야 하지, 패닉 상태에 빠져 바들바들 떠는. 주란과 도앵, 심상치 않은 걸 느끼고 긴장해서 영서를 보는.

---

## #48 국제극장 대기실 안&공연장 안. 밤

초록 뭐야, 허영서 왜 다음 대사 안 해.

복실 대사 까먹은 거야?

혜랑 (안 되겠다 싶어 소복 향해 다급하게) 단장님,

소복 (무대에서 눈 떼지 않고) 잠깐, 잠깐 기다려봐.

혜랑 (다급한) 막 내려야 돼요! 저번처럼 제가 수습할 수도 없잖아요!

소복 (단호하게) 아니, 저 아이 순발력이라면 할 수 있어.

혜랑 누가요, (순간 깨닫고) 혹시 정년이 말씀이세요?

소복 (뚫어지게 정년 쪽만 보는)

혜랑 (무대 쪽을 확 쏘아보는)

정년, 당황해서 영서를 보다가 퍼뜩 떠오르는.

[플래시백 – 7부 #40]

소복 영서의 가다끼 연기가 관객들에게 강렬하게 전달될 수 있게 옆에서 윤활유를 쳐주는 것, 그게 네가 할 일이야.

정년, 소복 쪽을 본다. 소복도 정년을 본다. 정년, 할 수 있다고 단단한 눈빛으로 고개를 끄덕인다. 소복, 정년의 눈빛을 읽고 고개 끄덕인다. 옥경, 이제 정년이 어떻게 할 것인가 흥미진진하게 지켜보는.

---

## #49 국제극장 공연장 안. 밤

영서, 꼼짝도 못 하고 서 있고 침묵이 길어지자 관객들, 웅성거림 점점 더 커지는. 영서, 이제 끝이구나, 공연을 망쳤단 생각에 절망스러워져서 눈을 질끈 감는다. 그때,

정년 (날카롭게) 도대체 그게

무슨 뜻이옵니까. 밀서를 목련공주에게 전하라니 그 저의가 무엇이옵니까!
영서 (놀라 정년을 보는)

관객들, 웅성거림 멈추고 다시 집중하는.

정년 저더러 주인인 호동왕자를 배신하고 당신과 손을 잡으란 말이옵니까?!

영서, 멍하니 정년을 보는. 정년, 영서에게 보일 듯 말 듯 작게 고개 끄덕인다. 영서, 비로소 안정을 되찾는.

영서 (비웃듯) 있을 수 없는 일이라 생각하느냐? 더 이상 스스로를 속일 것 없다. 내가 목련을 원하듯 너는 호동왕자를 원하고 있지 않았더냐?

영서, 밀서를 정년 손에 쥐여주고 정년이 손을 빼려고 하면 영서, 정년이 손을 못 빼게 꽉 힘주어 잡는. 정년, 눈빛이 흔들리며 영서를 똑바로 보는.

영서 (은밀하게 속삭이는)
밀서만 전하면 두 사람은 결코 혼인할 수 없다.

무대 위 어두워지고, 관객들 열광하면서 박수 치는. 주란과 도앵도 기뻐하며 박수 치는. 정년이 해냈음에 그 누구보다 기뻐하고 감격하는 주란.

---

#50 국제극장 대기실 안. 밤

대기실로 들어오는 정년과 영서. 소복, 둘에게 다가온다. 둘 다 긴장해서 소복을 보는.

소복 (무표정한) 고미걸한테 제일 중요한 장면의 대사를 틀렸구나.

영서 (자괴감에 고개를 떨구는)

소복 무대 위에서 실수는 언제든 있을 수 있어. 이후에 어떻게 수습을 하느냐가 문제지. 둘 다 잘 대처했다.

영서 (놀라서 소복을 보는)

정년 (안도의 한숨 내쉬는)

소복 (정년 보는) 구슬아기 시선 처리 좋았다. 하지만 대사 칠 때 조금 더 힘을 빼도록 해.

정년 (됐구나, 싶어 표정 환해지는) 예, 알겄구만이라!

소복 (가만히 정년을 보다가 희미하게 웃는) 이제야 비로소 비워내는 연기를 할 줄 아는구나. 보결 꼬리표는 떼도 되겠다.

정년, 멈칫하다가 표정 환해지는. 단원들, 놀라는. 영서는 무표정하고 옥경, 미소 짓는.

정년 (들떠서) 참말이어라? 인자 저도 정식 연구생입니까?

소복 (귀여워서 자기도 모르게 피식 웃는) 앞으로는 천둥벌거숭이처럼 사고 치면 안 된다.

정년 (기운차게) 예!

소복 (자리 뜨는)

정년 (연구생들 둘러보며 으스대듯) 다 들었제? 인자 나도 정식 매란 연구생이여! (초록 향해서) 인자 초록이 너랑 똑같다 이거여.

초록 (어이없어하며) 뭐래.

옥경, 잘했다고 정년 어깨 토닥여주고 혜랑, 정년을 보며 표정 굳어 있는. 단원들, 정년을 보고 놀라워하며 "진짜 해냈네" "난 놈은 난 놈이다" 떠드는. 영서, 정년 보며 고민하다가,

영서 저기, 방금 전엔, (말문 막히는)

정년 (영서 보는)

영서 (차마 고맙다는 말 못

하는) ……두 번 다시 방금처럼
실수하는 일 없을 거야.
그러니까 걱정 안 해도 돼.
정년 걱정한 적 없는디?
그리고 저번에 내가 친 사고랑
대보면 넌 실수도 뭣도 아니여.
(자리 뜨는)

영서, 고마움과 질투, 착잡함이
섞인 복잡한 감정으로 정년을
보는.

---

**#51 국제극장 공연장 안. 밤**

공연이 끝나고 열렬히 환호하는
관객들. 무대 위에서 인사하는
배우들. 정년, 그 사이에 서서
비로소 이 극과 하나가 됐음을
느끼고 감격하는. 주란, 있는 힘껏
박수 치며 정년을 축하해준다.
정년, 주란과 눈 마주치고 활짝
웃는다.

---

**#52 국제극장 공연장 안. 밤**

관객들이 다 가고 없는 공연장 안.
정년, 적막이 가득한 관객석에
앉아 있다. 정년, 온갖 감정이
물밀듯이 밀려와 무대를 보는.
옥경, 그런 정년 곁으로 와서
옆자리에 앉는.

옥경 무슨 생각 해.
정년 오늘 공연 끝나고는 다른
때랑은 쪼까 기분이 다른 거
같아서요. (말을 고르는) 뭐라고
해야 되나…….
옥경 네가 이 극이랑 완전히
하나가 된 느낌?
정년 (반가운) 예!
바로 그거여라! 아따,
쪽집게시네요잉.
옥경 배운 게 많은 모양이네.
정년 예, 시야를 넓게 가지란
말이 뭔 뜻인지 인자 알겄어요.
질투에 미친 구슬아기가
고미걸 유혹에 넘어가갖고
밀서를 전달한다. 밀서를 받은
목련공주가 자명고를 찢고

파국이 벌어진다. 내가 모든 파국을 불러오는 신호탄 역할을 하는 거였어라.

옥경 (정년을 보다가 웃는)

정년 (의아하게 보는) 어째 웃소.

옥경 날 치고 올라올 날이 멀지 않은 거 같아서.

정년 (당치 않다는 듯) 인자 걸음마 뗐는디, 뛰란 소리랑 똑같네요.

옥경 원래 걸음마 떼면 뛰는 건 순식간이야. 기다리기 지루하니까 빨리 쫓아와.

정년 (웃는) 예.

정년의 성장이 대견하고 기쁘면서도 한편으로는 떠날 날이 가까워졌구나 기분이 묘한 옥경, 복잡한 표정으로 정년을 보는. 정년, 아직은 공연의 여운에 젖어 행복하게 무대를 본다.

---

**#53 국제극장 일각. 밤**

소복과 도앵, 심각한 분위기로 이야기한다.

소복 고 부장이 조명에 손댄 거 같다고?

도앵 네, 생전 공연 한 번 보러 온 적 없던 사람이 오늘은 왜 리허설까지 보러 극장에 왔나 이상했어요.

소복 (믿을 수 없는) 설마 고 부장이…….

도앵 창고 열쇠에 쉽게 접근할 수 있는 내부인에 고 부장도 포함돼요. 근데 고 부장이 왜 이렇게까지 해서 공연을 망치려고 드는 걸까요.

소복 (표정 싸늘해지는) 그때 수익 분배 문제로 틀어진 거야.

혜랑 (둘에게 다가오는) 왜요, 무슨 일인데요.

---

**#54 매란국극단 사업부 사무실 안. 밤**

사업부 사무실에 들이닥치는 소복과 도앵, 혜랑. 그러나 사무실 안은 텅 비어 있다. 급히 자리를 비운 듯 서류가 여기저기 바닥에 흩어져 있고, 책상 서랍도 다 열려 있는. 소복, 도앵, 혜랑, 깜짝 놀라는.

도앵 도망갔어요.
혜랑 우리가 공연하는 사이에 챙겨 갔나 봐요.
소복 (퍼뜩 생각나는) 금고!

---

### #55 매란국극단 단장실 안. 밤

금고 문은 활짝 열려 있고 안은 텅 비어 있는. 망연자실한 소복과 혜랑, 도앵.

소복 없어졌어, 금고 안의 돈을 다 갖고 날랐어! 이번 공연 때문에 갚아야 하는 돈이 한두 푼이 아닌데!
도앵 제가 지금 당장 고 부장 집으로,
소복 (고개 젓는) 소용없어. 작정하고 도망쳤는데 집으로 갔겠니? (냉정해지는) 넌 어서 가서 없어진 서류들이 뭐가 있는지 살펴봐.
도앵 네. (나가는)
혜랑 (다급하게 전화기를 든다) 경찰에 신고부터 할게요.
소복 (전화를 끊어버린다. 싸늘한 표정)
혜랑 (놀라서) 단장님.
소복 신고해서 소문나면? 밖에서는 우리 국극단이 망해간다고 좋아할 거야. 우리가 먹이를 던져줄 순 없어.
혜랑 그래도 잡아야죠! 이대로 손 놓고 계실 거예요?
소복 (고개 젓는) 고 부장 일 드러나면 우리 국극단 분위기부터 어수선해져서 안 돼. 어디 고 부장 갈 만한 데 알고 있니?
혜랑 이북이 고향인

사람이에요. 가족들 다 거기 있어서 여기는 연고지도 없어요. 친구 관계까지는 잘 모르겠고요.

소복 너한테 무슨 낌새 내비친 것도 없고?

혜랑 전혀요. 요즘 들어 자꾸 돈타령을 하긴 했지만 이럴 줄은 몰랐어요.

소복 (한숨)

혜랑 죄송해요. 제가 추천해서 들어온 사람이잖아요.

소복 됐다. 너도 뒤통수 맞은 마당에…… 혹시 고 부장 소식 들으면 바로 나한테 말해.

혜랑 네.

혜랑, 소복 눈치를 살피는.

---

### #56 공터. 밤

혜랑, 공터에 차 세워놓고 운전석에 앉아 있는. 고 부장, 혜랑 차 쪽으로 와서 조수석에 오르는.

혜랑 단장님 경찰에 신고하는 일은 없을 거예요.

고 부장 (피식 웃는) 그럴 줄 알았어. 사업부에서 돈 들고 튀었다고 소문나면, 매란에 망조 들었다고 동네방네 광고하는 꼴이니까.

혜랑 (한숨) 설마 도앵이가 눈치챌 줄은 몰랐어.

고 부장 아까 연락해줘서 망정이지, 안 그럼 붙잡힐 뻔했어. 이래서 꼬리가 길어지면 안 된다니까. 소품 창고에서 실패했을 때 내 말대로 관뒀어야 했어.

혜랑 어쨌든 안 들켰으니까 됐잖아요…… 그건 갖고 왔어요?

고 부장 (장부 건네는) 그동안 관리했던 기자들 명단이야.

혜랑 (받아서 살피는)

고 부장 이렇게까지 해서 문옥경 기사를 막는 이유가 뭐야?

혜랑 다들 현실에서 도피하고 싶어서 국극을 보는 거잖아. 실제 옥경이가 어땠었는지 알 필요도 없고, 알아서도 안 돼. 옥경이는 영원히 왕자님으로 남아야 하니까.

고 부장 (빤히 혜랑을 보다가) 누굴 위해서. 문옥경을 위해서? 아님, 문옥경을 계속 매란에 붙잡아둬야 하는 서혜랑을 위해서?

혜랑 (정곡을 찔려 고 부장을 외면하는) …….

## #57 옥경 집 거실. 밤

옥경, 은재에게 인어공주 동화책 소리 내 읽어주는. 외출에서 돌아온 혜랑, 지쳐 있다가 둘을 보자 절로 미소가 떠오르는.

혜랑, 은재 옆에 앉아 딸의 머리를 쓰다듬어준다.

혜랑 (웃는) 또 인어공주야? 인어공주가 그렇게 좋아?

은재 응, 인어공주가 불쌍하니까.

혜랑 왜 불쌍해?

은재 왕자는 끝까지 인어공주가 자길 얼마나 좋아했는지 모르잖아.

옥경 (표정 묘해지는)

혜랑 (멈칫하다 허탈하게 웃는) 그렇지…….

씁쓸해지는 혜랑.

옥경 (책 덮는) 자, 우리 은재 이제 들어가서 코 자야지?

은재 (옥경에게 안기며 떼쓰는) 싫어, 왕자님. 더 읽어줘.

옥경 지금 나가봐야 되는데? 다음에 더 읽어줄게.

은재 어디 가? 나도 같이 가.

옥경 (은재 달래주는) 오늘은 늦어서 은재 어린이는 나가면 안 되고요, 담번에 같이 나가서 맛있는 것도 사 먹고 재밌게 놀자.

혜랑 떼쓰면 안 돼. 자, 얼른 들어가 자야지?

은재 (시무룩하지만 순순히) 응, 이모. (거실 나가는)

옥경, 나갈 준비 하는.

혜랑 어디 가? 또 그 친구들 만나러 가?

옥경 (대꾸 없는)

혜랑 너 그 친구들 자꾸 만나는 거 나 싫어. 그 친구들만 만나고 오면 너 며칠씩 맘 뜬 사람처럼 굴잖아.

옥경 내가 국극에 마음 뜨면 그건 걔네들 때문이 아니라 너 때문이야.

냉랭한 옥경의 눈빛. 혜랑, 가슴 덜컹 내려앉는.

혜랑 (입술 떨리는) 왜 나 때문이야?

옥경 그래, 계속 모르는 걸로 해. 근데 알아둬, 혜랑아. 정년이, 영서, 주란이, 네가 그 애들 몰아내려고 할수록 나도 국극단에서 마음 뜬다는 거.

혜랑 (악착같이 버티며 부정하는) 무슨 소리 하는 건지 하나도 모르겠어, 내가 뭘 어쨌다는 거야.

옥경 (냉랭한) 단장님께 말씀드리지 않는 건 너한테 아직 미운 정이라도 남아 있어서야. 내 인내심 테스트하지 마.

혜랑, 심장이 뚝 떨어지는. 더 이상 잡아뗄 수 없게 되자 오히려 눈빛 살벌해지는 혜랑. 옥경에게 미움받는다는 생각에 절망감과 분노가 뒤엉켜 온몸의 피가 거꾸로 솟는 것 같은. 옥경, 자리 뜨려고 하면,

혜랑 ……넌 걔네가

성장하니까 흥분된다고 그랬지. 난 아냐. 걔넨 우리 경쟁 상대고 적이야.

옥경 (혜랑을 돌아보는)

혜랑 어리다는 건 끝없이 성장해나갈 수 있는 거라고? (비틀린 웃음) 맞아, 정말 그렇더라. 내 생각이 틀렸어. 윤정년도, 허영서도, 홍주란도 다 호랑이 새끼들이었어. 이제 걔네가 우리 자리를 위협하면 넌 어떡할래. 그냥 자리 내주고 말 거야? 난 절대 그렇게 할 수 없어!

옥경 그래서 매란국극단은 고여가고 있었던 거야. 그 누구도 우리 자리를 위협하지 않으니까 정체돼서 썩어가고 있었던 거라고.

혜랑 썩어가? 매란국극단은 너랑 내가 있어서 굴러가고 있는 거야! 누구 때문에 표가 매진되고 있는데!

옥경 아니, 관객들도 이미 질려가고 있어. 봐, 어차피 지금도 새로운 관객은 유입되지 않고 있잖아? 나부터가 이렇게 지긋지긋한데 관객들은 더 말할 것도 없겠지.

혜랑 (멍하니 옥경을 보는) 너…… 설마 진짜 떠날 생각 하는 건 아니지.

가만히 혜랑을 보다가 거실을 나가는 옥경. 혜랑, 멍청히 그 자리에 서 있다.

---

### #58 매란국극단 대문 앞. 낮

버스 서 있고 '매란국극단 전국 순회공연'이라고 플래카드 붙여져 있는. 단원들, 잔뜩 들떠서 짐 실어 나르며 버스에 오르는. 도앵, 숙영에게 당부한다.

도앵 난 단장님 모시고 지금 출발해야 돼. 네가 버스에서 애들 잘 통솔할 수 있지?

숙영 (자신 없는) 내…… 내가? (한숨) 알았어, 노력은 해볼게.

소복과 도앵, 소복의 차를 타고 떠난다.

## #59 도로. 낮

국극단 단원들을 태운 버스와 옥경의 차가 달린다.

## #60 옥경 차 안. 낮

운전기사가 운전하는 차 뒤에 탄 옥경과 혜랑, 싸운 뒤끝으로 서먹서먹한 분위기. 옥경, 잡지를 넘기다가 덮은 뒤 눈 감고 잠을 청하는. 혜랑, 그런 옥경을 심란한 표정으로 보는.

## #61 버스 안. 낮

단원들이 탄 버스 안, 고막이 터지게 왁자지껄 시끄럽다. 한쪽에서는 잡지 읽으면서 떠들고 한쪽에서는 서로 화장해주고 한쪽에서는 노래 부르고 한쪽에서는 서로서로 과자 뺏어 먹으면서 왜 뺏어 먹냐고 소리 지른다. 숙영, 거의 울 것 같은 표정으로 애들한테 소리 지르며 애원한다.

숙영 조용히 해! 제발 좀 조용히 해!

하지만 애들 아랑곳 않고 소리 지르며 떠드는. 영서, 이 아비규환 속에 용케 집중해서 대본 보고 있고 정년과 주란은 서로에게 기대서 푹 잠들어 있는.

## #62 부산 숙소 앞. 낮

버스에서 내리는 단원들. 지친 숙영은 거의 너덜너덜해져서 내린다. '매란국극단 부산 팬클럽' '문옥경 친위대 부산지부'

'매란국극단 한사랑 부인 후원회' 등등 플래카드와 꽃다발을 들고 기다리고 있던 여학생들과 젊은 부인들, 단원들이 내리자 환호하며 꽃다발 주는. 단원들, 엄청난 환영에 얼떨떨한. 옥경 차가 도착하고 옥경과 혜랑이 내리자 팬클럽, 자지러질 듯 "문옥경!" "서혜랑!"을 외치며 목소리가 한층 더 커진다. 그중 한 여학생이 꽃다발을 들고 그대로 옥경에게 돌진해서 안긴다. 옥경, 웃으며 안아주자 질시와 부러움의 함성이 터지는. 문옥경 팬클럽에서 "저 가스나가 미쳤나" "뭐 하는 거야" "당장 끌어내" 난리 나는.

---

**#63 부산 숙소 마당. 낮**

짐을 옮기느라 바쁜 단원들. 정년, 영서, 주란(목발 짚은)도 짐 옮기느라 정신없는.

소복 자, 공연은 내일 저녁이고 리허설은 내일 오후 두 시에 있다. 오늘 하루는 자유 시간 줄 테니까 다들 쉬고 싶은 만큼 쉬어도 좋다.

단원들, 좋다고 꺅 소리 지르는.

---

**#64 부산 숙소 앞. 낮**

단원들, 들떠서 숙소를 나선다. 옥경, 뒤이어 나온다. 기다리고 있던 부인회 무리에서 부인1이 얼른 옥경에게 다가오는.

부인1 저, 오늘 저희 동생이 결혼을 하거든요. 동생도 저만큼이나 문옥경 씨, 서혜랑 씨 엄청난 팬이라서 그런데 괜찮으시다면 결혼식에 잠깐 참석해서 축하 좀 해주실 수 있을까요?

옥경 (쉬고 싶은) 오늘은 저 혼자,

그때 대문에서 뒤따라 나온 혜랑, 끼어든다.

혜랑 (얼른 나서는) 당연히 참석해야죠. 초대해주셔서 감사합니다.
부인1 정말요? (옥경 보는)
옥경 (혜랑 보고 순간 짜증 나지만 참는, 애써 웃는) 네, 가야죠.
부인1 (뛸 듯이 기뻐하는) 어머 어머, 이렇게 선선히! 감사합니다! 저희 가문의 영광이에요! (단원들 향해 들떠서) 자, 여러분들도 다 같이 참석해주세요. 좋은 자리일수록 사람이 더 많아야 하거든요.
단원들 네!
부인1 다들 시장하시죠. 결혼식 가기 전에 저희 후원회에서 청요릿집으로 여러분들을 전부 모시겠습니다. 가시죠.

단원들, "청요리래, 청요리!" 좋아하는.

---

**#65 청요릿집 안. 낮**

옥경과 혜랑, 따로 테이블에 앉아 있다. 연구생들 테이블에는 간단한 요리와 짜장면이 다인데 옥경과 혜랑의 테이블에는 진수성찬이 테이블을 가득 메우고 있다. 연구생들, 부러워서 옥경과 혜랑의 테이블을 흘끔거리는. 부인회 여자들, 옥경 테이블의 자리 하나씩 차지하고 앉아 있는.

부인1 옥경 씨, 얼른 드세요. 더 드시고 싶은 거 있으면 얼마든지 주문하세요.
옥경 네.

옥경, 먹으려다가 자신을 부럽게 보고 있는 연구생들 시선 눈치채고 웃음 나오는.

옥경 정년아, (접시 건네며)

가져가서 먹어. (연구생들 향해) 너네들도 먹고 싶은 거 있으면 갖고 가서 먹어.

정년 비롯한 연구생들 신나서 옥경 테이블 쪽으로 달려드는.

---

#66 교회 안. 낮

결혼식이 시작된 교회 안. 한복을 곱게 차려입고 머리에 면사포를 쓰고 손에 부케를 든 신부가 신부 아버지의 손을 잡고 등장한다. 단원들, 박수 치며 축하해주는. 신부를 보고 감탄하는 단원들.

초록 이야…… 신부 진짜 예쁘다.
복실 나도 나중에 저런 면사포 쓰고 결혼하고 싶어.
연홍 나도 무조건 면사포 쓰고 결혼할 거야.
정년 뭔 소리대. 신부는 역시 쪽두리에 원삼이제. 연지곤지 딱 찍고. 안 그러냐, 주란아?

아무 대꾸 없자 정년, 주란을 보는. 주란, 어쩐지 표정 어두운. 정년, 그런 주란을 의아하게 보다가 이유 알 것 같아서 표정 복잡해지는.

[시간 경과]

주례 앞에 선 신랑 신부. 한창 결혼식 진행 중인.

주례 신랑, 신부에게 제가 하고 싶은 말은 그저 단 하나, '서로 사랑하라'는 것입니다. 좋을 때만이 부부가 아닙니다. 슬플 때나 화가 날 때도 서로를 사랑하고 아껴주는 부부여야 합니다.

혜랑, 옥경을 흘끔 본다.

혜랑 (조심스럽게) 아직도 나한테 화 안 풀렸어?

옥경 (앞만 보고 있는)
혜랑 (답답한, 조급해지는) 그래, 내가 좀 과했어, 인정한다고. 그렇지만 너도 내 입장을 좀 생각해주면 안 돼?
옥경 (무덤덤하게) 너한테 화난 거 아니야.
혜랑 (옥경 화가 풀렸나 조금 안심해서 밝아지는) 그럼…….
옥경 너한테 실망한 것뿐이야.

혜랑, 가슴이 서늘해져서 옥경을 본다.

---

**#67 교회 앞. 낮**

옥경과 혜랑, 매란국극단 단원들과 다 같이 기념사진 찍는 신랑과 신부. 신부, 옥경을 보고 거의 좋아 죽는다. 신부, 옥경과 단둘이 기념사진을 찍는다. 신부, 얼굴 가득 미소를 감추지 못하며 옥경에게 팔짱까지 낀다.

정년 (놀리는) 어쩐다고 신부가 신랑이랑 있을 때보다 더 좋아 죽소.

신부, 수줍게 웃는. 지켜보던 사람들 웃고 난리 나는. 옥경, 정년을 향해 웃으며 가까이 오라고 손짓하는. 옥경, 정년, 신부, 셋이서 사이좋게 사진 찍는. 혜랑, 부글부글 끓어올라서 정년을 쏘아보는.

---

**#68 부산 숙소 근처 일각. 밤**

주란, 그늘진 얼굴로 생각에 잠겨 적당한 데 앉아 밤하늘을 보고 있는. 정년, 옆에 와서 앉는다.

주란 (웃는) 왜 안 자고 나왔어.
정년 간만에 바닷가에 온께 잠이 안 오네. 집 생각도 나불고. (주란 보는) 너도 아까 그 신부 보고 언니 생각났제.
주란 (생각이 들키자 놀라서

정년 보는) 어떻게 알았어?

정년 나도 그 신부 본께 우리 언니 생각났거든…… 우리 언니도 그런 면사포 쓰면 이쁘겄지 싶어갖고…….

주란 우리 언니도 폐병만 아니었으면 진작 시집갔을 텐데…….

둘, 잠시 가라앉은 분위기.

주란 정년이 넌 집 나오고 후회한 적 있어?

정년 (고개 젓는) 아니. 문득문득 가족들 생각날 때마다 미안허고 보고 싶지마는…… 그때로 다시 돌아가도 난 똑같이 선택할 수밖에 없을 거여.

주란 ……나도 그래. (어이없어서 웃는) 우리 둘 다 참…….

정년 (같이 웃는) 아, 어쩔 것이냐. 미안한 건 미안한 거고, 그래도 무대가 환장하게 좋은디.

주란 (웃는)

정년 분명히 집 뛰쳐나올 때는 남역으로 빨리 성공해서 엄니한티 보여줘야것다, 그런 맘이 있었는디 지금은…… 잘 모르겄어. 무대에 설 생각만 해도 발끝까지 짜릿짜릿해지는 거 같어. 그냥 무대에 서는 게 좋아.

둘, 가슴이 벅차서 그렇게 밤하늘을 올려다보는. 그러다 나란히 앉은 두 사람의 손이 살짝 스친다. 주란, 순간 의식하고 가슴이 마구 뛴다. 주란, 그런 자기 자신한테 더 놀라서 손을 움직이지도 못하고 꼼짝 못 하고 있는데 정년, 주란 쪽을 본다. 주란, 자신의 떨림을 들킬세라 움찔하는데,

정년 (무심하게 주란의 손을

끌어다 잡는) 밖에 오래 나와
있어서 긍가 손이 차갑네.
주란 (화들짝 놀라 손을 빼려는)
아, 아냐. 나 괜찮아.
정년 (더 강하게 주란 손을
끌어다 잡는) 가만있어 봐,
이 가시나야. 아직 공연도
남았는디 감기 걸리면 안 된단
말이여.
주란 (손 빼려던 거 멈추고
어색하게, 조금은 수줍게) 응…….
정년 (주란 손 꼭 잡은 채로 하늘
올려다보는) 여그는 서울보다
별이 훨씬 더 많이 보이네…….

정년은 아무렇지 않은데 주란,
심장이 마구 벌떡거리며 뛴다.
주란, 정년에게 손이 잡힌 채로
밤하늘을 보는 정년의 말간
옆얼굴을 조심스레 본다. 손으로
전해지는 정년의 온기를 느끼며
이미 자기 자신도 감당할 수 없는
감정의 출렁임에 설레기 시작하는.
정년의 옆얼굴을 보다 하늘을
올려다보는 주란, 혼란스럽지만
동시에 설레고 행복하다. 두
소녀, 그렇게 밤하늘을 오래 같이
바라본다.

---

**#69 부산 숙소 마당. 밤**

정년과 주란, 걸어오는데 영서,
레코드판 품에 안고 정년 방
앞마당을 서성이는. 영서, 목 빼고
누군가 오길 기다리는. 정년과
주란, 영서 뒤쪽에서 오고 있어서
영서, 아직 둘을 못 본.

영서 (혼잣말로) 윤정년 얜
어디 간 거야.

정년과 주란, 갸우뚱하며 서로를
보는. 정년, 얼굴에 장난기 감도는.
정년, 주란에게 쉿, 한다. 주란,
알았다는 듯 웃는. 정년, 살금살금
발소리 죽이고 영서 뒤로 바짝
붙어서,

정년 윤정년 여깄는디.

영서 (화들짝 놀라며 돌아보는) 야! 놀랐잖아!

정년 난 뭣 할라고 기다린대.

영서 (어색한 표정으로 황급히 레코드판 뒤에 감추는)

정년 (보려고 하며) 뭐여, 그건. 뭔디 그라고 꼼치냐?

영서 (난감한, 안 보여주려고 하며) 아냐, 아무것도.

정년 (궁금해 죽는) 아, 뭐냐고. 먹을 거여? 너만 먹지 말고 좀 같이 먹자.

영서 (피하며) 아, 그런 거 아니라니까…….

주란 (눈치채고) 나 먼저 들어갈게. (안쪽으로 들어가는)

정년 뭔디 그라고 꼼쳐쌓고.

영서, 뒤에 감춘 레코드판을 어색하게 쓱 내민다. 정년, 받아서 보고는 멈칫한다. 채공선의 추월만정 레코드판이다. 정년, 놀라서 영서를 보고. 이 상황이 영쑥스럽고 민망한 영서, 정년과 눈 마주치자 표정이 어색해지는.

영서 (차마 정년 얼굴을 못 보고 딴 곳을 보며) ……미안. (간신히 한마디 하고 민망해서 휙 자리 뜨는)

정년 (벙쪄서 보다가 푹 웃음 터지는) 야, 이 가시나야. 나 제대로 못 들었어. 뭐라고 한 건지 다시 말해봐!

영서, 거의 도망치듯 가버리고 정년, 그런 영서 따라가며 "뭐라고? 다시 말해보라니께?" 놀리는. 처음으로 화기애애한 둘 모습.

---

#70 부산 숙소 마당. 낮

단원들 모여 있고 소복, 단원들 앞에 서 있는. (옥경, 혜랑은 없는 것이 좋을 것 같습니다.)

소복 공연하느라고 다들

수고했다. 서울로 떠나기에 앞서서 너희들에게 꼭 할 얘기가 있다.

단원들 (심상찮은 분위기를 느끼고 긴장해서 소복을 보는)

소복 모두들 1년에 한 번 국극단들이 모여 합동공연을 하는 건 알고 있겠지. 이번 합동공연에는 〈바보와 공주〉를 올리는데 주연은 문옥경과 서혜랑이다. (잠시 멈추고) 중요한 건 지금부터다. 이번 공연에는 이례적으로 아역이 비중 있게 들어가는데, 그 아역들을 뽑는 오디숀이 한 달 후에 열린다. 그 오디숀에 합격한다면 문옥경, 서혜랑을 잇는 차세대 남역과 여역으로 단숨에 주목받게 될 거다.

정년과 영서, 눈이 번쩍 뜨여서 소복을 보는. 단원들, 설렘이 가득한 소곤거림.

소복 단, 조건이 하나 있다. 왕자 아역과 공주 아역이 짝을 지어서 오디숀을 봐야 한다는 거다. 다시 말하면 상대역을 못 구하면 오디숀을 보지 못한다.

정년과 영서, 순간 반사적으로 주란을 본다. 주란, 소복의 얘기를 듣고 고민에 빠진 복잡한 표정. 정년과 영서, 서로의 시선이 주란에게 향한 걸 알고 다음 순간, 상대를 강하게 견제하듯 본다.

소복 난 문옥경, 서혜랑의 후계자들이 다른 국극단이 아닌 우리 매란에서 나오길 바란다. (눈빛 단호해지며) 아니, 나와야만 한다고 생각한다. 특히 우리들의 왕자, 문옥경의 후계자는 여기 매란에서 나와야 한다. 명심해라, 노래, 춤, 연기에서 최고의 자질을 갖춘 단 한 사람만이 그 왕좌에 올라가서 새로운 왕자가 될 수 있다.

단원들, 눈을 빛내며 소복을 보는.

소복 그러니 너희들이 매란의 자존심을 걸고 매란이 어떤 곳인지, 매란이 왜 매란인지를 유감없이 보여줘라.

단원들 네!

팽팽한 긴장감으로 서로를 보는 정년과 영서에서 7부 엔딩.

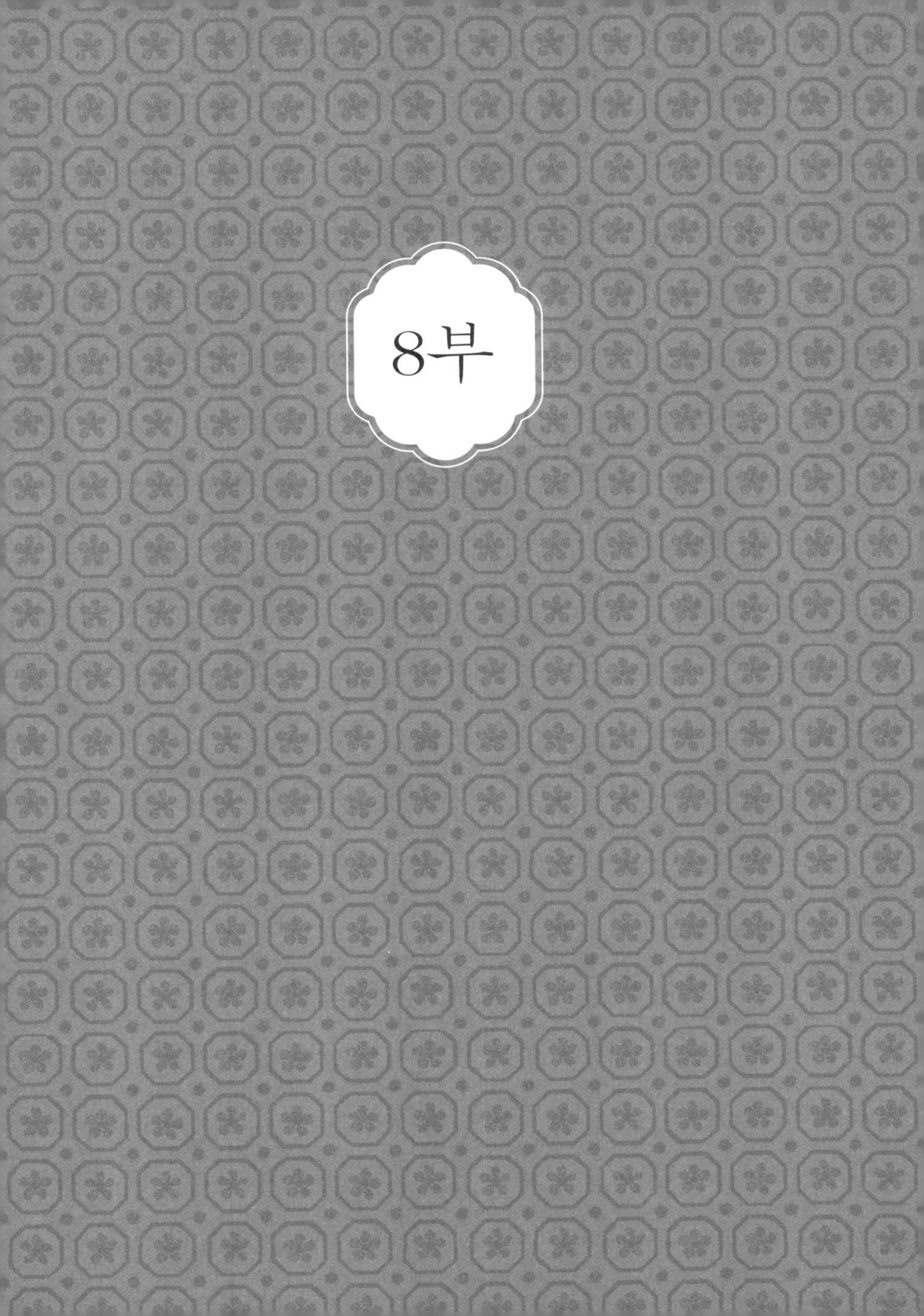

# 8부

(초록) 나도 간절해!
난 너처럼 타고난 천재도 아니고,
영서처럼 기본기가 탄탄한 것도 아니고,
주란이처럼 숨겨둔 실력이
있는 것도 아니지만,
그치만 나도 잘해내고 싶어!

## #1 요릿집 대문 앞. 낮

소복, 기사가 뒷문을 열어주자 차에서 내린다. 요릿집을 올려다보는 소복의 표정이 희망에 부풀어서 밝은.

## #2 요릿집 안. 낮

소복과 정남희(우리소리국악단 단장/40대 여), 대화한다. 소복, 들떠서 이야기하지만 남희, 어딘지 싸늘한 표정.

소복 〈바보와 공주〉 대본을 봤는데 느낌이 아주 좋아. 이번 합동공연이 잘되면 내년부터는 전국의 모든 국극단이 서로 하겠다고 난리가 날 거야. 우선 오디숀부터 화제 몰이를 할 수 있어야 돼. 심사위원 명단은 정리됐니?

남희 네, 확정되면 알려드릴게요. 그것보다 나, 다른 국극단들 대표해서 언니한테 할 이야기가 있어요.

소복 (궁금해서 남희 보면)

남희 우리 이번 합동공연 수익 배분 다시 얘기했으면 좋겠어요. 너무 한쪽만 좋은 조건 아니에요?

소복 (표정 순식간에 싸늘해지는) 한쪽만 좋다니? 우릴 두고 하는 말이니?

남희 (피식 웃지만 가시가 느껴지는) 그럼 매란국극단 말고 이번 공연으로 득 보는 국극단이 또 있나요?

순식간에 냉각되는 분위기.

소복 우리 매란은 제작비를 안 대니? 오히려 더 많이 대고 있잖아.

남희 매란이야 투자할 만하죠. 매번 스포트라이트는 혼자 다 받으면서 홍보 효과만 해도 어마어마할 텐데.

소복 (표정 날카로워지지만 꾹 참는)

남희 뭐, 지난 얘기 할 것 없고 올해는 국극단들 사정이 정말 어려워요. 매란에서도 양보할 건 좀 양보해주셨으면 좋겠어요. (묘하게 비트는) 그래야 내년에도 이 합동공연 계속할 수 있지 않겠어요?

소복 (표정 굳는)

---

#3 매란국극단 단장실 안. 낮

소복, 화가 나서 물을 벌컥벌컥 마시고 컵을 탁 내려놓는. 혜랑, 소복의 눈치를 살피는.

소복 이게 우리 매란만 좋자고 하는 공연이야? 힘을 합쳐도 모자랄 판에 등에 칼을 꽂아?

혜랑 작정하고 얘기 꺼낸 거 보니까 요구 조건 안 들어주면 빠지겠다고 할 거 같아요.

소복 …….

혜랑 단장님 이 공연에 애착 있으시잖아요. 애초에 이 합동공연도 단장님이 주도해서 시작하신 거고요.

소복 사분오열 찢어져서 국극단들 난립하는 와중에 그나마 구심점이 될 수 있는 행사라곤 이거밖에 안 남았어.

혜랑 단장님께서 이 합동공연 절대 포기할 리 없다는 거 알고 저렇게 나오는 거예요.

소복 (한숨) 그렇겠지. 어쨌든 고 부장 일 이후로 힘들어진 거 다시 바로잡으려면 이번 합동공연 반드시 성공시켜야 돼. 그러려면 우리 쪽에서 수익 배분을 양보해야겠지. (잠시 고민하다 어렵게) 이런 얘기 너한테는 미안하지만, 옥경이랑 너한테 돌아가는 출연료를 좀 깎아야 될 거 같다.

혜랑 (잠시 고민하다가 흔쾌히) 알겠습니다. 주시는 대로 받겠습니다. 옥경이는 걱정 마세요, 제가 따로 얘기 잘 할게요.

소복 (표정 밝아지는) 고맙구나. 이렇게 선선히 받아들일 줄 몰랐는데…….

혜랑 (웃는) 극단이 어려울 때 저도 한 번씩 양보해야죠. (골똘히 생각하는) 그리고…… 쉬는 시간 너무 길어지면 옥경이가 지루해해요. 엉뚱한 생각 못 하게 차라리 공연으로 묶어두는 게 낫겠어요.

---

#4 옥경 집 침실. 밤

혜랑, 외출에서 돌아오자마자 옥경 침실 쪽으로 가는. 옥경, 침대 위에 아무렇게나 쓰러져서 잠들어 있다. 옥경 머리맡에 놓인 양주병과 술잔. 혜랑, 선 채로 그런 옥경을 보다가 이불 덮어주는. 옥경의 앞머리를 조심스럽게 쓰다듬으며 옥경의 얼굴을 가만히 들여다보는 혜랑.

---

#5 매란국극단 단장실 안. 밤

도앵, 소복에게 서류를 내민다.

도앵 합동공연 오디숀 일정입니다.

소복 (받아서 보는) 우리 국극단에서 오디숀 볼 명단은 정해졌니?

도앵 네, 네 명 정도가 될 것 같습니다. 저…… 이번 공연 때문에 단장님께 꼭 드리고 싶은 말씀이 있습니다.

소복 뭔데?

도앵 이번 아역 오디숀에 만약 우리 매란 배우들이

합격한다면…… 그 배우들한테 공연 1회 정도는 성인 역까지 연기를 해보라고 하는 게 어떨까요.

소복　그게 무슨 소리야? 아역보고 성인 역까지 하라니?

도앵　아역 부분의 창도 워낙 어려워서 그 부분을 할 수 있으면 성인 부분까지 충분히 할 수 있습니다.

소복　안 돼, 너무 모험이야.

도앵　이번 공연에는 그런 모험이 필요합니다. 아무리 문옥경, 서혜랑을 보러 온다지만 매번 같은 배우들을 내세우면 관객들도 언젠간 지루해할 거예요. 단장님께서도 이번 오디숀이 새로운 왕자를 뽑는 자리라고 말씀하셨잖습니까.

소복　무슨 소린지는 알겠어. 하지만 아역 애들 섣불리 내세웠다 공연 망치면 그때는 어쩌고? 아직은 안 돼.

도앵　(표정 어두워지는) ……언제까지고 문옥경, 서혜랑한테 의지할 수 없다는 거 단장님도 이미 잘 알고 계시잖아요.

표정 굳는 소복.

---

**#6 매란국극단 연습실 안. 낮**

수업을 듣는 연구생들, 소복이 치는 장단에 맞춰서 다 같이 광대가를 부르는.

연구생들　*득음이란 것은 오음을 분별하고 육률을 변화하야 오장에서 나는 소리 농락하여 날 때 그 또한 어렵구나—*

소복　(북 치는 손을 멈추는) 잠깐 잠깐, 아직도 단전에서 소리를 안 끌어올리고 목으로만 소리를 내는 사람이 있어. 특히 박초록, 너 호흡 딸리는 거 여기서도 다 보여. 그래 가지고 관객석 뒤까지 소리 들리겠니?

초록, 풀 죽어 고개 숙이는.

소복 이번 합동공연 오디숀은 창 부분이 난이도가 높기 때문에 결국 소리에서 판가름이 날 거다. 다들 내가 가르쳐준 거 명심하고 꾸준히 연습해라.
연구생들 네.

[시간 경과]

수업 끝나고 흩어지는 연구생들.

연홍 너 이번 오디숀 나갈 거야?
복실 아니…… 온달 소리 부분이 너무 난이도가 높아. 청이 높고 애원성도 능숙하게 내야 돼. 연구생이 할 수 있는 수준이 아니야. 우리 중에 온달 할 수 있는 애는 정년이나 영서밖에 없을걸. 나머지는 나가 봤자 망신만 당하고 오는 거지.

초록, 얘기 들으며 표정 어두운.
초록, 정년 쪽 보는.

---

#7 매란국극단 일각. 낮

주란, 가는데 영서, 쫓아오는.

영서 홍주란!
주란 (돌아보는)
영서 (조급한 마음, 하지만 조심스럽게) 오디숀 벌써 윤정년이랑 하기로 결정한 거 아니지?
주란 (당황하는) 아니, 아직…….
영서 (용기를 내서 조심스럽게) 그럼 나한테도 기회를 줘. 내 상대역 네가 해줬으면 좋겠어.
주란 (난처한) 영서 너라면 같이 하고 싶어 하는 애들 많을 텐데…….

영서 (똑바로 보며) 다른 애들 필요 없어. 너랑 해야 난 최고의 무대를 할 수 있어.

정면으로 돌진해버리는 듯한 영서의 말에 주란, 당황하며 눈빛 흔들리는.

영서 네 생각은…… 어때?
주란 (선뜻 대답 못 하고 망설이다가) 조금만…… 시간을 줄래?
영서 (고개 끄덕이는)

주란, 고민에 가득 찬 어두운 표정으로 돌아서서 가는. 영서, 그런 주란 뒷모습을 불안하게 보는.

---

**#8 매란국극단 부엌 안. 밤**

주란, 아궁이 앞에서 불을 때는. 정년, 부엌 안으로 들어온다. 주란, 돌아보는.

정년 (주란 옆에 앉으며) 어디 갔나 한참 찾았네.
주란 (어리둥절해서 정년을 보면)
정년 합동공연 오디숀 나갈라면 인자부터 연습해야제. 우리 연습할 거 많아. 대본 읽어봉께 아역 분량이 상당히 많고 까다롭던디?
주란 (순간 정년 시선 피하며 표정 살짝 흐려지는)
정년 (불안해지는) 뭐여, 너 설마 딴 사람이랑 하기로 얘기된 거여? (헉하는) 설마 영서랑?!
주란 (재빨리 부정하는) 아냐, 그런 거.
정년 (안도하는) 그라제? 아니제? 당연히 나랑 할 거제?
주란 (대답 피하며 웃는) 벌써 대본을 다 읽어본 거야?
정년 그럼, 평강공주는 너랑 딱 어울릴 역할이던디? 귀엽고 사랑스럽고. 온달은 연기는 걱정 없어야, 창 부분이 어려워서 그게 쪼까 걱정이제.

주란 넌 잘해낼 거야.

정년 연습을 해야 잘해내제. 내일 아침부터 같이 연습하자. 연습실에서 기다릴란께 와.

주란 …….

정년 아, 우리 여유 부릴 시간 없당께!

주란 (웃는) 알았어.

정년 (안심하고 웃는) 내일 일찍 일어날라면 언능 자. 나 간다이?

정년, 부엌 나가는. 주란, 어두워지며 고민 많아지는.

---

#9 매란국극단 마당. 아침

영서, 목검으로 연습을 하지만 잘 집중이 되지 않는. 영서, 숨을 고르고 다시 목검을 휘두르는.

---

#10 매란국극단 연습실 안. 아침

정년, 대본 보다가 주란이 오지 않자 문 쪽을 기웃하며 보는. 그때, 문이 열린다.

정년 (웃으며) 어째 안 오나 했다. (그러다 들어온 사람 얼굴을 보고 놀라서 굳는)

---

#11 매란국극단 마당. 아침

영서, 검을 휘두르다가 목검을 떨어트리는. 영서, 숨을 몰아쉬는데, 목검을 주워서 영서에게 건네는 주란. 영서, 주란을 보고 깜짝 놀란다.

주란 연습 시작하자. 너랑 같이 오디숀 나가고 싶어.

---

#12 매란국극단 연습실 안. 아침

정년, 들어온 사람 보고 놀라는. 초록, 어딘지 민망한 듯, 긴장한 얼굴로 연습실 안에 들어온.

초록　나…… 오디숀에 너랑 나가고 싶어.
정년　(당황하는) 아…… 근디 난 기다리고 있는 사람이,
초록　홍주란이라면 안 올 거야. 좀 전에 영서랑 있는 거 봤어.

정년, 순간 표정이 굳는다.

---

**#13 매란국극단 무용 연습실 안. 낮**

〈바보와 공주〉 오디션 대본을 펴서 읽는 주란.

영서　대본 다 읽어봤어?
주란　응. 우리가 오디숀 볼 장면은 아역 온달과 평강이 눈물로 이별하는 장면이야.
영서　(주란을 빤히 보는. 왜 나를 선택했을까……)
주란　왜?
영서　……아냐. 너부터 시작해.

**#14 매란국극단 마당. 낮**

있는 대로 속이 상한 정년, 빠른 속도로 마당을 가로질러 가는데 쫓아가는 초록.

초록　야, 너 어디 가. 아직 대답도 안 했잖아.
정년　(빠르게 걸어가며 건성으로) 지금은 급하게 갈 데가 있응께 이따 얘기해. (가버리는)
초록　야! (더 못 쫓아가고 초조해져서 보는)

---

**#15 매란국극단 무용 연습실 안. 낮**

영서와 주란, 대본 읽어보고 있는데 문이 거침없이 탁 열린다. 정년이 문밖에 서 있는. 정년, 같이 있는 둘을 보고 표정이 굳는다. 주란, 올 줄 알았던 듯 놀라지 않고 시선 피하는. 영서, 그저 무표정한

얼굴. 화가 난 정년, 들어온다.

정년 (주란 향해) 얘기 좀 해.

영서 연습 끝나고 해.

정년 (영서 아랑곳없이 주란만 보고) 얘기 좀 하자니께?

영서 야, 윤정년.

정년 (여전히 주란 쪽만 보는) 잠깐이면 돼.

영서, 주란을 본다. 주란, 괜찮다는 듯 영서에게 고개 끄덕인다. 영서, 무표정한 얼굴로 주란 보다가 어쩔 수 없다는 듯 가볍게 한숨 쉬고 나가는.

정년 (배신감과 실망감에 헛웃음) 참, 기가 맥혀서…… 난 영락없이 나랑 하는 줄 알았더니…….

주란 …….

정년 왜 내가 아니고 영서냐?

주란 …….

정년 (화나서) 말해보란께? 뭐여, 뭣 땜에 나 팽개치고 영서랑 하겄다고 한 거여?!

주란 (결심하는) ……난 네가 무서워.

정년 (표정 굳는) ……뭐가? 뭐가 무섭다는 건디?

주란 저번처럼 네가 또 역할에 지나치게 몰입해버릴까 봐. 그럴 때 넌 네 역할도 잡아먹어 버리고, 상대역도 잡아먹어 버리고 무대도 잡아먹어. 남는 건 윤정년 너밖에 없어.

정년 (충격받아 멍히 보다가, 떨리는 목소리로) 그 문제는 인제 내가 통제할 수 있어. 어떻게 극 전체를 보는지 배웠다고, 너도 봤잖어!

주란 그래, 하지만 넌 아직 그걸 배워가는 단계야. 다음번에 돌발 상황이 생기면 다시 똑같은 일이 벌어질지도 몰라. 넌 아직 스스로 완전히 통제가 안 되잖아. 그럴 때 내가 혜랑 선배처럼 중심 잃지 않고 대처할 자신도 없어.

정년 ……그래서 영서를 선택한 거여?

주란 영서는 안정적이야. 처음부터 끝까지 큰 그림을 보고 계산해서 연기하고 거기에서 벗어나지 않아. 영서한테는 의지할 수 있지만 너한테 의지할 순 없어.

정년, 크게 상처받아버리는. 주란, 떨리는 눈으로 정년을 보고 정년, 잔인한 진실을 듣고 충격에 휩싸여 주란을 본다.

---

**#16 매란국극단 무용 연습실 밖. 낮**

밖에서 둘의 대화를 다 들은 영서, 표정 굳는.

---

**#17 매란국극단 일각. 낮**

정년, 기운 없이 걸어가는데 초록, 정년을 기다렸다가 발견하고 다가온다.

초록 정년아.

정년 (기운 없이) 나 오늘은 뻗쳐서…… 담에 얘기하자.

초록 (보조 맞춰서 쫓아가며) 야, 나도 너희들만큼 이 오디숀 꼭 잘 보고 싶어. 나도 주란이만큼 잘할 수 있어.

정년 (초록 말이 귀에 들어오지 않는 듯한 지친 얼굴로 걸어가는)

초록 (멈춰 서서 버럭) 나도 절박하단 말이야!

정년 (그제야 멈춰 서서 돌아보는)

초록 너하고 영서만 이 오디숀 잘 보고 싶어 하는 거 아니야. 나도 간절해! 난 너처럼 타고난 천재도 아니고, 영서처럼 기본기가 탄탄한 것도 아니고, 주란이처럼 숨겨둔 실력이 있는 것도 아니지만, 그치만 나도 잘해내고 싶어! 주란이

뺏겼다고 너 오디숀 포기할 거야? 아니잖아!

정년 (놀라서, 하지만 진심이라는 걸 느끼고 초록을 보는)

초록 (눈물 고여서) 네가 나 싫어하는 거 알아. 내가 그런 대접 받아도 싸게 예전에 못되게 굴었으니까. 이제 와서 같이 하자고 매달리는 거 어이없을 수도 있지만…… 그치만 나 너랑 하고 싶어. 나도 오디숀 나가보고 싶어.

정년 …….

초록 그러니까 나한테도 기회를 줘.

정년 …….

초록 역시…… 안 되는 거야?

정년, 초록을 외면하는. 초록, 역시 안 되는구나, 축 어깨가 처져서 자리 뜨고 정년, 그런 초록 뒷모습을 안된 마음으로 보는.

---

#18 매란국극단 휴게실 안. 밤

정년, 〈바보와 공주〉 대본을 앞에 놓고 홀로 고민하는.

[플래시백 - 8부 #15]

주란 영서한테는 의지할 수 있지만 너한테 의지할 순 없어.

[플래시백 - 8부 #17]

초록 너하고 영서만 이 오디숀 잘 보고 싶어 하는 거 아니야. 나도 간절해!

정년, 주란에게 받은 상처로 쓰라리다. 누구와 호흡을 맞춰야 하는지, 자신이 제대로 해낼 수는 있을지 불안하고 괴로운 정년.

---

#19 매란국극단 마당. 아침

초록, 홀로 광대가를 연습하는.

초록 *득음이란 것은 오음을 분별하고 육률을 변화하야 오장에서 나는 소리 농락하여*

*날 때 그 또한 어렵구나—*

정년　아직 단전에서 소리가 안 나오고 있는디.

초록　(놀라서 돌아보는)

정년, 근처에서 지켜보고 있다가 가까이 다가오는.

정년　소리를 좀 더 깊숙이서 뽑아 올려야 써. 아랫배에 쫌 더 힘을 주고 허리를 곧게 피란 말이여.

초록　(외면하며 뚱하게) 나도 알아.

정년　(잠시 초록 보다가) 넌 내가 저번에 군졸 할 때처럼 무대 망칠까 봐 안 무섭냐? 나랑 같이 연기하다가 네 연기까지 망가질 수 있잖어.

초록　(무뚝뚝) 무슨 뜬금없는 소리야. 너 그 문제 고쳐가고 있는 거 아니었어?

정년　(간절한) 그래도 또 같은 문제가 생기면?

초록, 정년을 본다. 정년의 간절한 얼굴에 초록, 안쓰러워지는.

초록　(여전히 퉁명스럽지만 약간 풀려서) 내가 보는 넌 같은 실수 반복 안 해. 그리고 넌 늘 무서울 정도로 실력이 발전했었잖아. 어제의 너랑 오늘의 너는 늘 딴사람이었다고. 그런 문젠 고민해본 적도 없어.

정년　(조금 안심이 돼서 표정이 풀리는) ……그래?

초록　(심드렁한) 그 정도 실력을 갖고 있으면서 무슨 엉뚱한 걱정을 하는 거야. 내가 왜 너랑 같이 하고 싶다고 했는데.

정년　주란이 말로는,

초록　너 거절한 주란이 말을 왜 신경 써? (투덜대는) 걘 바보야, 지가 걷어찬 기회가 뭔지 아나 몰라.

정년, 그토록 자신을 미워하던

초록의 따뜻한 마음이 담긴 말을 듣고 있자니 마음이 찡해진다. 정년, 주란에게서 상처받은 마음이 조금 달래지는 것 같은.

초록 (퉁명스러운) 근데 나랑 할 생각도 아니면서 그걸 왜 물어봐.

정년 ……너 아까처럼 소리하면 내 상대역 못 해. 같이 소리하면 내 소리가 네 목소리를 다 잡아먹을 텐디.

초록 나도 안다니까! (하다가 멈칫) 뭐라고? 뭘 해?

정년 우리 둘이 해보자, 그 오디숀.

초록 (멍히 정년을 보는)

정년 해보자고. (버럭) 뭐여, 설마 그동안에 생각 바뀐 거여?

초록 (다급하게) 아니야! 해! 하자고.

정년 (피식 웃는) ……잘 부탁한다이.

초록 나도, 야, 난 네가 안 하겠다고 할 줄 알았는데.

들뜬 초록. 그런 초록을 보고 피식 웃지만 여전히 어딘지 어두운 정년의 표정.

---

#20 매란국극단 단장실 안. 낮

소복, 서류 보는데 노크 소리 들리는.

소복 네.

문 벌컥 열리고 기주, 들어오는. 소복, 기주 보고 놀라서 표정 굳는.

기주 (방 둘러보는) 명색이 단장실인데 좀 더 으리으리하게 꾸며라, 얘. 그래도 국극단 규모는 좀 되네. 매란이 잘나가긴 하나 봐?

소복 네가 여기 웬일이야?

기주 못 들었니? 내가 오디숀 심사위원 대표야.

소복 뭐?

소복을 보는 기주 얼굴에 묘한 미소가 떠오르는. 소복, 기주를 경계하듯 날카로운 표정.

기주 앉으란 말도 안 하니?
소복 (소파 쪽에 와서 앉고, 냉정하게) 앉아.
기주 (앉으며) 심사위원은 나 말고도 민경식 교수님이랑 대한실업 김재석 사장님, 그리고 정일손 의원님이 오실 거야. 정일손 의원님은 내 부탁으로 어렵게 모신 거니까 각별히 신경 써야 돼.
소복 무슨 생각이야? 무슨 꿍꿍이로 네 딸도 참석하는 오디숀에 심사위원을 하겠다고 하는 거야?
기주 꿍꿍이? 불쾌하다, 얘. 너같이 덮어놓고 오해하는 사람 있을까 봐 영서 차례에는 나 아예 점수도 안 매길 거라고 했어.
소복 너, 국악은 우습게 보잖아? 오페라에 갖다 댈 게 아니라며.
기주 우습게 보면 내가 지금 여기서 이러고 있겠니? 그리고 분명히 알아둬. 내가 먼저 심사위원 하겠다고 한 거 아니야. 정남희 단장이 먼저 찾아와서 제발 좀 해달라고 부탁한 거지.
소복 (여전히 경계와 의심의 눈초리로 보는)
기주 (성질나서) 아유, 그래, 옛날에, 임진 선생님 댁 놀러 다니고 그랬던 어린 시절에, 멋모르고 무시하는 소리 몇 마디 좀 했다. 철없을 때 말실수한 걸 가지고 아직도, 차암 너도 어지간하다.
소복 영서 매란국극단 들어오고 나서도 너 못마땅해한 거 내가 모르는 줄 알아? 그래놓고선 왜 갑자기 발 벗고 나서냔 말이야.

기주, 빤히 소복을 보는. 소복, 그런 기주를 의심쩍은 눈으로 보는.

기주 (침착해지며) 매란에 공선이 딸도 있더라? 윤정년이라고 했나?

소복 (멈칫하는)

기주 내 눈으로 확인해보고 싶어. 채공선 딸이랑 이 한기주 딸, 둘 중에 누가 더 재능이 있는 건지.

묘하게 웃는 기주. 그런 기주를 굳어서 보는 소복.

[시간 경과]

소복, 생각에 잠겨 있는데 도앵, 노크하고 들어온다.

도앵 (조심스럽게) 단장님께서 다른 단장님들한테 얘기를 해서 바로잡으셔야 되지 않을까요? 분명히 다른 심사위원들한테 영향력을 행사할 텐데요.

소복 (고개 젓는) 한기주가 심사에 참여한다는 얘기가 돌면서 투자가 엄청나게 들어온 모양이다. 다른 단장들은 반대할 거야.

도앵 이러다 납득할 수 없는 결과가 나오면 말이 나올 텐데요.

소복 나한테도 생각이 있어. 만약에 납득할 수 없는 결과가 나오면 옥경이랑 혜랑이를 공연에서 뺄 생각이다. 아니, 그 전에 옥경이가 아예 무대에 안 서겠다고 할 거야.

도앵 (조금 안심한 듯 고개 끄덕이는) 알겠습니다. 기자들이 자꾸 합동공연에 대해서 문의하는데요, 보도자료를 낼까요?

소복 (골똘히 생각하는)

아니야, 보도자료 같은 걸로는
안 돼. 한기주가 들어와서
지금 홍보에도 도움이 되고
있어. 이참에 아예 대대적으로
기자들을 부르자.

---

#21 매란국극단 마당. 낮

수십 명의 기자들이 몰린
제작발표회 자리. 플래카드에
'합동공연 바보와 공주 제작
보고회'라고 써 있다. 소복, 자리에
앉아 기자들의 쏟아지는 질문에
대답하는. 기자들의 카메라
플래시가 요란하게 여기저기서
터진다.

소복 이번 합동공연에는
총 일곱 개의 국극단이
참여할 예정이며 바보 온달
역은 문옥경, 평강공주 역은
서혜랑이 맡을 겁니다. 조만간
열릴 오디숀에서는 그 둘의
아역을 뽑을 계획입니다.

기자1 심사에 소프라노 한기주
씨가 참석한다고 들었습니다.
이번 오디숀에 소프라노 한기주
씨 딸 허영서 양이 응시한다고
하는데 사실입니까?
소복 네, 허영서 양도 오디숀
명단에 이름을 올렸습니다.
하지만 허영서 양이 응시한다고
해도 공정한 심사를 위해
한기주 씨는 딸 차례에는
점수를 내지 않을 겁니다.
기자2 저번 〈자명고〉 공연에서
구슬아기 대역으로 호평을
받았던 윤정년 양이 채공선
딸이라는 소문이 파다합니다.
윤정년 양도 이번 오디숀을 볼
예정입니까?
소복 네, 윤정년 양도 오디숀
명단에 있습니다.

순간, 일제히 카메라 플래시가
폭발하듯이 터지는.

기자3 그 오디숀에서 뽑힌

아역이 훗날 문옥경, 서혜랑의 후계자가 될 거란 얘기가 돌고 있습니다. 맞습니까?

소복 (잠시 일부러 대답하지 않는)

기자들 (긴장해서 소복을 보는)

소복 네, 맞습니다. 그래서 이번 아역 오디숀은 더 철저한 심사를 거칠 예정이며 특별히 문옥경과 서혜랑도 오디숀을 참관할 계획입니다.

기자들, 미친 듯이 플래시를 터뜨린다. 소복, 회심의 미소를 띠고 기자들을 둘러보는.

---

#22 길거리. 낮

시민들, 가판대에서 신문을 사 보는. 큼지막한 타이틀로 '세기의 대결, 소프라노 한기주 딸과 추월만정 채공선 딸 합동 오디숀에서 맞붙어' '국극 황태자 문옥경의 후계자는 과연 누가 될 것인가' '두 천재 소녀의 한판 승부'. 신문들, 날개 돋친 듯이 팔려나간다.

---

#23 매란국극단 대문 앞. 낮

팬들, '매란국극단의 왕자님은 문옥경뿐' '문옥경 후계자라니 웬 말이냐' '문옥경 몰아내면 매란 박살 내버린다' 플래카드 펼쳐 들고 난리다. 아예 "왕자님은 문옥경뿐" 구호까지 외치며 난리인 팬들.

---

#24 매란국극단 휴게실 안. 낮

단원들, 신문 보며 술렁이는.

금희 벌써부터 난리도 아니네. 전부 다 오디숀 얘기뿐이야.

봉선 정년이가 채공선 딸이라니…… 어쩐지 소리 잘한다고 했어.

소향 와, 근데 벌써 이 정도면

오디숀 때는 난리가 날 거
같은데…… 진짜 부담스럽겠다.

정년이 들어오자 "채공선 딸이래" 하는 수군거림이 들리는. 정년, 애써 모르는 척 단원들과 떨어진 곳에 자리에 앉아 신문을 보는. '두 천재 소녀의 한판 승부'. 그 밑에 작은 타이틀로 '판소리 천재의 딸과 성악 천재의 딸, 과연 문옥경 후계자 자리는 누구에게로?' 쓰여 있는. 정년, 압박감이 느껴진다. 신문을 내리는 정년, 긴장과 불안으로 어두운 표정.

---

**#25 영서 집 거실. 낮**

기주, 같은 신문을 보며 만족스럽게 미소 짓는. 영서, 그 옆에서 긴장한 표정. 자꾸 손을 만지작거리며 얼어 있는.

기주 (좋아하며) 강소복이 판 크게 벌일 줄 아네. 암, 이 한기주 딸이 나갈 오디숀인데 이 정도 판은 벌여줘야지.

영서 (긴장한 표정으로 웃음기 없이 얼어서)

기주 (그런 영서 표정 눈치채는, 신문 접으며) 왜, 여기저기서 떠드니까 부담되니?

영서 (애써 괜찮은 척 조금 웃는) 아니요.

기주 그래, 벌써 이 정도에 얼어버리면 안 돼. 오히려 이 긴장감을 즐기고 무대 위에서 승화시킬 줄 알아야 돼.

영서 네, 어머니.

기주 그리고 내가 심사를 본다고 너한테 조금이라도 혜택이 갈 거라고 생각하지 마라. 난 네 차례에는 점수를 안 낼 거니까.

영서 (엄마에 대한 신뢰와 존경이 뚝뚝 묻어나는 눈길로 보며) 그럼요. 당연히 그러실 거라고 생각했어요.

기주 난 채공선의 추월만정을

들은 뒤로는 그 어떤 명창의 소리를 들어도 심장이 뛰지가 않았어. 다 가짜 같았거든. 이번 오디손 때 이 한기주 딸이 진짜배기 소리를 할 수 있다는 걸 사람들한테 제대로 보여줘야 한다, 알았니?

영서 (긴장해서) 네.

---

#26 매란국극단 일각. 낮

연습하러 대본을 들고 가는 정년. 주란, 가다가 그런 정년을 보고 흠칫 놀라 자기도 모르게 몸을 숨기는. 주란을 미처 보지 못한 정년이 가고 나자 정년 쪽을 보는 주란, 죄책감과 미안함에 표정 많이 어두운.

---

#27 매란국극단 연습실 안. 낮

초록과 연습을 하는 정년.

초록 (소리하는) *낭군을 찾으리다. 눈물 젖은 소맷부리 끊어내고 일편단심 혼인맹약 가슴에 품고 낭군 찾기까지 절대 울지 않으리다.* (소리하며 정년 손에 반지를 쥐여주는)

정년, 반지를 보고 눈물을 글썽거리는.

정년 *어서 오오, 어서 오오, 애기님을 기다리리다.* (초록 얼굴을 부여잡는) *삼수갑산 범이 되어 용맹무쌍 떨치며 애기님을 기다리리다.*

초록, 자신을 애절하게 보는 정년을 보다가 자기도 모르게 빠져들어 눈물을 글썽거리는.

정년 (씩 웃는) 어, 울었다.

초록 (당황하는) 뭐?

정년 내 연기 보고 울었잖아.

초록 아니, 그건 네가 너무 애절하게 사람을 보니까,

(얼버무리며) 암, 암튼! 이대로 준비하면 오디숀 별문제 없을 거 같아.

정년 아직 아닌디.

초록 왜? 아, 물론 나는 아직 좀 더 준비를 잘해야겠지만,

정년 네가 아니라 내가 문제여. 소리에 집중을 못 하겠고 자꾸 쓰잘데기없는 생각이 들어야. 이라고 집중이 안 된 적이 없었는디…… (웃는) 미안, 내가 다음번엔 좀 더 준비 잘해갖고 올게.

초록 ……영서랑 주란이 어떻게 하고 있을지 궁금하지?

정년 (표정 굳는)

초록 너 자꾸 개네들 신경 쓰여서 그러는 거잖아.

정년 (딴청하며) 아닌디? (하다가 초록과 눈 마주치자) 그래, 쪼까 궁금하긴 해. 둘이 호흡은 잘 맞는지, 허영서는 을마나 잘하고 있는지.

초록 너 개네 연습하는 거 볼 생각도 하지 마.

정년 (움찔하는)

초록 (눈치채고) 이거 봐, 이거 봐. 야, 너 진짜 보면 안 돼. 봤다가 괜히 네 평정심만 깨져. 궁금해도 참고 우리 거에만 집중해.

정년, 고민한다.

---

#28 매란국극단 일각. 낮

정년과 초록, 걸어가다가 혜랑과 마주치는.

혜랑 너네 긴장 좀 해야겠다?

정년 (어리둥절해서 혜랑을 보는)

혜랑 영서랑 주란이 굉장히 호흡이 잘 맞던데.

정년 (표정 굳는)

초록, 불안하게 정년을 본다.

#29 매란국극단 연습실 밖. 낮

정년, 연습실 안을 들여다보다가 굳어버리는. 영서와 주란의 연습이 한창 열띤 분위기 속에 진행되고 있다. 초록, 뒤따라와서 정년 옆에 서서 지켜보는.

---

#30 매란국극단 연습실 안. 낮

영서 (주란을 안고 애절하게) 미천한 이 내 몸은 죽으면 그만이다만 구중궁궐 내 애기님 슬픔은 어찌할꼬—

주란 (손에 낀 가락지 두 개 중에 하나를 빼며 눈물을 흘리는) 기다려요! (소리하는) *낭군을 찾으리다. 눈물 젖은 소맷부리 끊어내고 일편단심 혼인맹약 가슴에 품고 내 낭군 찾기까지 절대 울지 않으리다—*

영서 (주란의 얼굴을 애절하게 감싸 쥐고 소리하는) *어서 오오 어서 오오 애기님을 기다리리다.*

주란, 그런 영서를 보며 눈물을 하염없이 흘리고, 서로 손을 맞잡는다. 둘 다 서로에게 몰입해서 연기하는.

---

#31 매란국극단 연습실 밖. 낮

정년, 영서와 주란의 완벽한 호흡과 한 단계 올라선 영서의 물오른 연기에 충격받아 얼이 빠진 듯 두 사람을 지켜본다. 초록도 표정 굳어서 연습 장면을 보다가 정년을 돌아본다. 혜랑, 그런 정년의 반응을 탐색하듯 지켜보다가 옆으로 다가오는.

혜랑 놀랬니? 호흡이 잘 맞으면 저렇게 상승효과가 일어나는 거야. 저게 다 영서가 기본기가 탄탄해서 가능한 거지. 자기 연기를 잘하는 건 물론이고, 남의 연기도 받쳐줄 수 있는 실력이 되니까. 정년이 넌 영서에 비교하면 아직

멀었어.

정년 (충격과 자괴감에 빠진)

초록 (불안하게 혜랑과 정년을 번갈아 보는)

혜랑 그래도 너무 괴로워할 건 없어. 넌 소리 하나는 잘하니까. 이번 온달은 창이 어려우니까 넌 소리로 승부를 봐.

정년 (넋이 나간 듯) ……소리는 영서도 잘하는디요.

혜랑, 정년을 보다가 악마 같은 미소가 떠오른다.

혜랑 네가 영서 실력을 월등하게 뛰어넘으면 되지. 여기 뒷산에 올라가면 동굴이 하나 있어. 거기 동굴 벽을 보고 소리를 하는 거야. 동굴 벽에 튕겨 나오는 네 소리를 듣고 다시 부르고, 그걸 피를 토할 때까지 하루에도 수백 번씩 반복해봐. 한 보름만 해도 득음을 하게 될걸? 그럼 넌 영서가 날고 기어도 얼마든지 꺾을 수 있어.

정년 …….

혜랑 말을 들은 초록, 표정이 싹 변해서 혜랑을 보는.

혜랑 지금 넌 수단 방법을 가리면 안 돼. 이러다 영서한테 밀리면 영영 끝이다, 너?

괴로운 정년. 혜랑, 그런 정년 보다가 미소를 머금고 자리 뜨는.

초록 (불안한) 너 혜랑 선배 말 듣지 마. 그런 식으로 단시간에 목을 혹사시켰다간 너 큰일 나, 알았지?

정년, 들리지 않는 듯 멍하니 영서를 보다가 자리 떠서 가버리는. 초록, 불안하게 정년을 보는.

## #32 매란국극단 일각. 낮

도망치듯 뛰쳐나온 정년. 정년, 이대로 영서를 이기지 못할 거란 절망감, 영서에 뒤처졌다는 패배감에 사로잡혀 멍청히 서 있다가 연습실 쪽을 돌아보는.

---

## #33 매란국극단 연습실 밖. 밤

연습을 끝내고 나오는 영서와 주란.

주란　연습 몇 번 하지도 않았는데 호흡이 잘 맞는 거 같아. 역시 영서 너랑은 말하지 않아도 잘 통해서 편해.

영서　(걸음 멈추는)

주란　(돌아보는) 왜?

영서　그래서 나랑 하겠다고 한 거야? 편해서?

주란　…….

영서　나, 그때 윤정년이랑 네가 얘기하는 거 들었어. 너 내가 처음부터 끝까지 계산해서 연기하니까 안정적이라고 했지.

주란　(놀라서 보는) 영서야, 그건,

영서　너 그때 나랑 〈자명고〉 연습할 때 분명히 날 보고 있지 않았어. 그런데도 날 선택해서 이상하다고 생각했어. (자조적인) 근데 이제 알겠어. 넌 진짜 상대역으로 날 원했던 게 아니야. 마음은 윤정년을 선택하고 싶은데, 어쩔 수 없이 차선으로 날 선택한 거지.

주란　(어찌할 바를 모르는) 그런 게 아니야.

영서　(허탈하게 웃는) 그래도 아니라고 할 거야? 사람 좀 그만 비참하게 만들어. (싸늘해지는) 그래, 뭐, 이유 같은 건 상관없어. 나도 같이 무대에 올라갈 상대역이 필요한 것뿐이니까.

상처받은 영서, 앞서서 걸어가는. 주란, 심란하게 영서 뒷모습을 보는.

### #34 매란국극단 연습실 안. 낮

정년, 초록과 연습한다.

정년 *생사는 천륜이라 한탄 말고 살았거늘 부모형제 일가친척 역적누명이 무슨 말이고,*

하다가 목소리가 갈라지는 정년.

정년 미안. 쪼까 쉬었다 하자. (물을 마시는)

초록 너, 그 부분에서 지금 열 번도 넘게 막혔어.

정년 (표정 어두운)

초록 (심란하고 걱정되는) 그러게 혜랑 선배 말 듣지 말랬잖아. (한숨) 목 상태가 영 별로인 거 같은데, 오늘은 이만 쉬고 내일 다시 하자.

정년 안 돼. 계속해야 돼.

초록 (말리는) 정년아.

정년 쪼까 더 해보고, 그래도 안 되면 그때 쉬자. (다시 소리하는) *생사는 천륜이라,*

초록 (답답해하는)

### #35 매란국극단 단장실 안. 낮

도앵, 소복에게 보고한다. 소복 책상에 장부들과 서류들이 잔뜩 쌓여 있는.

도앵 고 부장이 자주 드나들던 도박장이 있다고 해서 가봤는데 최근에는 온 일이 없다고 했습니다. 행방을 알 만한 지인들도 역시 최근에는 고 부장을 본 적이 없다고 하고요.

소복 …….

도앵 더 찾아보도록 하겠습니다.

소복 아니, 됐다. 작정하고 숨었는데 쉽게 찾긴 틀렸어. 이 일은 내가 알아서 할 테니까 넌 합동공연 오디숀 일에만 집중해.

도앵 단장님께서도 요새 오디숀 준비하랴, 사업부 서류들 보랴 정신없으시잖아요.

소복 (한숨 쉬는) 돈 빼돌린 건 분명한데 도대체 얼마나 빼먹었는지 알 수도 없고…… (장부 탁 덮으며) 이놈의 장부는 보기만 해도 골치가 아파 죽겠구나.

도앵 ……지금 상황이 많이 위험한 거예요?

소복 합동공연만 성공하면 급한 돈은 막을 수 있어.

도앵 네, 우린 버틸 수 있어요.

소복 (한숨) 그래. 우선 이번 합동공연이 잘 끝나길 기도해보자.

---

## #36 매란국극단 단장실 밖. 밤

모두 다 잠든 고요한 밤. 소복, 단장실을 나서는데 어디선가 소리가 들리는.

정년 [소리] *생사는 천륜이라,*

소복, 소리가 나는 쪽을 의아하게 본다.

---

## #37 매란국극단 연습실 안. 밤

정년, 혼자 소리를 하다가 또다시 막히는. 정년, 미칠 것 같다. 땀범벅이 된 정년, 기진맥진해서 주저앉아버리는. 소복, 열린 문틈으로 그런 정년을 보다가 들어온다.

소복 (표정 굳어서) 뭐 하는 거니.

정년 (간신히 일어나는)

소복 너 그런 식으로 목 썼다간 떡목 되기 십상이다.

정년 (메마른) 이 정도는 괜찮해요, 아직 목도 쌩쌩하고요.

소복 (고개 젓는) 소리꾼의 기본은 자기 목을 관리하는 거야. 오늘은 그만 들어가서 쉬어.

정년 ……이렇게라도 안 하면 오디숀에 붙을 수가 없제라.

소복 (순간 심각해져서 정년을 보는)

정년 (애써 괜찮은 척하지만 목소리가 젖어드는) 제 연기는 아직 불안정하고, 그나마 믿을 건 소리밖에 없는디요. 소리라도 넘보다 월등하지 않으면 오디숀에 붙을 수가 없단 말이어라.

정년의 간절한 눈빛에 공선 생각이 나서 가슴이 쿵 내려앉는 소복.

소복 뭐가 그렇게 초조한데. 지금까지 잘해왔잖아.

정년 지금까지 한 걸로는 어림도 없어라. (눈빛 날카로워지며) 영서는 저라고 실력이 빨리 는디 저는 자꾸 뒤처지고 있잖아요.

소복 그래서, 영서 잡겠다고 이렇게 무리하고 있는 거야? 너 이러다 오디숀 날까지 버티지도 못해!

정년 아니요! 버틸라요! 버텨갖고 제가 보란 듯이 이겨불라고요!

소복, 정년의 미쳐가는 눈을 보고 심상찮다는 걸 느끼는. 정년, 마음 가다듬고 다시 소리 연습하는.

정년 *생사는 천륜이라,*

하지만 목 갈라져버리는. 정년, 스스로가 답답하고 좌절감 드는. 정년, 답답함에 악— 소리 질러 버린다. 순간 또다시 공선이 생각난 소복, 표정이 굳는다.

---

**#38 임진 자택 연습실 안. 밤**

**(회상, 4부 #10 이어서)**

열여덟 공선, 소리가 뜻대로 나오지 않는 데 대한 좌절감, 스스로에 대한 분노, 답답함 뒤엉켜서 악— 소리를 지르는. 소리를 지르고 나자 죽음 같은 외로움이 그녀를 덮쳐오는. 공선, 텅 빈 눈. 문간에 서서 불안하게 공선을 지켜보는 소복, 궁지에 내몰린 공선의 상태를 감지하고 심장이 조여드는. 공선에게 다가오는 소복.

소복　너 쉬어야 돼.
공선　…….
소복　(울컥하는) 너 이런 식으로 목 쓰면 큰일 난단 말이야! 알아? 떡목 된다고! 이번 공연이 문제가 아니야!
공선　(소복을 보는, 텅 비어버린 눈)
소복　(가슴이 덜컥 내려앉는) 제발…… 공선아. 차라리 이번 공연 포기하겠다고 해. 너 이 상태로는 공연 못 해.
공선　(독이 올라서) 지금 사람들은 천재 소리꾼의 공연이라고 잔뜩 내 소리를 기대하고 있어. 아차 실수도 용납이 안 될 판인디 공연 포기? 다음 기회고 뭐고 난 끝장나는 거여.
소복　천재 소리꾼 소리 못 들으면 어때서! 넌 그냥 네 소리를 하면 되는 거지, 그 사람들 떠드는 소리가 뭐가 중요한데?
공선　(피식 자조적으로 웃는) 나한티는 중요해. 천재 소리꾼이 아닌 나는 뭔디? 암것도 아니여. (허탈한 미소) 아부지도 가버리고…… 인자 나한티 남은 건 소리밖에 없어…….
소복　(공선이 가슴 아프면서도 답답해 미치겠는) 그럼 목을 더 아껴야 할 거 아니야! 멀리 봐야 할 거 아니냐고!
공선　(눈매가 매서워지는)

뭘 아는 척하는 거여, 네가 뭘 아는디!

소복 (상처받는) 뭐?

공선 (독이 오른) 넌 여기까지 올라와본 적이 없은께 모르는 거여. 너야 한갓지게 멀리 봄서 쉬엄쉬엄 가면 그만이겄제, 난 아니란 말이여! 이 자리에서 내려가느니 차라리 혀 깨물고 죽는 게 나아!

상처받은 소복, 공선을 원망스러운 눈으로 쏘아본다. 공선도 소복을 쏘아본다. 소복, 벌떡 일어난다. 공선도 일어나서 다시 쥐어짜듯 소리를 하는. 소복, 그런 공선을 원망과 분노로 보다가 자리 뜨는. 공선, 무리하게 소리를 하다가 격렬한 기침 터지는. 공선, 손으로 입 막는데 기침 끝에 묻어 나오는 피. 공선, 얼어붙고 소복, 나가다가 그런 공선을 보고 새파랗게 질리는. 둘, 늦었음을 직감하고 그렇게 얼어붙어버리는.

**#39 매란국극단 연습실 안. 밤**

**〔현재, #37 이어서〕**

스스로에게 좌절감을 느끼며 몰아붙이는 정년에게서 기시감을 느끼는 소복, 불길한 예감이 든다. 소복, 애써 마음을 다잡고 정년을 마주한다.

소복 정년아, 나 봐. (여느 때처럼 단호하게 말하려 하지만 정년을 향한 걱정과 애정에 어쩔 수 없이 눈빛이 흔들리는) 스스로를 몰아세우지 마. 이건 단판 승부가 아니야.

정년 (눈물 고여) 영서랑 제 실력 차이가 생각보다 큰 거면요? 저는 이라고 헤매고 있는 사이에 영서는 쫓아가지도 못하게 멀어지면요?

소복 (답답하고 안타까운) 정년아.

정년 (점점 속이 타들어가고 미치겠는) 주란이는 영서 믿고 연기할 순 있어도 저 믿고 할 수는 없다고 했어요! 그 정도로 영서보다 부족한디 어떻게 느긋하게 연습하란 말이어라?

소복　영서가 상대역하고 호흡을 잘 맞추는 건 그만큼 오랜 시간 동안 쌓여온 경험치가 있기 때문이야. 그걸 어떻게 단시간에 다 따라잡길 바라니! 그건 불가능한 일이야. 대신 너한테는 영서가 갖지 못한 다른 장점들이 있잖아.

정년　(충격받는, 확인 사살 받는 듯한 기분으로) 그 정도로…… 제가 뒤처져 있다고라……?

소복　뒤처져 있다는 게 아니라 영서랑 네 장점이 다르다는 얘길 하고 있는 거야. 지금은 영서를 의식할 때가 아니라 네가 연기할 온달에만 집중할 때야.

정년　(이미 소복 말 들리지 않고 멍한)

소복　(더할 수 없이 간절하게) 너한테 바라는 건 단 하나라고 했잖아. 네 엄마는 끝까지 못 갔지만 넌 끝까지 이 길을 갈 수 있어.

정년, 충혈된 눈으로 소복을 보는.

[시간 경과]

정년, 홀로 있다. 어깨를 짓누르는 중압감, 초조함, 탈출구 없는 답답함에 생각에 생각을 거듭하는. 정년, 고개를 든다. 정년의 눈을 스치고 지나가는 오기.

정년　(혼잣말) 아니, 난 엄니랑 달러. 엄니처럼 안 될 자신 있단 말이여.

정년, 벌떡 일어나서 밖으로 나간다.

---

**#40 매란국극단 정년 방 안. 아침**

영서, 잠에서 깬다. 영서, 옆을 보는데 정년 이불 개켜져 있고 정년은 이미 나가고 없는.

[시간 경과]

영서, 거울 보고 매무새 정리하는데 문 열리고 초록, 다급하게 들어온다. 안에 영서밖에 없자 초록, 표정 변하는.

초록 뭐야, 윤정년 없어?
영서 응.
초록 (미치겠는) 아, 이 기집애 진짜…….
영서 왜 그래? 너랑 연습하느라 매일 일찍 나가는 거 아니었어?
초록 연습? 야, 말도 마라. (한숨 쉬는) 걔 요새 날마다 산에 간다.
영서 (어리둥절) 산?

---

#41 산 동굴 안. 낮

정년, 동굴에서 홀로 소리를 한다. 초췌해진 모습, 미쳐가는 눈빛, 누가 봐도 궁지에 몰릴 대로 몰린 정년의 모습. 영서, 들어와서 보고 충격받는.

정년 *천애고아 이 내 신세 원망 말고 살았거늘 꽃 같은 애기님과 생이별이 무슨 일이냐—*

영서, 정년이 온전한 상태가 아님을 느끼고 표정이 심각해진다. 정년, 문득 인기척을 느끼고 돌아보는.

정년 너 여긴 어떻게 알고 왔어.
영서 (가까이 다가오는) 이런 식으로 계속 연습한 거야?
정년 …….
영서 너 미쳤어? 오디숀 보기도 전에 아예 목 버릴 셈이야? (정년 손 잡아끄는)

내려가자. (하다가 뜨거운 정년 손에 놀라는)

정년 (얼른 손 빼버리는)

영서 (표정 굳은) 너 손이 왜 이렇게 뜨거워.

정년 원래 몇 시간씩 소리하다 보면 쪼까 열도 나고 그래. 별거 아니여.

영서 별거 아니긴! 나랑 같이 내려가. (정년 손 잡아끄는)

---

#42 산 일각. 낮

정년 손을 잡아끌고 가는 영서.

정년, 영서의 손을 뿌리치는.

정년 놔! 갈 거면 너나 가.

영서 이게 무슨 미련한 짓이야! 너 벌써 목쉰 거 알아? 억지로 목을 긁어서 소리를 내고 있잖아!

정년 (외면하는) 너랑 뭔 상관인디.

영서 (울컥하는) 나도 신경 안 쓰고 싶은데 네가 미친 짓을 하고 있잖아!

정년 이 고비만 넘기면 돼. 이 고비만 넘기면 득음도 할 수 있어.

영서 무슨 말도 안 되는 소리를 하는 거야! 득음이란 건 몇 년에 걸쳐서 하는 거지, 이렇게 단기간에 목을 혹사시켜서 하는 게 아니야. 이러다가 너 목 부러지면 무대도 못 서!

정년 내가 무대에 못 서면 너는 오히려 경쟁자 하나 더 치워불고 좋은 거 아니여?

영서 (싸늘해지는) 뭐? (어이가 없다 못해 분노가 차오르는) 내가 너 떡목 되면 기뻐할 거라고 생각하는 거야?

정년 (싸늘한) 어째? 아니여? 너 나 이겨불고 싶어서 몸살 났잖어.

영서 (울컥해서 폭발하는) 그래! 이기고 싶어! 실력으로 맞붙어서 이길 거라고!

치사하게 수작 부려서 이길 거면 진작 할 수 있었어! 내가 왜 이렇게 죽을힘을 다해서 연습하고 있는데! (간신히 분노 누르고) 난 네가 최고의 상태일 때 싸워서 이길 거야. 그러니까 이런 미친 짓 그만둬.

정년 (영서를 쏘아보는) 그만 못 둬.

영서 (답답하고 열받는) 너 진짜 머리가 어떻게 된 거 아냐? 오디숀이 코앞인데 지금 득음할 때까지 목을 쓰겠다는 거야?!

정년 (원망스럽게 영서 보는) 다 가진 너는 당연히 이해가 안 되겄제. 소리도, 춤도, 연기도, 다 완성형이니까 소리 하나에만 매달리는 내가 어떻게 이해가 되겄어.

영서 (멍하니 정년을 보는)

정년 (눈빛 독해지는) 난 너랑 달라. 난 소리 하나 믿고 여기까지 왔어. 소리 하나 믿고 집 나왔고, 소리 하나 믿고 열 번 넘어져도 열 번 일어설 수 있었어. 소리는 내 바닥이고 내 하늘이여. 내 전부라고! 근디 그만둬? 여기서 멈춰 서면 발밑이 까마득한 벼랑인디 어떻게 그만둬!!

정년, 분노와 좌절, 독기와 오기가 뒤범벅돼서 영서를 본다. 영서, 표정 굳어서 정년을 보는.

---

**#43 산 동굴 안. 낮**

정년, 동굴로 돌아온다. 눈빛에 오기가 가득하다.

정년 (기를 쓰고 부르는) *생사는 천륜이라,*

하다가 기침이 터져 나오는 정년. 숨도 못 쉴 정도로 격렬하게 기침한다. 기침이 멈추고 정년, 입을 닦는데 손에 피가 묻어 나온다. 정년, 멍하니 그 피를 보는.

### #44 매란국극단 연습실 안. 밤

정년, 상처받고 신경이 곤두선 짐승처럼 웅크리고 앉아 덜덜 떤다.

---

### #45 매란국극단 연습실 안. 아침

〔꿈〕

이불도 안 덮고 한쪽에 웅크리고 잠들어 있던 정년, 아침 햇살이 창문을 뚫고 들어오자 움찔 놀라서 눈을 뜨는. 정년, 화들짝 놀라 앉는다. 정년, 아아, 목소리 내보려 하는. 그런데 쉰 소리가 나올 뿐 목소리가 나오지 않는다. 정년, 가슴이 철렁 내려앉는. 정년, 다시 목소리를 내보지만 여전히 쉰 목소리만 나올 뿐이다. 미칠 것 같은 정년, 소리를 질러보지만 소용없는. 정년, 충격과 절망 속에 어찌할 바를 모르고 얼어붙어 있는.

### #46 매란국극단 연습실 안. 아침

〔현실〕

연습실 한쪽에서 웅크리고 잠들어 있던 정년, 식은땀을 흘리며 악몽에서 깬다. 정년, 꿈속에서와 똑같은 상황이라는 것을 깨닫고 순간 얼어붙는. 정년, 조심스럽게 목소리를 내본다. 다행히 목소리가 나오는. 정년, 안도의 한숨을 내쉰다. 놀란 가슴을 진정시키는 정년, 손이 바들바들 떨린다.

---

### #47 매란국극단 숙소 일각. 아침

오디션 갈 준비 마친 영서, 숙소에서 나오다가 멈칫하는. 주란이 먼저 기다리고 있다. 주란, 영서에게 다가오는. 주란의 불안하고 흔들리는 눈빛을 눈치채고 의아하게 보는 영서.

주란 왜 정년이를 선택 못 했는지…… 말할게.

영서 (덜컹해서 주란을 보는)

주란 (떨리는) 정년이랑 〈자명고〉 연습을 했던 적이 있었어. 그때 정년이 보면서 이상하게 떨렸어.

영서 ……!

주란 정년이랑 연기를 하면 내가 중심을 못 잡겠어. 자꾸 극중 온달이랑 정년이 사이의 경계가 다 무너질 거 같고 모든 게 다 헷갈릴 거 같아. 그러고 나면 내 연기도 다 무너질 거 같아서…… 그래서 무서웠어.

영서 (안쓰럽게 주란 보는)

주란 이런 이유로 널 선택해서 미안해. (힘든 고백에 덜덜 떠는) 근데, 근데 난,

가만히 주란을 짠하게 보는 영서.

영서 됐어, 무슨 말인지 알아들었어.

주란 영서야…….

영서 나 너랑 호흡 맞추면서 깨달은 게 있어. 좋은 연기는 나 혼자 하는 게 아니라 좋은 상대역을 만나서 완성시켜간다는 거야. (주란을 안심시키듯 따뜻하게 보는) 내가 생각보다 더 네 연기에 많이 기대 가고 있었어. 이번엔 네가 나한테 기댈 차례야.

주란 (놀라움 반, 고마움 반으로 영서를 보는)

영서 가자, 주란아.

주란 (처음으로 성 떼고 자신의 이름만을 부른 영서를 놀라서 보는)

영서 (웃는) 지금까지 힘들게 연습한 거 오늘 오디숀에서 다 보여줘야지.

안도하는 주란, 영서를 보며 웃는.

---

**#48 국제극장 앞. 낮**

옥경의 팬클럽 회원들, 여전히 '왕자님은 옥경이뿐' '문옥경

후계자 뽑는 오디숀 결사반대'
플래카드 들고 시위하는.
심사위원들, 차에서 내려 극장
쪽으로 향하는. 팬클럽 회원들,
심사위원들 쫓아가며 "왕자님은
문옥경뿐" 구호 외치는. 뒤늦게
기주의 차가 도착한다. 기주,
차에서 내린다. 기자들 수십
명이 기다리고 있다가 기주가
나타나자 사진을 찍는다. 여왕처럼
화려하고 의기양양한 기주,
관심을 마음껏 즐기며 뽐낸다.
"따님이 오디숀에 나올 예정인데
심정이 어떠십니까?" "영서 양께
특별히 당부하고 싶은 말씀은?"
"채공선 딸이 소리하는 걸 본 적이
있으십니까?" 질문 쏟아진다.
기주, 적당히 대꾸하며 카메라와
관심에 익숙한 사람답게 화사한
미소와 세련된 매너를 보여주는.



---

**#49 국제극장 공연장 안. 낮**

소복을 비롯한 단장들,
심사위원들과 인사한다. 단장들
자리와 심사위원들 자리는 바로
옆이지만 구분되어 있다. 소복,
기주와 시선 마주치자 불편한 기색
감추고 가볍게 목례하는. 기주,
인사받는 둥 마는 둥 자리에 앉는.
소복, 꾹 참고 다른 사람들과 인사
나누는.

---

**#50 국제극장 분장실 안. 낮**

각 국극단에서 온 연구생들,
오디션 준비하며 와글와글
떠드는. 목 푸는 연구생. 웃고
떠드는 연구생 등 각양각색.
영서, 침착하게 대본을 보고 주란,
분장을 하는.

숙경　금주야, 저기 허영서다.
화자가 저번 〈자명고〉 공연 때
허영서 가다끼 연기 봤는데
진짜 잘하더래.
금주　가다끼는 가다끼일
뿐이야. 허영서는 온달처럼 다

내려놔야 하는 바보 연기를 할 수 없어. 내가 틀림없이 이길걸?

숙경 근데 매란에서 재네밖에 안 왔나? 그 있잖아. 들어온 지 몇 달 되지도 않아서 정기공연 조연으로 섰다는 그 천재 소리꾼.

금주 아, 윤정년?

숙경 맞아, 윤정년. 갠 어딨지?

초록, 초조하게 자신의 옆 정년의 빈자리를 보는. 영서, 초록 옆 빈자리를 본다. 주란도 정년의 빈자리를 본다.

---

**#51 국제극장 공연장 안. 낮**

도앵, 앞으로 나와 사회를 본다.

도앵 지금부터 여성국극 합동공연 〈바보와 공주〉 아역 공개 오디숀을 시작하도록 하겠습니다. 이 자리에는 심사위원분들 말고도 특별히 매란국극단의 문옥경 씨와 서혜랑 씨가 참관인 자격으로 함께해 주시겠습니다.

옥경과 혜랑, 관객석 쪽에서 심사위원들 향해 고개 숙이는.

도앵 그럼 첫 번째는 영광 국극단의 김경욱과 조순례.

---

**#52 국제극장 분장실 앞. 낮**

초록, 목 빼고 정년이 올 만한 방향을 보는.

초록 도대체 얘는 왜 안 오는 거야…….

초록, 불안하게 왔다 갔다 하는데 주란, 초록 쪽을 보다가 오는.

주란 정년이…… 아직도 안 왔어?

초록 아침에 일어나보니까

숙소에 이미 없었어. 산에 간 거 같은데.

주란 산?

초록 너 정년이가 요즘 산으로 소리하러 다닌 거 몰라?

주란 (이게 무슨 말인가 어리둥절해서 보는)

---

#53 국제극장 일각. 낮

주란, 충격받은 상태로 걸어가다가 멈추는. 주란, 자기 때문에 정년이가 그렇게 된 거 아닌가 충격과 죄책감에 괴로운. 주란, 눈물이 떨어진다. 영서, 주란을 찾느라 두리번거린다.

영서 홍주란!

주란 (심호흡하고 눈물 얼른 닦고 나타나는) 어.

영서 다음이 우리 차례야.

---

#54 국제극장 공연장 안. 낮

우리소리국악단의 금주(온달)와 숙경(평강)이 오디션을 보고 있는.

금주 생사는 천륜이라 한탄 말고 살았거늘 부모형제 일가친척 역적누명이 무슨 말이고,

---

#55 국제극장 대기실 안. 낮

영서와 주란, 대기실에서 순서를 기다린다. 영서, 심사위원석에 앉아 있는 기주를 본다. 영서, 긴장해서 표정 굳는.

---

#56 국제극장 공연장 안. 낮

도앵 다음은 매란국극단의 허영서, 홍주란!

영서와 주란, 무대에 선다. 영서, 기주와 눈이 마주친다. 기주, 팔짱 끼고 영서를 본다. 영서, 동요 없이 기주를 보는.

도앵 자기소개 부탁합니다.
영서 매란국극단 허영서입니다. 온달을 연기하겠습니다.
주란 매란국극단 홍주란입니다. 평강공주를 연기하겠습니다.

영서, 주란을 본다. 주란도 영서를 본다.

영서 *생사는 천륜이라 한탄 말고 살았거늘 부모형제 일가친척 역적 누명이 무슨 말이고 울지 마소 울지 마소 꽃 같은 내 애기님 옥 같은 얼굴 진주구슬 눈물 울지 마소 울지를 마소.*

심사위원들, 흡족하게 미소를 띠고 들으며 뭐라고 얘기를 나누는.

---

**#57 국제극장 대기실 안. 낮**

영서 오디션 지켜보던 연구생들, 놀라서 수군거리는.

영광 연구생 뭐야, 저 어려운 창을 저렇게 숨 쉬는 것처럼 편하게 할 수 있다고?
칠성 연구생 소리로는 누구도 허영서를 이길 수 없겠어.

금주, 이를 악물고 영서를 보는.

---

**#58 국제극장 공연장 안. 낮**

주란, 애절하게 영서를 보면서 소리를 하는.

주란 *보고 지고 보고 지고 내 낭군님 보고 지고 백년가약 혼약 맺은 내 낭군님 보고 지고 이게 가면 언제 오나—*
영서 *공주님! 미천한 이 내 몸은 죽으면 그만이다만 구중궁궐 내 애기님 슬픔은 어찌할꼬!*

#### #59 국제극장 관객석. 낮

심사위원들, 영서의 소리에
감탄하며 고개 끄덕이는.
기주, 심사위원들 반응에
의기양양해지는 한편 흥분하는.

기주 (소복 향해 몸 기울여서)
우리 영서 봐라, 네 제자들 중에
저렇게 테크닉, 감정 표현이
완벽한 소리꾼이 또 있니?
소복 (냉정한) 영서 아직
멀었어. 바보 온달인데 너무
니마이 같은 왕자님 연기를
하잖아.
기주 (눈 흘기는) 좋은 건
좋다고 말해주지 좀. (자세 바로
하는)
소복 (영서 유심히 보다가
혼잣말하듯) 하지만……
눈빛이 깊어지고 연기도 많이
섬세해졌어.

---

#### #60 국제극장 공연장 안. 낮

주란 (계속 소리하는) *낭군을
찾으리다. 눈물 젖은 소맷부리
끊어내고 일편단심 혼인맹약
가슴에 품고 내 낭군 찾기까지
절대 울지 않으리다—*
영서 *어서 오오 어서 오오
애기님을 기다리리다 대동강
잠룡이 되어 둔한 머리를
깨치고 삼수갑산 범이 되어
용맹무쌍 떨치어 애기님을
기다리리다—*

영서, 소리가 끝나자 가만히
주란의 손에 입을 맞춘다.
심사위원들을 비롯한 보고 있던
사람들, 열렬히 박수를 치는.

---

#### #61 국제극장 대기실 안. 낮

연구생들, 놀라서 웅성거리는.

영광 연구생 아니, 오디숀인데
무슨 본 공연 본 것처럼 박수를
쳐?

칠성 연구생 끝났네…….

낭랑 연구생 (감동받아서 아예 우는)

초록, 점점 초조해하다가 대기실에서 나가는.

---

**#62 국제극장 분장실 안. 낮**

초록, 분장실 문을 벌컥 열어 살피지만 여전히 정년 보이지 않는.

초록 (걱정 반, 분노 반) 도대체 앤 언제 오는 거야! 오기만 해봐라.

그때 정년이 초록 쪽으로 오는 것이 보인다. 정년, 초췌하고 지친 모습.

초록 (열받아서) 야! 윤정년!

정년 (많이 쉰) 늦어서 미안.

초록 (깜짝 놀라는) 너 목소리가,

정년 아냐, 말하는 목소리만 이런 거여. 소리는 멀쩡하게 나와야.

초록 (초췌한 정년을 찬찬히 보며) 아니, 꼴은 또 이게 뭐고, (이마에 손 짚고 헉, 놀라는) 너 이마가 펄펄 끓어!

정년 잠을 좀 못 자서 그래. 오디숀 끝나고 쉬면 괜찮아질 거여. (말끝에 기침이 터져 나오는)

초록 (걱정도 되고 울화통 터지는) 그놈의 산은 가지 말래도 왜 맨날 올라가서! (생각할수록 부글부글 끓어오르는) 도대체 혜랑 선배는 왜 그런 방법을 알려준 거야! 누굴 잡아먹으려고!

옥경 [소리] 그게 무슨 소리야?

초록, 깜짝 놀라서 돌아보는.

옥경, 표정 굳어서 서 있는. 옥경, 정년에게 다가와 엉망인 모습을 보고 표정 굳는. 정년 이마에 손 짚는 옥경. 정년, 열이 나서 기운 없이 옥경 보는.

옥경　말해봐. 혜랑이가 너한테 뭘 알려줬다는 거야?

---

**#63 국제극장 일각. 낮**

옥경, 표정 굳어서 걸어가는데 혜랑, 옥경 쪽으로 오는.

혜랑　(기분 좋아 활짝 웃으며) 한참 찾았잖아. 가자, 사람들이 너 찾아.

옥경　(혜랑을 분노로 가만히 보는)

혜랑　(이상한 분위기 느끼고) 왜…… 그래?

옥경　(살벌한 눈빛으로 보는) 정년이한테 피를 토할 때까지 독공을 하라고 부추겼어?

혜랑　(들켰구나, 순간 당황해서 옥경을 보는)

옥경　(헛웃음 나오는) 너 정말 포기할 줄 모르는구나. 진짜 지긋지긋하다.

혜랑　(표정 굳는) 난 방법을 알려준 것뿐이야. 선택을 한 건 정년이야.

옥경　(싸늘한) 아니, 넌 덫을 놓은 거야. 궁지에 몰린 정년이가 거기에 걸려들 거라는 걸 처음부터 알고 있었잖아.

(가려고 하면)

혜랑　(매달리며) 옥경아.

옥경, 팔 뿌리친다. 혜랑, 옥경의 싸늘한 눈빛에 그대로 굳는. 옥경, 뒤도 안 돌아보고 가버리고 혜랑, 옥경 뒷모습을 망연자실해서 보는.

---

**#64 국제극장 공연장&관객석. 낮**

도앵　마지막 순서입니다. 매란국극단 윤정년, 박초록!

정년과 초록, 나온다. 모두의

시선이 쏠리는. 기주, 어디 얼마나 잘하나 보자, 벼르는 심정으로 정년을 찬찬히 관찰하듯 본다. 심사위원들, 술렁거리는.

남희 윤정년이라면 그 소리 천재 채공선 딸 말인가요? 엄마 닮아서 소리는 잘하겠네요.
기주 (정년을 응시하며) 천재 딸이라고 다 천재는 아니죠.

다들 웅성대는. 영서, 긴장해서 정년을 보는. 주란, 정년을 가까이에서 보기 위해 구경하는 아이들을 헤치고 앞쪽으로 나온다. 주란, 정년의 상태가 어느 정도로 안 좋나 가슴을 졸이면서 보는.

---

**#65 국제극장 공연장 안. 낮**

정년, 심사위원을 비롯한 관객들을 본다. 열이 올라서 눈앞이 어지럽고 뿌연. 정년, 살짝 비틀한다. 초록, 불안하게 정년을 본다. 정년, 고개를 흔들고 정신을 차리려고 애쓰는. 정년, 정면을 본다. 소복과 눈이 마주치는. 소복, 언제나 그렇듯 차갑고 단정한 얼굴로 흔들림 없이 정년을 보는. 뿌옇던 정년의 시야가 깨끗하게 갠다. 동시에 정년의 머리도 맑아지는.

정년 *생사는 천륜이라 한탄 말고 살았거늘 부모형제 일가친척 역적누명이 무슨 말이고—*

그 어느 때보다 애절하게 울려 퍼지는 정년의 소리. 듣는 사람의 가슴을 후벼파는 듯한 소리에 심사위원들, 충격받아서 정년을 본다. 심사위원들 자리 쪽에서 지켜보던 옥경과 혜랑도 놀라는.

---

**#66 국제극장 대기실 안. 낮**

정년을 지켜보는 주란의 눈에

눈물이 고인다. 정년에 대한 죄책감과 미안함, 한편으론 정년의 애절한 소리에 가슴이 미어지는. 영서, 소리하는 정년을 보다가 멍해지는. 정년의 실력에 대한 감탄, 경이를 넘어선 좌절.

영서 결국…… 결국…… 네가 날…….

영서, 충격으로 정신을 차릴 수 없는.

---

**#67 국제극장 공연장&관객석. 낮**

정년 *꽃 같은 내 애기님 옥 같은 얼굴 진주구슬 눈물 울지 마소 울지를 마소.*

애절하게 초록을 보며 소리를 하던 정년의 눈에 눈물이 고여 툭툭 떨어진다.

초록 *낭군을 찾으리다. 눈물 젖은 소맷부리 끊어내고 일편단심 혼인맹약 가슴에 품고 내 낭군 찾기까지 절대 울지 않으리다—*

정년 *어서 오오 어서 오오 애기님을 기다리리다 대동강 잠룡이 되어,*

하다가 목소리가 쉬어 나오지 않는. 정년, 당황한다. 초록도 당황해서 정년을 보는. 소복과 옥경, 놀라서 정년을 본다.

정년 (마음 다잡고) *대동강 잠룡이 되어 둔한 머리를 깨치고,*

하는데 더 이상 소리가 아예 나오지 않는. 정년, 떡목이 됐음을 깨닫고 그대로 굳어버린다. 심사위원들, 웅성거리는.

남희 왜 멈추는 거죠.

기주 목소리가 잠긴 거

같은데요.

심사위원들, 술렁거리는. 한쪽에서 지켜보던 도앵, 불안해져서 소복에게 다가오는.

도앵 (작게) 단장님, 말려야 될 거 같은데요.

소복, 대꾸 없이 정년을 굳어서 보는. 공황 상태가 오면서 멍히 서 있는 정년. 소복, 그런 정년을 보며 과거의 악몽이 떠올라 하얗게 질리는. 소복, 아찔해져서 눈을 질끈 감는다. 다시 눈을 뜨니 무대 위에 넋이 빠져 서 있는 정년이 보이는.

남희 (날카로운) 아니, 소리를 그만할 건가요?
정년 (흠칫 놀라 남희를 보는)
기주 상태가 안 좋은 거 같은데 더 볼 것 없겠습니다. 그럼 오디숀은 여기까지 보는 걸로 하죠.

소복, 뭐라 하려는데,

정년 (잔뜩 쉰 목소리로 쥐어짜는) 잠깐만요! 계속…… 하겠습니다. 한 번만, 한 번만 더…… 기회를…… 주세요.
기주 기회는 이미 한 번 줬잖아. 그리고 정년 양은 그 기회를 방금 다 썼어.
정년 부탁입니다…… 끝까지만 부를 수 있게,
소복 아니, 그만해.
정년 (소복을 보는)
소복 (고통스럽게 정년을 보는) 더 이상 소리를 하면 안 돼. 이제 그만하자, 정년아.
정년 (고개 흔드는) 계속 할랍니다.
소복 (아프게) 정년아.
정년 (쉰 목소리로 절규하듯) 딱 한 번이면…… 끝까지만 부를 수 있게…….

소복 …….

정년 지금이 아니면…… 전 안 돼라…….

그 말에 가슴이 내려앉는 소복.
소복, 고통스럽게 정년을 본다.
소복, 오만가지 생각이 스쳐 지나가며 잠시 동안 고뇌하는.

소복 ……알았다.

심사위원들 (술렁이는)

기주 (반발하는) 강 단장님!

소복 이게 저 아이의 마지막 기회일지도 모릅니다. 부탁드리겠습니다.

심사위원들, 조용해지는. 기주, 하는 수 없이 못마땅한 얼굴로 고개 돌려버리는.

소복 평강부터. 이제 가면 언제 오나.

옥경, 정년만 뚫어져라 보는. 정년, 초록에게 손을 내민다. 고통도, 절망도 뒤로하고 지금 이 순간에만 집중하는 정년의 집념이 가득 찬 눈. 초록, 그 눈에 압도되는. 초록, 정년의 손을 잡는다.

초록 *이제 가면 언제 오나. 보고 지고 보고 지고 내 낭군님 보고 지고 백년 가약 혼약 맺은 내 낭군님 보고 지고*— (눈물 흘리며 주저앉는)

정년 (초록을 끌어안으며 처절하게) 공주님! 미천한 이 내 몸은 죽으면 그만이다만 구중궁궐 내 애기님 슬픔은 어찌할꼬!

보던 사람들, 정년의 처절한 연기에 깜짝 놀라는. 소복, 덜덜 떨리는 손을 꽉 맞잡는다.

초록 (손에 낀 가락지를 하나 빼서 정년 손에 쥐여주며 소리하는) *낭군을 찾으리다.*

*눈물 젖은 소맷부리 끊어내고 일편단심 혼인맹약 가슴에 품고, 낭군 찾기까지 절대 울지 않으리다—*

정년, 손에 쥔 가락지를 보다가 비틀거리며 일어난다.

정년 *어서 오오 어서 오오 애기님을 기다리리다 대동강 잠룡이 되어,*

목이 잠겨서 드문드문 들리는 정년의 소리. 정년, 잘 나오지도 않는 소리로 절규하듯 부른다. 혜랑, 경악스러운 눈으로 정년을 보는.

혜랑 말도 안 돼…… 어떻게 부러진 목으로…….

옥경, 그 어느 때보다 집중해서 숨 죽이고 정년의 무대를 보는.

**#68 국제극장 대기실 안. 낮**

정년의 처절한 공연에 연구생들 분위기 쥐 죽은 듯 숙연해지는. 지켜보고 있던 연구생들 몇 명 눈물을 흘린다. 주란, 눈물을 뚝뚝 흘리면서도 한순간도 놓치지 않겠다는 듯 똑바로 정년을 보는. 영서, 울지 않고 숨도 쉬지 않고 덜덜 떨며 정년을 지켜본다. 자신은 영영 정년을 뛰어넘을 수 없다는 걸 깨달아버린 영서, 온몸이 늪 속으로 빠져드는 것 같다. 그저 정년의 연기와 소리를 눈과 귀에 담는 것밖에 할 수 없는 영서의 절망. 영서의 귓가를 파고드는, 소리를 하겠다는 집념만 남은 듯한 정년의 소리 없는 절규.

---

**#69 국제극장 공연장 안. 낮**

정년 *삼수갑산 범이 되어 용맹무쌍 떨치어 애기님을 기다리리다—*

소리를 마친 정년, 거의 하얗게
재가 되어버린 듯한. 정년, 숨을
헐떡거리며 앞을 본다. 모두가
정년에게 짓눌린 듯 꼼짝도 하지
못하는. 정년, 기침이 터져 나온다.
기침 끝에 피가 흥건하게 나오고
사람들, 경악하는. 정년, 눈앞이
다시 뿌예진다. 정년, 한 걸음
내딛으려다 비틀하고 그대로 무대
위에서 쓰러지는 데서 8부 엔딩.

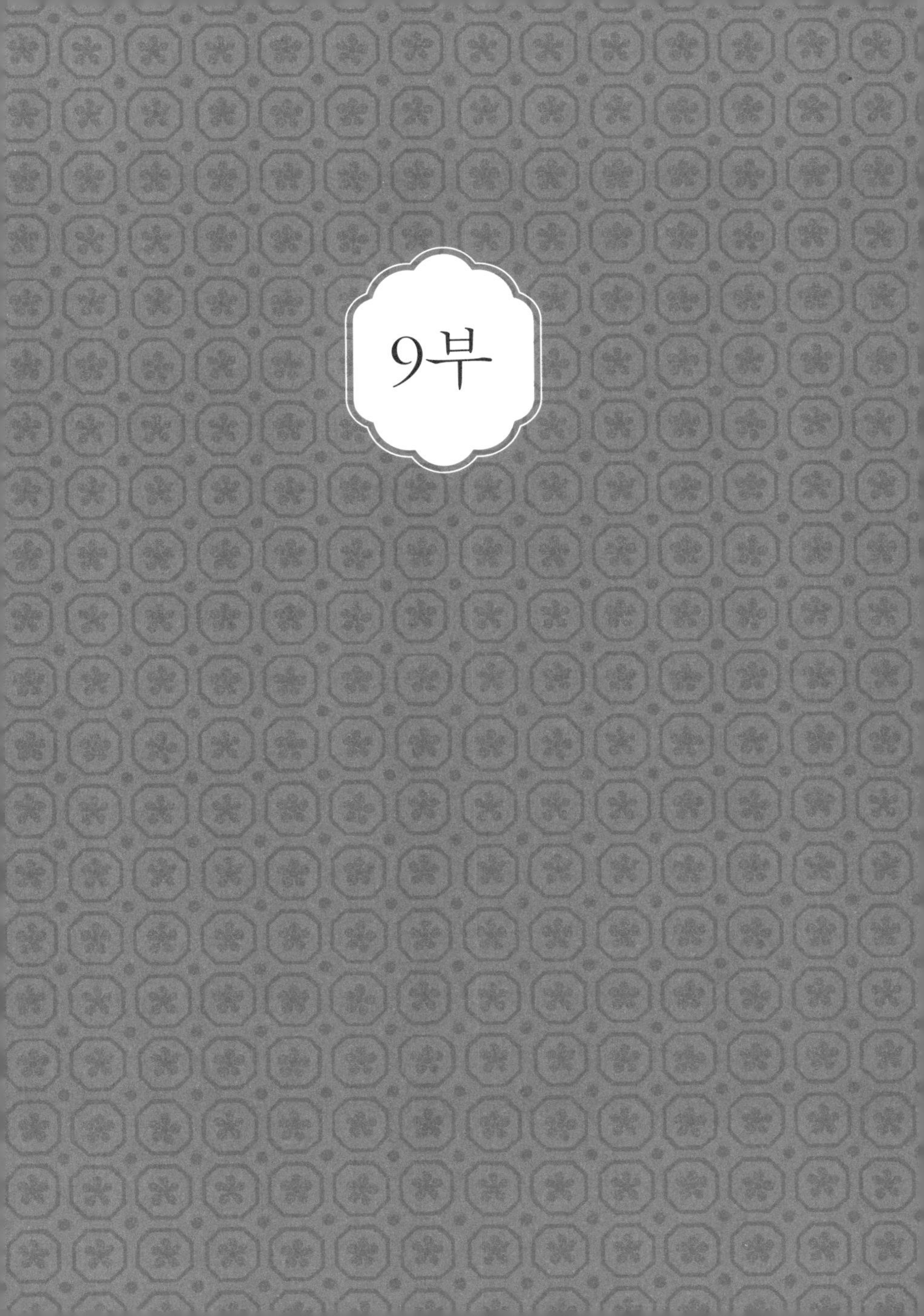

# 9부

(옥경) 버티고 버텨서 무대에 계속 올라가는
자만이 관객들 박수를 받을 수 있어.
특히 왕자에게는 가장 큰 박수가
쏟아지지. 곧 너도 그렇게 될 거야.

(영서) 관객들 박수도 좋지만……
선배님 박수를 받고 싶어요.

## #1 국제극장 앞. 낮

정년, 의식 잃고 소복의 운전기사 등에 업혀 있다. 소복과 도앵, 바로 뒤를 쫓아오는. 도앵, 소복의 차 뒷좌석 문을 급히 열고, 소복과 운전기사는 뒷좌석에 정년을 태운다. 주란, 눈물 흘리며 정년을 보는. 영서도 어찌할 바를 모르고 정년을 보는. 소복, 죄책감과 절망으로 잠시 정년을 보다가 눈물 꾹 참고 정년 얼굴을 쓸어주는. 도앵, 정년 옆에 오르는.

소복 (몸을 일으키며) 얼른 출발해.

소복의 차, 출발한다. 뒤에 남겨진 소복과 영서와 주란. 주란, 계속 눈물 흘리는. 멍히 차 뒤꽁무니를 보며 반쯤 넋 나간 듯한 영서.

소복 (영서와 주란 향해) 오디숀 결과 발표 시작할 거다. 얼른 들어가.

영서, 떨어지지 않는 발걸음을 떼서 극장으로 들어가는. 소복, 잠시 정년이 탄 차 방향을 보다가 간신히 감정 추스르고 극장으로 들어가는. 주란, 혼자 남아 억장이 무너져서 계속 울고 있는.

## #2 국제극장 공연장 안. 낮

무대 위에 선 연구생들, 오디션 결과 발표를 긴장된 얼굴로 기다리는. 영서, 정년 때문에 심란해서 다른 곳에 정신 팔린 사람처럼 멍히 서 있다가 문득 심사위원들, 단장들과 이야기하는 기주를 본다. 소복도 심사위원들, 단장들과 뭐라고 상의하는. 논의가 끝나고 기주가 무대 위로 올라온다. 한껏 기분 좋고 들뜬 기주, 잔뜩 상기된 얼굴.

기주 아침부터 이 시간까지 오디숀을 심사해주신 심사위원 여러분들, 그리고 멀리서 와주신 관객분들, 진심으로 감사드립니다. 무엇보다 오디숀에 참가해서 재주를 뽐내주신 응시자 여러분들께 진심으로 감사의 말씀을 드립니다. 자, 지금부터 합동공연 오디숀 결과를 발표하도록 하겠습니다.

연구생들, 긴장해서 기주를 보는.

기주 온달과 평강공주 아역을 맡아 무대에 오를 배우는,

기주, 영서 쪽으로 시선을 준다.

영서, 무표정한 얼굴로 시선 딴 곳에 있는. 정년의 일로 충격받은 데다 어차피 자신이 되지 않을 거라고 생각하는 영서.

기주 온달 역에 매란국극단 허영서! 평강공주 역에 매란국극단 홍주란!

영서, '진짜 나라고?' 순간 멍해진다. 사람들, 와 박수 치는.

기주 허영서.
영서 (그저 멍한)
기주 허영서!
영서 (그제야 정신이 들어 기주를 보는)
기주 (활짝 웃으며) 인사해야지.

영서, 그제야 정신을 차리고 박수 치는 사람들을 둘러본다. 다시 기주와 눈이 마주치는 영서. 기주, 환하게 미소 지으며 영서를 향해 박수 쳐주고 있는. 영서가 그토록

오랫동안 기다리던 순간이 왔지만
정작 영서, 전혀 기쁘지 않은.

영서 (넋 나간 듯 혼잣말) 아냐,
그럴 리가 없어. 나일 리가 없어.

영서, 그 자리를 떠나
들어가버리는. 사람들, 영서를
보며 웅성거리며 의아해하는 사람
반, 여전히 박수 치는 사람 반.
기주, 그런 영서를 보고 표정 잠시
굳지만 애써 아무렇지 않은 척
미소 띠는.

---

#3 병원 입원실 안. 밤

주란, 입원실 안으로 들어온다.
정년, 창백하게 눈 감고 누워
있는. 주란, 정년의 얼굴을
쓰다듬으려다가 죄책감에
차마 손대지 못하고 소리 죽여
오열하는.

주란 정년아…… 미안해……
정말 미안해…….

주란, 울면서 그저 미안하다는
말만 끝없이 되풀이하고 또
되풀이하는.

---

#4 병원 입원실 밖. 밤

영서, 입원실로 들어가지 못하고
주란의 소리 죽인 오열을 들으며
가라앉은 얼굴로 서 있는.

---

#5 옥경 집 거실. 밤

혜랑, 텅 빈 어두운 거실로
들어선다. 그때, 욕실 쪽에서
요란하게 와장창 깨지는 소리가
들린다. 혜랑, 깜짝 놀라 소리 난
쪽을 본다.

---

#6 옥경 집 욕실 안. 밤

혜랑, 욕실 문을 벌컥 열고는
깜짝 놀란다. 옷 입고 욕조 안에

들어가 있는 옥경, 엉망으로
취해 있고 욕조 주변에 술병이
여기저기 뒹굴고 있는. 그중에
하나는 좀 전에 옥경이 떨어뜨린
듯 산산조각이 나서 깨져 있는.
혜랑, 옥경의 손에 피가 나는
것을 보고 옥경에게 다가간다.
혜랑, 수건으로 얼른 옥경의
손을 감싸는데 옥경, 혜랑 손을
뿌리치는. 혜랑, 다시 수건으로
옥경 손을 감싸려고 하지만 옥경,
혜랑을 밀어버리는.

옥경 나 좀 가만 놔둬, 제발!
혜랑 ……그렇게 슬프니?
윤정년이 망가진 게 그렇게
억장이 무너지고 슬퍼? 걔가
너한테 뭔데?
옥경 (피식 웃는) 슬퍼? 그래,
너 때문에 슬프다. 서혜랑, 결국
네가 다 망쳐버렸어…….
혜랑 (미치겠는) 내가 뭘
망쳤다는 거야! (달래려고
애쓰는) 옥경아, 우리 계속
이렇게 가면 돼. 앞으로도
매란의 간판스타로 무대 위에서
춤추고 소리하고, 이렇게 살면
된다고.
옥경 (비웃는, 잔인하게 후벼
파는) 그래, 넌 나랑 매란에서
계속 왕자님, 공주님 놀이나
하길 바라고 있겠지. 넌 그거면
충분한 애야. (술 취해서 실실
웃는) 허울뿐인 국극 왕자,
도대체 그게 무슨 의미가
있다고…….
혜랑 (억장이 무너져서 눈물이
떨어지는) 나한테는 의미가
있어. 너랑 같이 서는 무대
하나하나가 다 소중하고 의미가
있어. 그게 왜 너한테는 아무
의미가 없어? 너한테 난 그렇게
아무것도 아냐?

옥경, 혜랑의 말을 안 듣는 듯
멍하니 허공을 본다.

옥경 아까 정년이 소리……

처음에 그 소리…… 아……
날 뛰어넘는 누군가가
마침내 나왔다고 생각했어.
(흐느끼듯 웃는) 그 순간 얼마나
짜릿했는지 몰라. 온몸에
소름이 끼쳤어. 그런 느낌은
태어나서 처음이었어. 근데……
근데…….

옥경, 욕조 안에 늘어진다. 혜랑,
그런 옥경을 끌어안고 흐느끼는.

---

#7 영서 집 거실. 낮

기주, 기분 좋게 통화 중인. 영서,
거실에 들어온다.

기주　아이, 다 본인이 열심히
한 덕이죠. 전 딱히 어드바이스
해주지도 않았어요. 제가
뭐라고 하면 오히려 부담
느낄 거 같아서. (소리 내서
웃는) 과찬의 말씀이십니다.
감사합니다. 네, 네. (전화 끊는)
오디숀은 네가 붙었는데 축하
전화는 내가 받는구나.
영서　……저, 어머니, 드릴
말씀이,
파주댁　사모님, 손님
오셨습니다.
기주　어서 들어오시라고 해요.
(영서 향해) 마침 잘 왔다. 너도
이 기회에 인사드려.
영서　누구신데요.

노식(50대 초중반의 남자), 거실에
들어오는.

기주　어서 오세요. 진작
모셨어야 하는데 자리가
늦었습니다. (영서 향해)
인사드려라. 명창 김노식
선생님이시다.
영서　(영문 모른 채 인사하는)
노식　아, 이번에 오디숀
붙었다는 따님이 이 친구군요.
어때요, 영서 양. 국립국극단이
만들어지면 영서 양도 거기서

활약할 준비가 됐나요?

영서 (어리둥절한) 국립……
국극단이요?

기주 최고의 인재들만이
모이는 국내 최고의 국극단이
만들어질 거야. 그런 곳에
들어갈 수 있으면 너도 평생이
보장되는 거지. 영광으로
생각해야 한다. 넌 이번에
오디숀에 합격했기 때문에
선생님께서 특별히 힘을
써주겠다고 하셨어.

결국 이런 거였구나, 영서, 가슴이
싸늘해지는.

영서 아뇨, 전 그 합동공연에
서지 않을 거예요. 원래 오늘 이
말씀을 드리려고 어머니 뵈러
온 거예요.

기주 (노식 눈치 보며 애써 웃는)
얘, 너 무슨 말을 하는 거니.

영서 (노식 향해) 국립국극단
제의는 감사드립니다. 하지만
저한테는 너무 과분한 자리라
갈 수 없습니다. 죄송합니다.

영서, 할 얘기만 하고 자리 박차고
나가버리는.

기주 영서야!

---

**#8 영서 집 정원. 낮**

영서, 화가 나서 빠른 속도로
걸어가는데 기주, 쫓아오는.

기주 영서 너 이게 무슨
짓이야. 당장 가서 사과 못
드려?

영서 처음부터 이럴
생각이셨어요? 매란국극단에서
절 끄집어내서 다른 곳에
집어넣으려고?

기주 그럼 넌 언제까지
매란에서 국극을 할
생각이었니. 지금 다른
국극단들 다 위태위태해.

매란은 뭐 다를 줄 아니?

영서 이번 오디숀, 어머니가 그토록 말씀하셨던 진짜배기 소리, 그날 그걸 한 건 제가 아니라 윤정년이었어요. 제가 아니라 윤정년이 합격했어야 맞다고요!

기주 아니, 너야! 이 한기주 딸이 채공선 딸을 이겼다고! 쓸데없는 소리 하지 말고 합동공연 끝나면 그날로 매란에서 나와.

영서 (단호한) 아니요, 앞으로도 전 계속 매란에서 국극을 할 거예요.

기주 (울컥) 타이밍 놓치면 넌 갈 데도 없어! 내가 널 오디숀에 합격시키려고 얼마나 애를 썼는 줄 알아?!

영서 (멈칫해서 기주 보는)

기주 (아차 싶은)

영서 설마 심사위원들한테 손을 쓰신 거예요?

기주 …….

영서 (어이없는) 그러셨군요. 제가 떨어질까 봐, 제 실력을 못 믿으시고 손을 쓰셨어요.

기주 (외면하는) 물론 붙을 거라고 생각했지만 그래도 확실하게 해서 나쁠 거 없잖니?

영서 (허탈하고 어이없는 표정으로 자리 뜨려고 하면)

기주 (붙잡는) 영서야. 난 널 위해서 그런 거야. 엄마 된 마음으로 자식을 위해서,

영서 (기주 손 뿌리치는) 아니요! 어머닌 어머니 스스로를 위해서 그러신 거예요! 어디든 자랑스럽게 내놓을 수 있는, 소프라노 한기주 위신을 깎아 먹지 않을 딸을 만들기 위해서 그러신 거라고요!

기주 그게 나쁜 거니? 어디든 내놓을 수 있는 자식을 갖고 싶은 게 그렇게 과한 욕심인 거야?

영서 (허탈하게 웃는) 우린 참

죽이 잘 맞는 모녀네요. 어쩜
둘 다 이렇게 어리석은지……
(눈물 흘리는) 그동안 전
한 번도 허영서로 산 적이
없었어요, 아세요? 한기주
딸로만 살아왔다고요!
(처음이자 마지막으로 쏟아내는)
영인 언니만큼, 아니 언니
반만큼이라도 어머니한테
인정받고, 사랑받고 싶어서
이를 악물고 연습했다고요!
'우리 영서 자랑스럽다, 역시
내 딸이다' 그 한마디를
듣겠다고…….

영서, 목이 메어 말을 못 잇고
눈물이 후두둑 떨어지는.

영서 (마음이 무너지는) 근데
어머닌 고작 심사위원 매수나
하셨어요, 어떻게 그러실 수가
있어요! 어머니가 제 노력을 다
헛수고로 만들어버렸잖아요!
전부 다!!!

기주 (이렇게 궁지에 몰려본 적
없어 어찌할 바를 모르고 영서를
보는) 영서야.
영서 (싸늘해지는, 기주 똑바로
보며) 나는 나예요. 앞으로는
한기주 딸로 안 살 거예요.

영서, 자리 떠버린다. 기주,
다급하게 "영서야! 영서야!"
부르지만 영서, 뒤돌아보지 않는.
기주, 망연자실해서 영서를 보는.

---

#9 매란국극단 단장실 안. 밤

소복, 영서를 보는.

소복 합동공연 못 하겠다니?
영서 (표정 없는 얼굴로) 저희
어머니가 심사위원들한테
손을 썼어요. 그날 합격했어야
할 사람은 제가 아니라 다른
사람이에요.
소복 (동요 없이 영서를 보다가
냉정하게) 너희 어머니 참

쓸데없는 짓을 했어.

영서 (고개 떨구는)

소복 그렇게 손쓰지 않았어도 어차피 네가 합격했을 텐데.

영서 (놀라서 보는) ……네?

소복 그날 심사위원들은 만장일치로 널 뽑았다.

영서 그러니까 그건 어머니가 손을 써서, (멈칫하는) 만장일치로요? 그럼,

소복 그래, 나도 널 뽑았다. 다시 선택하라고 해도 널 뽑을 거야.

영서 (혼란스러운) 하지만 윤정년 목이 그렇게 되지 않았더라면,

소복 그런 가정이 무슨 소용이 있어. 정년인 물론 그날 폭발력 있는 무대를 보여줬어. 하지만 너도 그날 소리, 춤, 연기, 모두 다 훌륭했어. 정년이보다 훨씬 더 안정적이었고, 상대역하고 호흡도 완벽하게 잘 맞았다. 잊었니? 이번 오디숀 혼자 보는 게 아니고 짝지어서 보라고 한 이유가 있었잖아.

영서 (눈빛 흔들리는)

소복 내가 너희 엄마한테 가장 어이없는 게 뭔지 아니? 남의 딸 견제하려다가 자기 딸이 얼마나 잠재력이 있는진 몰랐다는 거야.

영서 …….

소복 (담담하게) 넌 너희 엄마처럼 어리석은 짓 하지 마라. 네 스스로의 가치를 과소평가하지 마.

영서, 소복을 흔들리는 눈빛으로 본다.

---

#10 매란국극단 일각. 밤

단장실을 나와서 터벅터벅 걷는 영서, 걸음을 멈추고 밤하늘을 올려다본다. 영서, 눈에서 눈물이 흐른다. 소복의 말에 조금은 위로받았지만 역시 아직도 마음이

복잡한.

### #11 병원 일각. 낮

의사와 이야기하는 소복.

의사 목소리가 많이 회복됐으니 말할 때는 무리가 없을 겁니다. 하지만 소리를 다시 하기는 힘들 겁니다.

소복 (간절한) 시간이 지나면 그래도 조금이라도 돌아오지 않을까요?

의사 시간이 지나면 조금은 가능할 수도 있습니다. 하지만 예전만큼 소리를 하는 건…….

소복, 역시나 안 되는구나, 어두워지는 표정.

### #12 병원 입원실 앞&안. 낮

소복, 입원실 앞에 서서 잠시 마음을 가다듬고 병실 문을 연다. 소복, 예상치 못한 광경에 멈칫하는. 깔깔깔 신나게 웃는 소리. 정년, 환자복 입은 어린아이 셋과 신나게 공기놀이를 하고 있는.

정년 봐라, 이번에도 내가 이겼제?

의기양양하게 좋아하는 정년. 소복, 그런 정년을 보고 어리둥절한.

정년 (소복 발견하고 웃으며) 오셨어라?

[시간 경과]

정년, 거울 앞에서 머리를 빗으며 매무새를 정리하는.

정년 (밝은) 단장님 합동공연 때문에 바쁘실 것인디 저 퇴원한다고 일부러 와주시고 고맙구만요.

소복 (정년의 속을 알 수 없어 불안한) 당연히 와야지.

정년 빨리 퇴원하고 싶어서 몸이 근질근질했당게요. 퇴원하면 제일로 먼저 한약방 가서 약부터 지어 먹을라요. 목소리 다시 틔우는 약을 지가 다 알아놨어라.

소복 (움찔하는) 목소리 다시 나오게 하는 약?

정년 (당연하지 않냐는 듯) 예, 당분간 소리가 안 나온께 우선 소리 다시 나오는 데만 전념을 해야제라.

소복 (점점 불안해지는) 정년아, 너 목 상태 의사 선생님께 들었지?

정년 (별거 아니라는 듯) 아, 두 번 다시 소리 못 할 거라고 한 거요? 그건 그 선생님이 소리꾼에 대해서 잘 모른께 허신 소리고요. 지도 고향 있을 때 종종 봤당께요. 소리하다 일시적으로 떡목 되는 건 누구한티나 있는 일이어라. 잘 쉬고 약도 잘 챙겨 먹으면 금세 좋아지고 그러던디요?

이 상황을 부정하듯 태연하고 밝아 보이는 정년 앞에서 소복, 할 말 잃어버리는.

---

#13 매란국극단 숙소 복도. 낮

복실과 연홍, 팔짱 끼고 가는데 초록, 맞은편에서 찐빵 봉지 들고 오는. 초록, 둘을 발견하자 난감한 표정으로 봉지 숨겨버리는.

복실 찐빵 냄새다! (활짝 웃으며 반기는) 찐빵이지? 우리 주려고 사 온 거야? (찐빵 봉지 손대려고 하면)

초록 (복실 손 찰싹 때리며) 손대지 마! 정년이 거야!

연홍 (어이없는) 윤정년 주려고 찐빵까지 사 온 거야?

초록 정년이 찐빵 좋아하잖아. 병원에서 뭐 제대로 먹기나 했겠어?

복실 (어이없는) 초록이 너 우릴 놔두고 이럴 수 있어? 언제부터 윤정년이랑 그렇게 친했다고!

연홍 맞아!

초록 시끄러! 너네들도 퇴원하는 친구를 위해서 뭘 좀 사 와봐라, 좀!

정년 뭐가 이라고 시끄럽대?

셋, 놀라서 돌아본다. 정년이 웃으며 서 있는.

초록 (반가운) 윤정년!

정년 아이고메, 느그들 떠드는 소리가 아주 대문 밖까지 들려야.

초록 너 몸은 괜찮은 거야? 내가 너 병문안 갔었는데 자고 있어서 얼굴도 못 보고 그냥 왔어.

정년 너 왔던 거 내가 다아 알제. 우리 초록이, 아따 가시나 은근히 속정은 있어갖고잉…….

복실 근데 너 말하는 거 보니까 이제 목 괜찮은 거야?

정년 아 그람, 암시랑토 안 해.

연홍 진짜? 그날 피까지 토해서 우린 너 다시 소리 못 하는 줄 알고,

초록 (하지 말라고 정년 눈치 못 채게 연홍을 노려보는)

연홍 (흡, 입 다무는)

정년 아야, 내 모가지가 을마나 튼튼한디 고깟 일로 소리를 다시 못 하겄냐. 잘 먹고 푹 쉬면 금방 다시 할 수 있응께 걱정할 거 없어야. (찐빵 봉지 보며) 그건 뭐여, 어디서 찐빵 냄새가 폴폴 나는디?

초록 너 먹으라고 사 왔지.

정년 참말로? 참말로 우리 초록이밖에 없네잉. (찐빵 하나씩 나눠주는) 느그들도 먹어. 맛있는 건 다 같이 노나 먹어야

더 맛있어.

#### #14 매란국극단 정년 방 안. 낮

정년, 방으로 들어오다가 멈칫한다. 깨끗하게 청소돼 있는 방 안. 정년의 책상 위에 가지런히 개켜져서 놓여 있는 연습복. 꽃이 꽂혀 있는 꽃병. 초록, 방 안에 들어온다.

정년 뭐여, 초록이 네가 내 방 청소까지 다 한 거여?
초록 그거 주란이가 한 거야. 너 퇴원한다고 아침부터 쓸고 닦고 정신없던데?

정년, 순간 표정 어두워지는.

#### #15 매란국극단 연습실 안. 밤

영서와 주란, 〈바보와 공주〉 연습하는. 영서, 주란의 소리에 맞춰 북으로 장단을 맞춰주는.

주란 (소리하는) *낭군을 찾으리다. 눈물 젖은 소맷부리 끊어내고 일편단심 혼인맹약.* (하다가 목 잠기는) 미안. (목 가다듬고) 다시 할게.

지쳐 보이는 주란. 영서, 그런 주란을 보다가,

영서 (북 치우며) 오늘은 충분히 한 거 같아. 내일 다시 하자.

영서, 연습실을 나가려고 하는데 주란, 망설이며 나갈 생각 안 하는. 영서, 주란 쪽을 돌아보는.

주란 먼저 들어가. 난 혼자서 춤 연습 좀 더 하다 들어갈게.
영서 (빤히 주란을 보다가) 그렇게 무서워?
주란 (당황해서) 어?
영서 지금 들어갔다가 윤정년 마주칠까 봐 너도 무서운

거잖아.

주란 (아픈 데 찔려서 잠시 할 말 찾지 못하다가) 아냐, 그런 거……. (애써 괜찮은 척 살짝 웃으며) 난 좀 더 연습하다가 갈게. 너 먼저 가.

영서, 그런 주란을 보다가 한숨 내쉬고 돌아서서 가는. 홀로 남은 주란, 다시 가라앉는 얼굴. 정년이 왔다는 반가움보다 더 앞서는 죄책감, 절망감이 주란을 붙잡고 놔주지 않는.

---

### #16 매란국극단 일각. 밤

정년, 걸어가다가 흠칫 놀란다. 저만치서 영서가 오는 것이 보이는. 영서 보는 것이 영 껄끄럽고 괴로운 정년, 자기도 모르게 몸을 숨기는.

정년 (혼잣말로) 근디 내가 왜 숨지? 한방 쓰면 어차피 마주쳐야 하는디.

숨었던 데서 나오는 정년.

정년 (목 가다듬고) 허영서!

영서 (가다가 흠칫 놀라서 멈춰 서고, 돌아보는)

둘, 어색해서 서로를 똑바로 보지 못하고 잠시 침묵이 흐르는.

정년 나 오늘 퇴원했다이.

영서 (어색하게) 응, 들었어. 몸은?

정년 인자 괜찮해. (태연한 척) 봐, 목소리도 멀쩡 안 허냐.

영서 (하나도 괜찮을 리 없다는 거 알지만) 그래, 다행이다.

또 잠시 어색한 침묵 흐르는.

정년 너 붙었단 얘기 들었어. (애써 밝게 아무렇지 않은 척) 너 해낼 줄 알았당게, 축하한다.

나도 이겨불고 된 건께 너 내 몫만큼 잘해야 써!

영서 (표정 일그러지는, 정말 힘겹게) 그날 붙었어야 되는 건…… 내가 아니라 사실,

정년 (표정이 변하며 단호하게) 아니여, 난 그날 최선을 다했고 그라고 떨어진 거여. 그게 다여. 긍께 니도 다른 생각 하지 말어.

영서, 차마 더 이상 말을 못 하겠는. 정년 얼굴을 바로 볼 수 없는 영서. 그런 영서를 보다가 서글프게 웃는 정년.

정년 좀 좋아해라, 가시나야. 그라고 원하던 자리를 가져가 놓고 웃지도 안 허냐.

영서 (울컥 눈물 날 것 같지만 참는)

영서, 눈물 날 것 같아서 그 자리를 떠버린다. 정년, 그런 영서 뒷모습을 먹먹한 마음으로 보는.

#17 매란국극단 대연습실 안. 낮

연습을 하러 모이는 각 국극단 단원들. 매란국극단을 뺀 다른 국극단 단원들끼리 매란 단원들을 흘끗거리며 수군거리는 냉랭한 분위기. 뒤에서 참관하러 들어오는 각 국극단 연구생들. 초록, 복실, 연홍도 참관하러 들어온.

초록 뭐야, 이 분위기…… 어째 우리 국극단만 따돌림당하는 거 같은데?

복실 주연 둘도 매란에서, 주연 아역 둘도 매란에서 나왔잖아. 자기들은 들러리 서는 것 같다고 불만이 잔뜩이야.

연홍 오디숀 보고 뽑은 건데 뭐가 불만이야.

복실 트집을 잡으려니까 그러는 거지.

단장들, 옥경, 혜랑, 들어와서 자리에 앉는다.

소복 지금부터 합동공연 대본 연습을 시작하겠습니다.

[시간 경과]

주란 네가 아바마마께서 말씀하신 온달! (소리하는) *어찌 할까 이 내 마음 삼월 산들바람 나긋나긋 흔들리는 마음 공은 찾았으나 마음을 잃었구나—*
영서 (소리하는) *어찌할까 이 내 마음 한여름 창천낙뢰 우르르르 무너지는 마음 울보 공주께 공도 주고 마음도 주었구나—*

영서 소리 끝나자 다들 감탄하는 분위기.

낭랑 단원 오디숀 때도 그랬는데 둘이 호흡이 참 잘 맞네.
영광 단원 이번 합동공연 때 화제성은 재네 둘이 다 가져갈 거야.

혜랑, 표정 꿈틀하는. 옥경, 무표정한.

소복 다음, 조현 장면부터.
금주 공주궁에 사내아이가 드나든다더니 과연 사실이구나. 왕을 궁지에 몰 절호의 기회렷다!
소복 다시. 감정이 과하다. 가다끼라고 해서 그렇게 노골적으로 야비함을 드러낼 필요는 없어. 다시 해봐.
금주 (빤히 소복을 보며) 싫은데요.

소복, 표정 굳어서 금주 본다. 매란 단원들, 놀라서 금주 보는.

금주 가다끼는 누가 봐도 가다끼 같아야 돼요. 강렬해야죠. 거기다 가다끼의 첫 등장인데 보는 관객들

뇌리에 남으려면 과할 정도로 세게 가야 하는 게 맞아요.

소복 (냉정하게) 대본 해석을 제대로 안 했구나. 조현은 계산적이고 자신의 속을 잘 드러내지 않는 사람이다.

금주 그건 단장님 해석일 뿐이죠. 전 제 해석대로 하겠어요.

소복 (화가 나서) 너 여기가 무슨 자리인 줄 알고,

남희 (자르는) 금주 얘기가 아주 틀린 거 같진 않은데요.

소복 (남희 보는)

남희 매란은 단장님 한 사람의 해석을 따랐는지 몰라도, 우리 국극단에서는 배우들의 해석도 존중해줬어요. 그게 제 방침이고요.

분위기 싸늘해질 대로 싸늘해지는. 소복과 남희, 대치하듯 기 싸움 하며 보는.



#18 매란국극단 대연습실 밖. 낮

연습 끝나고 대연습실에서 빠져나오는 배우들.

#19 매란국극단 대연습실 안. 낮

소복과 남희, 둘만 남아서 말다툼하는.

소복 극 전체 조화를 생각해야 할 거 아냐! 가다끼가 저렇게 맥락에도 안 맞게 튀는 연기를 하는데 그걸 존중해주자고?

남희 그러면 안 되나요? 이미 이 합동공연 주요 배역들 상당수가 매란 배우들이에요. 우리 금주가 거기에 묻히지 않고 자기 나름대로 살아남고자 하는 게 뭐가 그렇게 잘못된 거예요?

소복 (어이없는) 결국 그 말이 하고 싶었던 거야?

남희 지금 상황이 언니로서는

최고 남는 장사죠. 옥경이랑 혜랑이 내세워서 홍보하면서 허영서, 홍주란 같은 다음 후계자들 밀어주고.

소복 그럼 넌 옥경이랑 혜랑일 빼라는 거니? 이 공연을 보러 오는 사람들 대다수가 옥경이랑 혜랑이 보러 오는 거야! 특히 옥경이! 옥경이 있고 없고에 따라서 티켓 판매가 몇 배가 차이 나는지 알기나 해?

남희 (비꼬는) 그렇죠. 그게 언니 제일 큰 무기죠. (냉정하게) 맞아요. 옥경이 못 빼죠. 대신 나 같으면 아역 오디숀에 아예 매란 연구생들은 내보내지 않고 기회를 양보했을 거예요. 이 합동공연이 그렇게 언니한테 소중하다면서 언닌 정작 이 합동공연에 참석하는 국극단들 불만이 뭐가 있는진 전혀 모르고 있잖아요. 아마 알 생각도 없겠지만!

남희, 찬바람 내며 나가버리고 소복, 황당하고 어이없는.

---

**#20 매란국극단 일각. 낮**

대본 연습 끝나고 흩어지는 각 국극단 단원들과 연구생들.

초록 야…… 이건 무슨 전쟁터가 따로 없는데?

복실 이래 가지고 합동공연 무사히 끝날 수 있을까?

초록 단장님한테 대놓고 대들다니…… 우리 국극단에서는 상상도 할 수 없는 일인데…….

삼삼오오 갈 길 가는 배우들. 그 사이에 영서와 주란. 정년, 지나가다가 그들을 본다. 부러움, 질투, 소외감. 어쩔 수 없이 정년 가슴 한편에 통증이 느껴진다. 영서와 주란, 걸어가다가 그런 정년과 눈이 마주친다. 셋, 어색한 분위기.

영서 (주란 향해) 나 먼저 갈게.
(피해버리듯 자리 뜨는)

정년과 주란, 둘만 남겨지자 더
어색해지는.

주란 어디…… 가는 거야?
정년 (뭐라고 대답하려는데)

초록, 지나가다가 정년을 발견하고
다가온다.

초록 너 또 용하다는 의원
찾아가는 거야? 이번엔 어딘데.
정년 저기 청주에 용한 의원이
있대.
초록 (걱정스러운) 여기서
청주까지 어떻게 가려고.
정년 (계속 초록 쪽만 보며
이야기하는) 정 씨 아저씨가
마침 청주 갈 일 있다고
차 태워주신대. 지금 가면
밤까지는 돌아올 수 있을 거여.
갔다 온다이! (자리 뜨는)
초록 (걱정스러운) 기대 안고
갔다가 실망해서 돌아오고,
이게 몇 번째야. 이번엔 좀
달라야 할 텐데…….
주란 (심란하게 정년 뒷모습을
보는)

---

#21 한약방 앞. 낮

트럭 조수석에서 내리는 정년.
한약방 앞에 사람들의 줄이 길게
늘어서 있다. 정년, 용한 곳인가
보다 싶어서 표정 밝아지는.
정년, 줄을 서며 열심히 앞을
기웃거리는.

---

#22 한약방 안. 낮

한약방 주인, 정년의 맥을 짚는다.
정년, 잔뜩 기대에 차서 주인을
본다. 주인, 정년을 향해 고개를
젓는다. 정년, 실망하는.

정년 그라지 말고 맥이라도 한 번 더 짚어보시면,

주인 (퉁명스러운) 백 번, 천 번 짚어보면 뭐 해. 척 보면 척이지. 한번 부러진 목을 무슨 재주로 고쳐내. 그냥 받아들이고 살아.

정년 (울컥하는) 옘병 나는 속이 타 죽겄는디…… (꾹 참고 애써 부드럽게) 용하시다고 해서 멀리서 이라고 찾아오지 않았겄소. 지푸라기라도 잡고 싶은 심정으로 하루하루 버티는디 뭐라도 일러주실 말씀 없다요?

주인 (귀찮은) 양귀비라도 달여 먹어보든가.

정년 양귀비요? (움찔하는) 그거 아편 아니요?

주인 그래, 아편! 아편 하면 목이 마음먹은 대로 된다는 소리 못 들어봤어? 혹시 모르지, 너처럼 부러진 목도 아편을 하면 다시 소리가 나올지.

정년 (혼란스러운) 아니 그러다 아편쟁이라도 되면…….

주인 (헛웃음) 아,

지푸라기라도 잡고 싶다면서.

정년, 멍하게 주인을 보는.

---

**#23 도로&트럭 안. 낮**

조수석에 타고 가는 정년. 수첩을 펼치면 그동안 다녀온 병원과 한의원 이름들이 빼곡하게 적혀 있고 하나씩 줄이 그어져 있다. 정년, 방금 다녀온 한의원 이름 위에도 줄을 긋는다. 정년, 창문 밖을 보는데 표정이 한없이 어두운.

---

**#24 매란국극단 단장실 안. 밤**

소복, 누군가와 통화 중이다.

소복 네, 박사님. 네, 네. (사이) 그럼 내일 환자랑 함께 찾아뵙겠습니다. 네.

전화 끊는 소복, 생각에 잠기는.

---

### #25 매란국극단 부엌 안. 밤

정년, 달여놓은 양귀비를 본다. 정년, 심호흡을 하고 약을 먹으려다가 멈칫하는. 정년, 약그릇을 내려놓는다. 정년, 내가 뭐 하고 있나 답답하고 미칠 것 같아 한숨 쉬는. 소복, 부엌 안에 들어와 약그릇과 정년을 보는. 정년, 당황한다. 소복, 이상한 것을 느끼고 약그릇을 들어 냄새를 맡는.

소복　뭐야, 이게.

정년　(외면하며) 아편을 하면 다시 소리를 할 수 있다 안 하요.

소복　(매서운 눈초리로) 어디서 그런 말도 안 되는 소리를 듣고 왔어! 아편에 기댔다가 인생 망친 소리꾼이 여럿이다, 너도 그 꼴 나고 싶어?

정년　(소복을 똑바로 보며) 그럼 손 놓고 있을까라? 뭐라도 해야제라.

소복　(답답한) 언제까지 그렇게 제자리만 돌 참이니. 퇴원해서부터 지금까지 목이 부러졌단 사실을 죽자 사자 부정하고만 있잖아.

정년　(눈빛 거칠어지는) 인정하면요? 인정하고 나면 그다음은 뭔디요? 소리꾼더러 목이 부러졌다는 걸 인정하란 것은 죽으라는 소리랑 똑같어요. (울컥하는) 누구보다 잘 아심서 아, 어떻케 저한티, (애써 가라앉히는) 아직 방법을 못 찾아서 그라제, 지 목은 낫을 수 있어라. (벌떡 일어나 나가려는데)

소복　내일 나랑 병원에 가자.

정년　(돌아보는)

소복　미국에서 공부하고 온 유명한 의사 선생님이 지금 한국에 들어오셨다는구나. 이쪽으로는 최고의 권위자 소리를 듣는 분이야.
아까 연락을 드렸더니 널
봐주시겠다고 했다.

정년 (놀라서 보는) 그럼
그분이 제 목도 고쳐주실 수
있당가요?

소복 선생님이 보시기
전까진 아무것도 장담은
못 해. 그분한테 진찰받아
보고 조금이라도 희망이
있다고 하면, 나도 몇 년이
걸리더라도 널 기다려주마.
하지만 선생님이 희망이 없다고
하면…… 그땐 너도 네 현실을
받아들여.

정년, 혼란스러운 표정으로 소복을
보는.

---

### #26 매란국극단 정년 방 안. 밤

주란, 깨끗이 다림질까지
한 정년의 빨래를 책상 위에
올려놓는다. 주란, 정년에게
솔직히 자신의 마음을 털어놓을
수 없는 이 상황에 마음이 힘들어
무거운 한숨. 주란, 돌아서서
나가려는데 들어오려던 정년과
마주치는. 주란, 당황해서
어찌할 바를 모르는. 그런 주란을
무덤덤하다 못해 차갑게 보는
정년.

주란 얼른 나가려고
했는데…….

정년 (주란이 해놓은 빨래를
보고) 아야, 앞으로는 내가
알아서 할랑께 우렁각시마냥
이럴 거 없어. 나 사지육신
멀쩡해.

주란 (가슴 한편이
시린) ……난, 난 너한테
미안해서…… 이거라도 해주고
싶어서…….

정년 뭐가 미안한디.

주란 그, 그게…… (마음속에
넘쳐나는 말들을 용기가 없어 차마
꺼내지 못하고 고개 숙여버리는)

정년 (주란의 침묵이 야속한, 더 이상 기다리지 않는) 네가 잘못 생각한 거여. 그 일은 너랑 아무 상관 없어. 혜랑 선배 말 들었을 때 그라다간 잘못될 수도 있다고 생각은 했었어. 근디 그때는 그라고 안 하고는 배길 수가 없더라고. 내가 결정한 내 일이지, 너랑은 아무 상관 없어.

주란 (차가운 정년 태도에 할 말 없어지는, 울 것 같은 주란의 표정)

정년 (순간 마음 약해지지만 외면해버리는) 긍께 앞으로는 부담스럽게 이러지 마라이.

주란 (눈물 뚝 떨어지는, 얼른 눈물 닦는) ……알았어.

주란, 방을 힘없이 나간다. 정년, 그런 주란 쪽을 끝까지 보지 않는다. 정년, 애써 냉랭하게 해놓고 마음 안 좋아지는. 주란이 해놓은 빨래 보는 정년, 마음이 울컥한다.

정년 (혼잣말로) 바보 아녀…… 뭐가 지 탓이라는 거여.

---

#27 병원 진료실 안. 낮

50대의 전문의, 정년의 목 안을 들여다보는. 소복, 한 가닥 기대를 걸고 긴장해서 지켜보는.

전문의 (목 안을 들여다보며) 이 상태에서 소리를 아, 하고 내볼까요.

정년 아—

전문의 네, 됐습니다.

전문의, 뭐라고 차트에 적는다. 정년, 기대 반, 설렘 반으로 전문의만 주시하는.

정년 (조심스럽게) 선생님이 보시기엔…… 지가 낫을 수 있겄소? 심각한 건 아니제라?

전문의 정년 양.

정년 네.

전문의 보통 정년 양처럼 무리하게 목을 혹사해서 생기는 이런 음성 질환은 몇 달간 목을 쓰지 않고 푹 쉬면 대부분의 경우에는 다시 원래대로 돌아옵니다.

정년 (기대로 반짝이는) 그라면 저도,

전문의 그런데 정년 양은 너무 무리하게 목을 써서 예전처럼 소리를 하기가 쉽지 않을 거 같아요.

정년, 가슴이 뚝 떨어지는. 소복, 행여나 했던 한 가닥 기대가 끊어지자 순간 마음이 무너지며 찌르르 아파오는…….

전문의 그래도 한 가지 다행인 건, 너무 말을 많이 하지만 않으면 앞으로도 일상생활에서 대화하는 건 큰 무리가 없을 거예요.

정년 아니, 말을 하는 건 그렇다 치고, 소리는요. 방금 선생님 말씀이 뭔 뜻이어라? (실낱같은 희망을 걸고) 아니제라? 언젠가는 소리도 할 수 있는 거제라?

전문의 안타깝지만 소리는 포기해야 됩니다.

정년 (억장이 무너지는) 염병, 이게 무슨…… 선생님은 명의시잖아요, 방법을 알고 있자네요! (거의 무릎 꿇다시피 매달리는) 제가 선생님이 시키는 건 뭐든 다 할랑게 제 목 좀 고쳐주세요, 예?

전문의 (달래려는) 정년 양.

정년 (다급하게) 수술이라도 하면, 외국에서는 칼 대면 못 고치는 병이 없다고 하던디. 저도 수술시켜 주세요!

전문의 수술을 하는 건 일부의 경우고, 정년 양 같은 경우는 수술을 한다고 해도 예전처럼 소리를 하기는 불가능해요. 유감입니다.

사형선고를 받아버린 정년, 멍해지는. 소복, 가슴이 미어져서 정년을 보는.

---

#28 병원 앞. 낮 (흐림 → 비)

정년, 기대가 다 짓밟히고 넋이 나가서 병원을 나오는. 소복, 그런 정년을 따라 나오는.

소복 정년아.

정년 (고개 젓는다) 이럴 리가 없는디…… 저 선생님, 용한 거 맞아요?

소복 (가슴 찢어져서 차마 정년을 못 보는)

정년 수술을 해도 안 된단 것이…… 말이 안 되잖아요! 서양서 공부한 의사들은 칼 대면 무슨 병이든 다 고칠 수 있다고 들었는디!

소복 (가슴 아프게 정년 보는) 그때…… 목이 너무 상한 거야.

정년 남들은 목이 상해도 다 다시 돌아오던디 왜 나만 그렇게 안 되는디요! 어째 나만!!!

정년, 뛰어가버리는. 소복, 쫓아간다. "정년아! 정년아!" 부르지만 달려가버리는 정년. 소복, 쫓아가다가 멈춘다. 비가 떨어지기 시작한다.

---

#29 길거리. 낮 (비)

비가 쏟아지는 길거리. 사람들, 비를 피하려고 이리저리 뛰어가는. 정년, 넋 나간 사람처럼 비를 맞으며 걸어가는. 비를 피하려 뛰어가는 행인과 부딪혀서 그 자리에 주저앉는 정년. 일어나려고 하지만 기운이 없어 다시 주저앉는. 몸도, 마음도 지쳐버린 정년, 그렇게 넋을 놓고 빗속에서 주저앉아 있는.

---

#30 매란국극단 정년 방 안. 밤

비를 쫄딱 맞은 초췌해진 정년, 방으로 들어온다. 방 안을 헤매는 정년의 탈진한 눈빛. 정년의 시선이 추월만정 레코드판에 멎는다.

---

**#31 매란국극단 휴게실 안. 밤**

정년, 축음기에 추월만정 레코드판을 올려놓는다. 방 안에 공선이 부른 추월만정이 울려 퍼진다. 정년, 레코드판 표지 속 엄마의 얼굴을 무표정한 얼굴로 본다. 정년, 축음기에서 나오는 노래를 따라 부르려고 애쓰지만 쉰 목소리만 나올 뿐 제대로 노래가 나오질 않는다. 정년, 쉰 목소리로 계속 애쓰다가 결국 답답함과 절망감에 가슴을 쥐어뜯으며 우는. 정년, 악악 소리 지르지만 역시 쉰 목소리밖에 나오지 않는다. 정년, 흐느껴 울다가 허공을 본다. 텅 비어 있는 정년의 눈. 정년, 축음기의 소리를 확 올려버리고 창문을 활짝 열어젖힌다.

**#32 매란국극단 연습실 안. 밤**

소복의 지도 아래 소리를 연습하고 있던 영서와 주란을 비롯한 연구생들. 갑자기 추월만정이 크게 울려 퍼지자 모두들 당황해서 소리 나는 쪽을 보는. 연구생들, 당황해서 소복의 눈치를 보면 소복, 굳은 표정으로 앉아 있다가 벌떡 일어나는. 영서, 표정이 식어내리는.

---

**#33 매란국극단 휴게실 안. 밤**

창밖을 보는 정년 볼 위로 하염없이 눈물이 흘러내리는데 소복, 들어와서 잠시 정년을 보다가 축음기를 꺼버린다. 고막이 찢어질 듯 울려 퍼지던 노랫소리가 사라지고 방 안에 적막이 흐르는. 정년, 멍히 창밖만 보고 있고 소복, 그런 정년을 아프게 보는.

소복 이런다고 다시 소리를 할 수 있는 게 아니야.

정년 (멍히 앉아 있는)

소복 그만 네 현실을 받아들여. 목이 부러지면 부러진 대로 다시 길을 찾으면 되는 거야.

정년 (눈빛이 사나워지는) 뭣을 받아들이란 소리요? 지가 떡목이 됐단 거요? 소리를 잃은 소리꾼이 뭘 할 수 있는디요.

정년, 벌떡 일어나 방을 나가려고 하면 소복, 정년을 붙잡는.

소복 이 밤중에 또 어딜 가려고!

정년 산에 갈라요. 산에서 소리를 잃어버렸응께 산에 가서 다시 내 소리 찾아올라요. (뿌리치는)

소복 (다시 붙잡는) 제정신이야? 이 밤중에 산에 올라가다 쥐도 새도 모르게 산짐승 밥이 되고 싶어?

정년 (손 뿌리치고) 이러고 사느니 산짐승 밥이 되는 게 낫겄제라!

붙잡으려는 소복과 벗어나려는 정년. 둘, 실랑이 벌이다가 정년 뺨을 때리는 소복.

소복 (울 것 같은, 두 눈 벌게져서) 제발 좀 정신 차려! 이런다고 예전 목소리가 돌아오지 않아!!

정년 그럼 내가 뭘 어떡해야 하는디요! (눈물 흘리며) 오만가지 약을 먹어도 안 되고, 침을 맞아도 안 되고, 베라별 짓을 해도 안 되는디 어쩌란 말이요! 내가 어떻게 해야 소리를 다시 할 수 있는디요? 제발 그 방법 좀 알려주쑈…….

모든 것이 무너져버린 정년, 절규하듯 흐느끼고 소복, 마음이 무너져서 표정 일그러진다. 소복, 이러다 정년 앞에서 울어버릴 것 같아 방을 나가버린다.

### #34 매란국극단 휴게실 앞&안. 밤

방 앞에서 숨죽이며 엿듣고 있던 연구생들. 참담한 영서의 표정. 눈물 뚝뚝 흘리는 주란. 연구생들 눈물 흘리며 듣고 있다가 소복이 문 열고 나오자 고개 돌리는.

소복 (애써 냉정하려고 하며)
어서들 돌아가! 연습 안 끝났어.

연구생들 흩어지고 영서와 주란만이 남는. 주란, 하염없이 울며 정년 뒷모습을 보다가 눈물을 닦고 돌아서는. 영서, 문간에 서서 정년을 본다. 정년, 어깨를 떨며 흐느끼고 영서, 그런 정년을 보며 차마 들어가지 못하고. 정년을 보며 가슴이 찢어지게 아픈데 차마 위로하지도, 울지도 못하는 영서, 눈물을 간신히 참고 참으며 정년을 보는. 그렇게 더 이상 넘을 수 없는 문을 사이에 두고 둘, 서 있는.

### #35 매란국극단 정년 방 안. 새벽

영서, 눈을 뜬다. 영서, 옆자리를 보면 텅 비어 있는. 영서, 불길한 느낌에 벌떡 일어난다.

---

### #36 서울역 플랫폼. 새벽

정년, 작은 짐 가방 하나 들고 아직 채 날이 다 밝지 않은 어스름한 기차역 플랫폼에서 기차를 기다리는. 표정 없는 얼굴. 모든 것을 체념하고 놓아버린 텅 빈 정년의 얼굴. 기적 소리가 들린다. 정년, 기적 소리가 나는 쪽을 무감각하게 본다.

---

### #37 매란국극단 정년 방 안. 낮

소복, 정신없이 방 안으로 들어온다. 주란, 뒤따라 들어오는. 멍히 서 있는 영서. 정년의 옷과 소지품 다 사라져 있는.

영서 일어나보니까……
없어졌어요.

정년 책상 위에 쪽지 하나와
영서가 준 추월만정 레코드판이
있다. 소복, 정년 책상 위의 쪽지를
발견한다. 소복, 쪽지를 읽는.

정년 [소리] 단장님,
집으로 내려가겠습니다.
인사 못 드리고 떠나는 거
용서해주세요. 윤정년.

소복, 결국 이렇게 돼버렸구나,
마음이 무너지는. 주란, 멍해지고
소복, 충혈된 눈으로 가만히 서
있는.

주란 단장님…….
소복 (애써 냉정하게) 떠난
사람은 떠난 사람이고,
너희들은 합동공연 철저히
준비해.



소복, 아이들 앞에서 무너지지
않으려 애써 냉정하게 방을
나서는. 영서, 정년 책상 위의
추월만정 레코드판을 보고 마음이
싸해지는.

---

**#38 매란국극단 단장실 안. 낮**

단장실로 들어온 소복, 자리에
앉아 서류를 보지만 눈물이 서류
위에 뚝뚝 떨어지는. 정년을
지켜주지 못했다는 죄책감과
미안함, 결국 비극이 반복됐다는
절망감에 소복, 소리 죽여
흐느낀다.

---

**#39 정년 집 마당. 저녁**

해가 뉘엿뉘엿 넘어가는데 정자,
여느 때처럼 빨래 널고 있는.
정년, 마당으로 들어온다. 정년,
변함없는 광경을 보고 울컥해서
눈물이 차오르는. 정년, 언니에게
선뜻 다가가지 못하고 떨어져

서서 지켜보는. 정자, 빨래 널다가 정년과 눈이 마주치는.

정자 (눈을 의심하는) 이것이 누구여…….

정년, 눈물 꾹 참고 정자를 보는.

정자 (뛰어가는) 정년아!!!

정자, 한달음에 뛰어가서 정년을 끌어안는. 정년, 눈물을 흘리며 정자를 마주 끌어안는. 정년, 그간의 극심했던 마음고생을 말로 하지 못한 채 그저 눈물만……

정자 (다독이는) 잘 왔다, 잘 왔어…….

용례, 뻘밭에서 돌아오는 듯 양동이를 들고 들어오다가 정년을 보고 굳어버리는. 정자, 포옹을 푼다. 정년, 용례를 본다. 용례, 뭔가 심상찮은 일이 일어나서 정년이 돌아왔음을 직감하고 정년을 보는. 모녀, 그렇게 떨어져서 서로를 그저 보는 데서.

---

**#40 매란국극단 연습실 안. 낮**

단원들, 수업 듣는다.

소복 자, 오늘은 사철가로 목을 풀어보자. 정년이 선창해봐라.

단원들, 멈칫해서 소복을 본다. 영서와 주란, 표정이 어두워지는. 소복, 순간 아차 싶은.

소복 아니, 영서, 영서가 선창해봐라. (북 치며 장단 맞춰주는)
영서 *이 산 저 산, 꽃이 피니, 분명코 봄이로구나.*
단원들 *이 산 저 산, 꽃이 피니, 분명코 봄이로구나.*

소복, 단원들 사이 정년의

빈자리를 본다. 초록, 소복의 시선을 따라서 정년의 빈자리를 보고 표정 어두워지는.

---

### #41 매란국극단 일각. 낮

수업 끝나고 소복, 정년 생각 때문에 허한 마음으로 걸어가는데 초록, 소복 쪽으로 다가온다.

초록 (용기 내서) 단장님.
소복 (초록 보는)
초록 이걸 말씀드려야 하나 말아야 하나 오랫동안 고민했는데요…… 이제 정년이도 떠난 마당에 단장님도 아셔야 할 거 같아서요.
소복 (의아하게 보는)

[시간 경과]

초록의 이야기를 다 들은 소복, 표정 굳어 있는.

소복 혜랑이가 그런 걸 네가 다 직접 보고 들었단 말이지.
초록 네.
소복 (헛웃음이 나오는, 그러다 차가워지는 표정)

---

### #42 매란국극단 단장실 안. 낮

혜랑, 표정 굳어서 소복을 보는.

혜랑 그게 무슨 말씀이세요? 합동공연 끝나고 나가라뇨?
소복 말 그대로야. 이번 합동공연까지만 하고 매란국극단에서 나가줬으면 좋겠다.
혜랑 (날카롭게) 제가 나가면 누굴 제 자리에 세우실 건데요? 설마 홍주란?
소복 (냉랭한) 그건 네가 신경 쓸 일이 아니다.
혜랑 (독이 올라서) 이런 식으로 절 내쫓을 순 없으세요! 제가 그동안 매란에 얼마나

헌신했는데요! 매란국극단
초창기부터 밤낮으로 제 발로
직접 뛰고 홍보하면서 여길
키워왔어요!

소복 맞아. 매란은 너하고
옥경이랑 같이 성장했어.
그럼 매란의 얼굴답게 좀 더
책임감을 갖고 연구생들을
돌봤어야지, 그 애들을 하나씩
잡아먹을 게 아니라!

혜랑 (독이 오른 와중에 눈가가
붉어지는) 후배들이 하나씩
치고 올라오는데 태연할 사람이
어딨어요. 내 자리 뺏기고 그대로
밀려날 등신이 어딨냐고요!

소복 그래서 악착같이 그 애들
하나씩 해코지해서 너한테
남은 게 뭐야. 계속 이런 식으로
옥경이 껍데기나 붙잡고 살래?

혜랑 (정곡을 찔린, 입술 깨무는)

소복 (괴롭게 토로하는) 네가 이
지경으로 망가질 때까지 손을
못 쓴 내가 제일 죄인이다.

혜랑 (표정 일그러져 앉아
있다가 벌떡 일어나는, 오기로
가득한) 좋아요, 이번 공연
끝나고 얼마든지 나가드릴게요.
근데 알아두세요, 제가 나가면
옥경이도 나간다고 할 거예요.

소복 (이제 차라리 혜랑이
불쌍한) 아직도 옥경이를
모르니? 옥경인 절대 네가
원하는 대로 움직여주지 않아.

혜랑, 소복을 분노와 원망 섞어
쏘아보다가 단장실 나가는. 소복,
괴로운 한숨.

---

**#43 정년 집 안방. 밤**

정년, 뒤척이며 잠을 이루지
못하는. 정년, 일어나
앉는다. 정년, 깊숙이 숨겨둔
매란국극단에서 갖고 나온
대본들을 꺼낸다. 표지에 적힌
'매란'이란 글자와 〈춘향전〉,
〈자명고〉, 〈바보와 공주〉 제목들.
정년, 대본들을 보다가 가만히

제목들을 손가락으로 쓰다듬는.
정년, 그리움과 아픔이 물밀듯이
밀려드는. 눈물조차 나지 않는
정년, 그렇게 타들어가는 듯한
마음으로 대본을 보다가 대본을
꼭 품에 끌어안는다. 대본의
감촉과 냄새와 함께 매란에서의
기억이 밀려오며 가슴 한구석이
뻐근해져오는 정년. 국극을,
소리를, 매란에서의 기억을 완전히
내려놓을 수도, 잊을 수도 없고
오히려 더 그리워지기만 한다.
울지도 못하고 그렇게 눈물이
그렁한 채 대본을 꽉 끌어안는다.
정자, 방에 들어오려다 그런
정년을 본다.
정자, 대본을 끌어안고 있는 정년을
보자 마음이 무너지는. 동생이
얼마나 열병을 앓고 있는지 알고
있는, 하지만 아무것도 해줄 수
없어 마음이 아픈 정자. 차마 방에
들어오지 못하고 소리 죽여서 문
닫아주는 정자. 그렇게 홀로 대본
끌어안고 아픔을 견뎌내는 정년.

**#44 정년 집 부엌 안. 밤**

정년, 부엌에 들어선다. 용례,
약 달이고 있는. 정년, 용례 옆에
앉는다.

정년　약 달이요?
용례　내일부터 아침저녁으로
챙겨 먹어. 너는 얼굴이 가면
갈수록 못쓰겄어.
정년　약값으로 쓸 돈이
어딨다고.
용례　(그저 약만 달이는)
정년　……엄니는 목 뿌러지고
얼마 만에 괜찮아졌능가?

용례, 부채질하던 손을 뚝 멈춘다.

정년　속에서 자꾸 천불이
올라와서 죽을 거 같은디……
엄니는 그 긴 시간을 어떻게
버텼어?
용례　……어떤 날은 가슴이
묵지근하니 답답허고, 그다음

날은 쪼까 괜찮아지나 싶다가
또 어떤 날은 홧병이 나서
기운이 쪽 빠질 때까지
울고…… 그렇게 몸살 침서
하루하루 살다 봉께 새살이
조금씩 돋아나기 시작하드라.

정년 …….

용례 두고 온 자리 자꾸
돌아보지 말고, 앞만 봄서 살아.
그래야 네가 견딜 수 있다.

정년 ……응.

용례, 정년이 짠해 미칠 것 같은.
두 눈이 충혈되는 용례. 용례,
눈가를 닦으며 일어나는.

용례 나무가 설말라논께 자꾸
연기가 나네. (부엌 나가는)

남겨진 정년, 멍하니 부뚜막의
불길을 본다.

---

**#45 정년 집 마당. 밤**

용례, 정년이 듣지 못하게 소리
죽여 흐느끼는.

---

**#46 매란국극단 연습실 안. 낮**

영서와 주란, 마주 앉아 대본
상의하는.

주란 (대본 보며) 이 부분
대사는 좀 더 천진난만하게
가도 좋을 거 같아.
사랑스러운 울보 공주, 사람을
무장해제시키는 햇살 같은
공주님 느낌이라,

하다가 문득 영서 보는데 영서,
멍히 다른 생각에 잠겨 있는.

주란 영서야.

영서 (퍼뜩 놀라 보는) 어? 아,
미안.

주란 (정년 생각하는 걸 알고
심란하게 영서를 보는)

영서 (외면하는, 되레 독하게)

넘겨짚지 마. 윤정년 생각한 적 없으니까. 너도 떠난 사람 생각하지 마.

주란 ……….

영서 (태연한 척) 평강 얘기 하다 말았지. 내 생각에도 평강의 해맑은 모습이 좀 더 드러났으면 좋겠어.

하는데 주란의 눈에서 눈물이 후두둑 떨어진다. 영서, 그런 주란을 본다. 주란, 흐느끼는. 영서, 뭐라고 타박하려다 관두는. 주란의 속이 얼마나 말이 아닐지 영서도 알고 있는. 가슴 아프게 우는 주란과 절대 울지 않고 묵묵히 앉아 있는 영서. 두 소녀, 그렇게 정년의 빈자리에 고통스러워하는.

---

#### #47 시장 안. 낮

정자, 바지락이 든 양동이를 내려놓는다. 정년, 생선 대가리를 칼로 탁탁 내려치며 생선 손질에 여념이 없다.

정자 내가 할랑께 그만 들어가.

정년 언니나 들어가서 쉬어. (계속 생선 손질하는)

그때 건달 셋, 정년네 쪽으로 온다. 창호, 정년 보고 기분 나쁘게 눈을 번뜩이는.

창호 음마? 이게 누구여, 그 따박따박 대들던 가시나 아니여? 서울 갔다등마 돌아왔는갑제?

정년 (무표정한 얼굴로 생선 손질만 하는)

정자 (얼른 전대에서 돈을 꺼내서 주는) 여기 받소.

창호 (돈 받을 생각 않고 아주 별렀다는 듯) 아아, 마침 잘 만났어. 워쩌, 오늘도 또 소리 한 자락 해보제? 오늘은 나가 돈도 두둑허니 있는디.

정년 (그저 생선 손질만 하는)

정자 (불안한) 야가 많이 아프요, 그만 가주소.

창호 하라면 하는 거지, 아프단 핑계는…… 그때는 시키지 않아도 잘만 부르던디, 인자는 못 하겄다?

정년 (무표정한) 난 소리 같은 거 할 줄 모르요. 아 장사 방해된께 비키쇼.

창호 (피식 웃다가 정색하며 살벌하게 훑어보는) 쥐도 새도 모르게 죽고 싶어?

정년 (무기력하게) 죽여보쇼 그라면.

창호 뭐?

정년 (텅 빈 시선으로 창호를 보면서 건조하게) 죽여불란 말이요.

창호 (움찔해서 정년을 보다가 확 열받아서) 겁대가리 없이…… 야, 다 엎어부러!

건달들, 생선을 뒤엎고 난리를 치는. 정자, 아이고 어쩔끄나, 난리가 나며 어찌할 바를 모르는데 정년은 그저 남의 일인 양 멍하니 보기만 하는.

---

#48 골목길. 낮

정년, 엉망이 된 생선들을 담은 리어카를 끌고 가는. 정자, 뒤에서 미는.

정자 (심란해서) 이 많은 생선들을 팔지도 못하고 어쩔끄나. (열받아서) 그 찢어 죽일 놈들, 가다가 벼락이나 맞아라.

정년 (그저 묵묵히 리어카만 끄는데)

그때 엿장수가 신명 나게 엿판을 메고 엿타령을 부른다. 동네 조무래기들 신나서 엿장수 옆에서 구경하며 엿을 사는.

엿장수　*싸구려 허허허 굵은 엿이란다 정말 싸다 방울엿 맛 좋고 색 좋고 빛깔 좋고—*

정년　(걸음을 뚝 멈추고 엿장수를 본다.)

엿장수　*사월남풍에 꾀꼬리빛 같고 동지섣달 설한풍에 백설같이 흰엿—*

정년, 멍히 소리를 듣는. 정자, 불안하게 정년을 보는.

---

### #49 정년 집 부엌 안. 해 질 녘

정자, 밥 짓다가 골똘히 생각에 잠기는. 용례, 된장 담아서 부엌에 들어오는.

용례　다 끓어 넘친다.

정자　(얼른 냄비를 불 위에서 내려놓는) 엄니. 정년이…… 괜찮겄제라?

용례　(대꾸 없이 음식만 하는)

정자　새벽부터 밤늦게까지 일만 한께 불안해 죽겄어라. 그러다 가끔 넋 나간 사람마냥 멍청히 먼 산만 보고 있고…….

용례　지 하는 대로 냅둬라. 시간 지나야 해결될 일이여.

정자, 그래도 불안한. 용례, 묵묵히 밥만 짓는.

---

### #50 정년 집 마루. 해 질 녘

정년, 마루를 박박 걸레로 닦는. 지나칠 정도로 열심히 걸레질을 하는 정년. 그때, 다시 정년의 귓가에 환청으로 엿타령이 들린다. 정년, 흠칫 놀란다.

엿장수　*하초가리 더덕가리 동삼가리가 다들어간 엿 열아홉 살 먹은 큰애기가 동사홀로 침을 질질 흘린다—*

정년, 정신 나간 사람처럼 주위를 둘러본다. 정자, 나오다가 그런 정년을 보고 의아해서 다가오는.

정년　언니, 이 소리 안 들려?
정자　무슨 소리?

정년, 귀를 막는다. 미쳐버릴 것 같다. 환청이 점점 더 크게 들리고 정년, 못 참고 뛰쳐나간다. 정자, "정년아!" 부르며 쫓아가는.

---

#51 바닷가. 해 질 녘

정년, 정신없이 뛰어 바닷가로 온다. 신발 신은 그대로 발목 깊이 정도까지 바다로 걸어 들어가는 정년. 파도 소리가 크게 들리자 그제서야 환청이 들리지 않는. 정년, 숨을 몰아쉬며 바다를 본다. 정년, 눈물이 흐르는. 모든 것을 잃어버린 정년, 아무 빛도, 희망도 보이지 않아 암담한…….

---

#52 매란국극단 일각. 낮

도앵, 신문을 들고 다급하게 걸어가는. 도앵의 심상찮은 기세에 지나가던 단원들 '뭐야?' 의아해하는.

---

#53 매란국극단 단장실 앞&안. 낮

도앵, 문을 노크하자마자 열고 다급히 들어간다. 소복, 서류를 보다가 의아하게 도앵 보는.
도앵, 소복 앞에 신문을 놓는다.
소복, 신문을 보고 표정이 굳는다.
옥경의 사진과 함께 '아편굴을 헤매고 다니는 여성국극 황태자 문옥경'이란 큰 타이틀. 밑에 '과거 기생이었던 시절부터 아편에 중독됐던 문옥경' 작은 타이틀.
대문짝만하게 실려 있는 옥경의 기사.

---

#54 옥경 집 거실. 낮

혜랑, 격분해서 통화하는.

혜랑　마 기자, 어떻게 이럴 수가 있어! 아편쟁이라니! 감히 누구한테! 당장 정정 보도 해! (사이, 악에 받쳐서) 해명? 잘못한 게 없는데 옥경이보고 무슨 해명을 하라는 거야?!

---

**#55 매란국극단 대문 앞. 낮**

기자들과 팬들, 한데 엉켜서 기다리는데 옥경의 차, 도착한다. 기자들, 옥경의 차를 에워싼다. 기사, 내려서 뒷좌석 문을 열어주고 옥경 내린다.

기자1　문옥경 씨! 기사가 사실입니까? 같이 어울려서 아편을 했다는 고관대작 자식들이 도대체 누굽니까?
기자2　지금도 아편을 한다던데 사실입니까? 매란국극단에서도 이 사실을 알고 있나요?
기자3　문옥경 씨! 한 말씀만 해주시죠!

팬들, "문옥경!" 외치며 울부짖고 옥경, 대꾸 없이 기사의 도움을 받아 대문 안으로 들어가는.

---

**#56 매란국극단 단장실 안. 낮**

옥경, 안으로 들어간다. 굳은 표정으로 기다리고 있는 소복과 남희.

남희　(신문을 옥경 앞에 내동댕이치며) 지금 투자자들 돈 빼겠다고 난리가 났어. 이게 어떻게 된 거야! 아편이라니!
옥경　(날카로운) 그동안 공연 연습한다고 정남희 단장님께서도 가까이에서 보셨으니 아시잖아요. 한 번이라도 제가 아편쟁이처럼 보인 적이 있으세요? 안 그래도 지금 다른 국극단들 매란에 불만이 많은데 연습 때 제가 조금이라도 이상해 보였으면 진작 문제 삼으셨겠죠.

아닌가요?

남희 (멈칫하는, 다시 반격하는) 안에 있는 우리가 뭐라고 믿건 밖에선 안 믿어줘.

옥경 아뇨, 안에서 믿지 않으면 밖에서도 당연히 안 믿어줍니다! 안에서 분열이 일어나면 밖에선 늘 기가 막히게 냄새를 맡으니까요!

남희와 옥경, 서로를 쏘아보는. 내내 침묵을 지키며 고심하는 소복, 표정 침착해진다.

소복 옥경이 말이 맞아, 이런 때일수록 우리끼리 똘똘 뭉쳐서 옥경이를 믿는다는 걸 보여줘야 돼.

남희 (반발하는) 언니!

옥경 (표정 밝아지는)

소복 돈을 빼겠다고 했지, 아직 뺀 건 아니야. 투자자들은 내가 만나서 설득을 하마. 옥경이는 지금 당장 기자들을 만나서 반박 보도를 내라. 그냥 아니라고만 하지 말고, 오늘 나온 기사를 조목조목 모조리 다 반박해.

옥경 네. (일어나서 목례하고 나가는)

남희, 열받고 못마땅한 기색이 역력한.

남희 이렇게 어수선한 상태에서 합동공연을 기어이 하자는 거예요? 이러다가 이번 사태가 점점 더 커지면요? 난 못 해요. 나뿐만 아니라 다른 국극단들도 못 한다고 할 거예요.

소복 이번 합동공연 적자 나면 우리 매란에서 다 책임질게.

남희 (놀라서 소복 보는) 진, 진심이에요?

소복 (단호하게) 이 합동공연은 우리 매란뿐 아니라 우리 여성국극 전체의 미래가 걸려 있어. 과거에도, 지금도 여성국극의 얼굴은 늘 문옥경이었어. 왕자를 지키지 못하면 이번 공연뿐 아니라 여성국극 자체가 위태로워질 거다.

---

**#57 매란국극단 연습실 안. 낮**

영서, 들어오다가 멈칫한다.
주란과 초록, 복실, 그 밖의 몇 명만 앉아 있는.

영서 다른 애들은?
초록 몰라. 다들 지금 문옥경 기사 때문에 어수선해서 난리도 아니야.
복실 근데 진짜 안 좋긴 한 거 같아. 어딜 가나 그 기사 얘기뿐이야.

영서, 표정 굳는. 연홍, 연습실 안으로 들어온다.

연홍 주란아! 밖에 누가 너 찾아왔어.

---

**#58 매란국극단 일각. 낮**

주란, 주위를 두리번거리는데,

주란 모 주란아.
주란 (돌아보고 놀라는) 엄마!

---

**#59 파스텔 다방 안. 낮**

주란과 주란 모 마주 앉아 있는.
주란 모, 커피를 앞에 놓고 자꾸 뭔가 망설이는. 주란, 엄마의 기색을 걱정스레 살피는.

주란 (불안해지는) 왜, 언니 어디 아파? 혹시 다시 입원한 거야?
주란 모 (고개 끄덕이는) 다행히 어제 퇴원했어.
주란 (표정 어두워지는) 난 그런 줄도 모르고…… 이번 주말에 집으로 갈게.

주란 모 (잠시 고민하다가) 주란아. 국극단에 언제까지 있을 생각이니?

주란 (표정 굳는) 설마 또 그만두란 얘기야? (사정하는 투로) 엄마, 조금만 기다려줘. 나 이제 제대로 역할 맡기 시작했어. 출연료 오르면 집에 돈도 더 많이 보낼 수 있어, 응?

주란 모 (맘에 들지 않는다는 듯 한숨 푹 쉬고) 너한테 좋은 선 자리 들어왔어. 공무원인데 아주 건실한 사람이야.

주란 (반발하는) 엄마!

주란 모 너랑 결혼하면 그 남자가 네 언니 병원비랑 약값 남은 평생 책임져 주겠다고 했어. 이게 하늘이 준 기회가 아니면 뭐니. 네 언니 상태 뻔히 알면서 넌 계속 거기서 국극 놀음이나 하고 살래?

주란 (자괴감, 죄책감에 아무 말도 할 수 없는)

### #60 길거리&국제극장 앞. 밤

주란, 정처 없이 걷는. 주란, 국제극장 앞에 선다. 〈바보와 공주〉 홍보 포스터를 보는 주란.

[플래시백 - 5부 #68]

주란 언젠가 너는 남자 주인공으로, 나는 여자 주인공으로 무대 위에 마주 보고 서서 연기해보자.

주란, 이제 못 지켜질 약속이라는 것을 직감하고 눈물 고이는.

주란 [소리] 정년아, 돌아와줘. 널 그리워하다 마음에 멍이 들어버린 것 같아. 제발 아무 일도 없었던 것처럼 지금 당장 내 곁으로 돌아와줘.

간절하게 되뇌던 주란, 갈가리 찢어지는 마음에 눈물이 후두둑 떨어진다.

**#61 요릿집 방 안. 밤**

옥경, 기자들과 인터뷰하는. 십여 명의 기자들, 옥경의 이야기를 들으며 뭔가를 적는.

옥경 과거에 손을 댔던 건 부정하지 않아요. 하지만 국극을 시작하고 나서는 한 번도 아편을 하지 않았습니다.
기자1 하지만 이 기사에 보면 문옥경 씨가 최근에 친구들과 어울려 아편굴에 드나드는 걸 봤다는 목격자의 얘기가 있는데요.
옥경 국극 공연을 한 번 올리려면 하루에 최소 여섯 시간 이상씩 꼬박 두 달을 연습해야 합니다. 제가 연습을 하는 건 우리 매란국극단뿐 아니라 합동공연에 참여하는 모든 국극단 단원들이 다 지켜보고 있었어요. 제가 아편굴에 드나들 정도의 아편쟁이라면 그 강행군을 어떻게 다 소화할 수 있었겠어요?

기자들, 고개 끄덕이며 수긍하는 분위기.

옥경 그 기사에 나온 목격자라는 사람에게 말합니다. 정말 최근에 절 아편굴에서 본 적이 있다면 떳떳하게 제 앞에 나와서 얘기하라고요. 필요하다면 지서에 가서 조사를 받을 생각도 있습니다.

---

**#62 요릿집 대문 앞&옥경 차 안. 밤**

인터뷰가 끝나고 헤어지는 옥경과 기자들. 옥경, 기자들에게 악수하며 인사하는. 기자들 떠나고 나자 차에 오르는 옥경, 피곤한 기색이 역력한. 무표정한 옥경의 얼굴.

### #63 매란국극단 마당. 밤

옥경, 걸어가다가 멈춘다. 영서가 홀로 목검을 연습하는 것이 보이는. 영서, 연습을 하다가 옥경을 발견한다.

옥경 (영서 쪽으로 다가가는) 항상 늦게까지 연습하네.

영서 온달은 검을 다루는 장면이 많이 나와서요. 혹시라도 실수할까 싶어서요.

옥경 이번 공연, 긴장돼?

영서 네.

옥경 합동공연이라고 긴장할 거 없어. 네 원래 실력대로만 하면 돼.

영서 그게 아니라…… (조금 쑥스러워서 눈 못 마주치고) 선배님 아역이잖아요. 저에겐 의미가 큰 공연이에요.

옥경 (웃는) 그래?

영서 누가 뭐라든 문옥경이란 선배 이름 석 자가 곧 여성국극을 의미해요. 지금까지도 그랬고 앞으로도 그럴 거예요. 그런 선배의 아역을 맡은 거니까 완벽한 무대를 하고 싶어요.

옥경 (가볍게 웃는) 그런 각오로 임해준다니 내가 더 고마운데? 치열한 경쟁 뚫고 여기까지 살아남았다는 것만으로도 넌 내 후계자가 될 자격이 있어.

영서 (설레는) 정말요?

옥경 그럼.

영서 (조심스럽게) 윤정년…… 은요?

옥경 (먼 곳을 보는) 정년이…… 한때는 정년이가 날 많이 설레게 했어. 거칠고 투박하기 짝이 없는 그 애가 원석 그 자체라고 생각했거든. 지금도 그때 내 생각이 틀렸다고 생각하지 않아. 그런데…….

상념에 잠긴 옥경. 그런 옥경이 아직도 정년을 잊지 못한 걸까 심란하게 보는 영서.

옥경 (영서 보고 웃는) 근데 그럼 뭐 하겠니. 결국 정년이는 자기 발로 떠났잖아. 버티고 버텨서 무대에 계속 올라가는 자만이 관객들 박수를 받을 수 있어. 특히 왕자에게는 가장 큰 박수가 쏟아지지. 곧 너도 그렇게 될 거야.

영서 관객들 박수도 좋지만…… 선배님 박수를 받고 싶어요.

영서, 자신을 보는 옥경과 눈이 마주치자 왠지 민망해져서 시선 피하는.

옥경 (그런 영서를 물끄러미 보다가) 영서야.

영서 (옥경 보는)

옥경 내가 이 국극단 나가자고 하면…… 같이 나갈래?

영서, 순간 자기 귀를 의심하며 놀라서 옥경을 본다. 옥경, 영서를 무표정한 얼굴로 보는. 혼란스러운 영서와 그런 영서를 물끄러미 보는 옥경에서 9부 엔딩.

# 10부

(소복) 네가 떠나고 나서 알았어. 내가 그렇게 실력이 늘었던 건, 네가 있어서였어.

(용례) (눈물 젖은 얼굴로 소복을 보는)

(소복) 그렇게 미련 없이 사라져버린 네가 너무 밉고 원망스럽고…… 그리고…… 많이 보고 싶었어. 이 외로운 길, 너랑 같이 걸어갔으면 얼마나 좋았을까…… 하고.

## #1 매란국극단 마당. 밤 (9부 엔딩 이어서)

혼란스러운 영서, 옥경을 보는.

영서 나가다니…… 어디로요? 다른 국극단으로요?
옥경 어디든…… (사이) 어때? 같이 갈래?
영서 (혼란스러워서 눈빛 흔들리는) 왜 저예요?
옥경 왜 너냐니?
영서 선배가 가장 아꼈던 건 제가 아니었잖아요.
옥경 (빤히 보다가) 정년인 이미 꺾여버린 재능이야. 돌아온다고 해도 예전에 내가 알던 그 애가 아니겠지.

무심하게 말하는 옥경을 보면서 그 잔인함에 서늘해지는 영서.

영서 (선뜻 입이 떨어지지 않는) 전…… 전…… (결심한 듯 옥경 보는) 못 가요, 선배.
옥경 (실망한 듯) 왜?
영서 돌아오길 기다리고 있는 사람이 있어요. 제가 여기서 기다려야 돼요.

옥경, 정년이 얘기라는 것을 눈치채는.

옥경 아직도 정년이랑 실력을 겨뤄보고 싶은 거야?
영서 네…… 지금까지 한 번도 제대로 이겨본 적이 없지만…… 그래도 전 그 애가 필요해요.
옥경 그렇게까지 필요한 이유가 뭔데?
영서 ……절 자극시키고

성장시켜줄 수 있는 유일한 사람이니까요.

옥경 (아, 알 것 같은)

영서 그리고 그것뿐만이 아니라…… 그 애만이 제 마음을 알아줘요.

옥경 (의외인) 정년이가?

영서 네. (허탈하게 웃는) 그동안 남한테 절대 보여주고 싶지 않은 제 밑바닥을 윤정년한테 몇 번씩이나 들켰어요. 그때마다 그 애가 죽도록 미웠는데…… 그런 줄로만 알았는데…… 언제부터인지 저도 모르게 윤정년 앞에서는 무방비 상태가 돼버렸어요. 이 길을 가면서 얼마나 힘든지, 얼마나 외로운지…… 제 속마음을 내보여줄 수 있는 사람은 그 애밖에 없어요.

옥경 (영서를 물끄러미 보다가 씁쓸하게 웃는) 어쩔 수 없구나. 그래, 알았다. (가려다가 돌아보는) 행운이야, 넌.

영서 (의아한) 네?

옥경 난 아무리 기다려도 결국 그런 상대가 나타나지 않았거든.

옥경, 자리 뜨는. 영서, 씁쓸함 반 심란함 반, 복잡한 기분으로 옥경 뒷모습을 보는. 영서, 이제 분명하게 자신의 마음을 깨달은.

영서 (혼잣말로) 그래…… 난 윤정년이 필요해.

---

**#2 매란국극단 단장실 안. 밤**

소복, 신문 기사들을 본다. 옥경의 해명이 실린 기사들. '문옥경, 아편쟁이라는 소문을 정면으로 반박' '문옥경, 근거 없는 낭설을 맹비난' '여성 국극의 황태자를 몰락시키려는 음모인가?' 도앵, 다른 기사들을 갖고 들어온다.

도앵 다른 주간지들에도 일제히 옥경 선배 해명 기사가 실렸어요.

소복 분위기가 어때?

도앵 옥경 선배에게 우호적인 기사도 조금씩 늘어나고 있긴 한데 아직은…….

소복 자극적인 뉴스니까 쉽게 가라앉진 않겠지. (한숨) 그나마 투자자들이 생각보다 빠지지 않아서 다행이다.

소복, 탈진한 듯 피곤해 보이는데 도앵, 그런 소복을 보다가,

도앵 좀 주무셔야죠. 요즘 통 못 주무시죠?

소복 ……자꾸 꿈자리가 뒤숭숭해서.

도앵 정년이 떠난 뒤로 그러시잖아요.

소복 …….

도앵 주말에 정년이를 한번 찾아가 보시는 게 어떻겠어요?

소복 (도앵을 보는)

도앵 어차피 연습은 다음 주에 다시 시작할 예정이고, 기자들은 제가 상대할 수 있어요.

소복 (고민이 가득한 복잡한 얼굴) 차라리 이대로 내버려두는 게 그 앨 위한 길일지도 몰라.

도앵 정말 그렇게 생각하세요?

소복 (도앵을 보면)

도앵 정년이 대본들은 다 갖고 갔어요. 그 애도 완전히 포기 못 한 거예요. 단장님처럼요.

소복, 그 말에 표정 흔들리는.

---

#### #3 매란국극단 일각. 밤

도앵, 기사와 이야기한다.

도앵 단장님 지금 목포로 내려가실 거니까 바로 차

대기시켜 주세요.

기사 (고개 끄덕이고 가는)

지켜보던 주란, '목포'란 말에 귀가 번쩍 뜨여서 도앵에게 황급히 다가가는.

주란 목포라뇨? 단장님 혹시 정년이한테 가시는 거예요?

도앵 응, 지금 내려가실 거야. (바쁘게 자리 뜨는)

주란, 잠시 멍히 서 있다가 정신없이 짐 챙기러 뛰어가는.

---

#4 매란국극단 주란 방 안. 밤

주란, 정신없이 뛰어 들어와 짐을 두서없이 챙기기 시작한다. 반쯤 정신 나간 사람처럼 짐을 챙기는 주란. 영서, 지나가다가 주란의 심상찮은 분위기에 놀라서 들어오는.

영서 홍주란, 너 뭐 해?

주란 (대꾸 없이 짐만 싸는)

영서 홍주란, 주란아!

영서, 주란 팔을 잡고 돌려세우는. 주란, 그제야 영서를 본다. 열에 들뜬 듯, 이성 잃은 주란의 시선이 영서를 향한다.

주란 단장님 따라서 목포로 갈 거야.

영서 목포라니? 윤정년을 만나겠다는 거야? 지금 이 상태로?

주란 그래. 정년이 얼굴이라도 봐야겠어. (영서 손 뿌리치고 다시 짐 챙기는)

아연실색해서 주란을 보던 영서, 무슨 상황인지 깨닫는다. 연민으로 주란을 보는 영서.

영서 윤정년 만나면, 그다음은?

주란 (아랑곳없이 계속 짐 챙기는)

영서 (아프게 주란 보며)

윤정년 안 그래도 지금 많이

힘들 거야.

주란 (멈칫하는)

주란, 순간 정신이 돌아오는. 주란, 멍히 영서를 본다. 주란의 눈에서 눈물이 흐른다.

주란 (참기 힘든 그리움)

……나, 정년이 보고 싶어.

너무…… 보고 싶어.

영서 (안타까워서 보는) 알아.

(주란과 눈 맞추며 다짐하는)

내가 다녀올게. 내가 책임지고

윤정년 꼭 데려올게. 그러니까

걱정 말고 기다리고 있어.

주란 (눈물 뚝뚝 흘리던

주란, 영서를 보고 고개를 조금

끄덕인다)



---

#### #5 매란국극단 대문 앞. 밤

소복, 차에 오르려고 하는데 영서, 정신없이 뛰어나온다.

영서 단장님! 윤정년한테

가시는 거죠? 저도 데려가

주세요!

소복 너는 왜. 설마 정년이

보고 싶어서 가는 거니?

영서 (화들짝) 아니요! 그런 거

아닌데요! 저, 볼일이 있어서

가는 거예요. 윤정년한테 줄 게

있어서요.

소복 (피식 웃는) 서울서

목포까지 배달이라니, 참

지극정성이다. (엄하게) 공연이

코앞인데 너 연습은 어떡하고.

영서 연습보다 더 중요한

게 있어요. (간곡하게) 연습은

갔다 와서 더 열심히 할게요.

부탁드릴게요, 단장님. 저도 꼭

데려가주세요.

소복 (잠시 영서 보다가 어쩔 수

없다는 듯 고개 끄덕이는)

영서 (표정 밝아져서)

감사합니다!

뒷좌석에 오르는 소복과 영서.

---

#6 도로&소복 차 안. 밤

소복, 창밖을 보며 생각에 잠기는데,

영서 (망설이다가) 단장님. (조심스럽게) 옥경 선배…… 다른 국극단에서 제의 들어왔나 봐요.
소복 (긴장해서 영서 보는) 무슨 얘기 들었니?
영서 자세하게 말해주진 않았는데 옥경 선배 매란을 떠날 생각을 하는 거 같았어요.
소복 구체적으로 어디서 제의를 받았다, 그런 말은 안 하고?
영서 네.
소복 (곰곰이 생각하다가, 불안함 감추고) 옥경이 가끔 가다 뜬구름 잡는 소리 할 때 있으니까 신경 쓸 거 없다. 진심으로 하는 소리 아니야.
영서 네.

소복, 말은 그렇게 하지만 내심 불안한.

---

#7 바닷가 전경. 낮

---

#8 정년 집 마당&마루. 낮

용례와 정자, 인두로 다리미질을 한다. 영서와 소복, 마당 안으로 들어선다. 소복, 살림에 찌들어 다리미질을 하는 용례를 보고 반가움보다는 착잡함으로 복잡해지는. 용례, 한참 일하다가 무심결에 눈을 들어서 소복을 보는. 용례, 표정 굳어지는. 소복, 그런 용례를 담담하게 보는.
용례, 다음 순간 눈 뒤집혀서 옆에 있는 물이 든 바가지를 집어 들어 그대로 소복에게 뿌려버리는.
물벼락을 맞는 소복. 영서와 정자, 놀라는. 정작 소복은 각오했던 일이라 그다지 놀라지도, 화나지도 않은 표정.

용례　무슨 낯짝으로 여기까지 오냐. 내 딸 그렇게 맹글어놓고 무슨 염치로 여길 찾아와!!

소복　…….

용례　뭣 하러 왔냐, 설마 걱정돼서 왔냐? 같잖은 위로 몇 마디 해주려고 왔어?

소복　(차분하게) 정년이 데려가려고 왔어.

용례　(머리꼭지까지 화가 나자 오히려 헛웃음 나오는) 돌았구나, 완전히 돌아부렀어! 누굴 데려가? 네가 델꼬 가게 내가 가만 놔둔다든? 그래, 어떻게 데려갈래? 밤에 몰래 보쌈이라도 해 갈래?

소복　정년이가 자기 발로 따라나설 거야.

용례　(말문 막혀서 소복 보는)

소복　(흔들림 없이 보며) 정년인 소리 안 하고는 못 살아. 지 발로 다시 가지 않고는 못 배길 거야.

가슴이 서늘해지는 용례, 불안함을 감추려 소복을 쏘아보는. 소복, 그런 용례를 흔들림 없이 보는.

---

### #9 정년 집 부억 안. 낮

정자, 안절부절못하며 돌아다니는. 영서, 부엌 안에 들어온다.

정자　(서울서 온 손님이 어려워서 쭈뼛거리듯) 뭐, 뭐 찾는 거 있으시당가요. 마땅히 손님께 대접할 게 없어갖고,

영서　저기…… 윤정년 어딨어요?

---

### #10 바닷가 뻘밭. 낮

정년, 홀로 바지락을 캐는. 영서, 그런 정년 가까이로 온다. 영서, 일하고 있는 정년을 보자 만감이

교차하면서 울컥하는. 정년,
무심히 올려다보다가 영서를 보고
놀라는. 둘, 서로를 보는.

---

**#11 바다가 내려다 보이는 절벽. 낮**

정년, 바지락 든 양동이 들고
가다가 홱 돌아보는. 영서,
따라오다가 딴청 하는. 정년, 다시
걷는다. 영서도 다시 뒤따라 걷기
시작한다. 정년, 이 가시나가 사람
약 올리나 점점 부글부글 속이
끓어오르는.

정년 (못 참고 다시 홱 돌아보며)
너 뭣 하냐?

영서, 가방에서 추월만정
레코드판을 꺼내서 정년에게
내민다. 정년, 굳어버리는.

영서 이거 주려고 왔어. 너
이거 놓고 갔잖아.

정년 필요없응께 도로 갖고 가.

영서 왜? 신줏단지 모시듯이
할 때는 언제고?

정년 도로 가져가랑께? 인자
소리는 쳐다도 안 보고 듣지도
않을 거니께.

영서 (정년을 빤히 보다가)
그럼 너 앞으로 평생 소리도
안 할 거고 국극도 안 할 거야?
아, 그때처럼 해봐도 안 될
거 같으니까 미리 포기하는
거구나.

정년 (쏘아보는) 네가 뭔디
나한테 비아냥대는 거여.

영서 그래, 뭐 네 인생이니까
내 알 바 아니지. 이거나 가져가.
네 거잖아.

정년 아, 필요 없다고!

영서 가져가라고!

정년 구워 먹든 삶아 먹든 니
알아서 해라!

영서 그래? 좋아.

영서, 레코드판을 휙 바다 쪽으로

던져버린다. 정년, 놀라서
반사적으로 바다로 뛰어드는.

영서 (어이없는) 저러면서 뭐가
필요 없다는 거야.

정년, 바닷속에서 헤엄을 못 치고
어푸거리는. 설마설마해서 보던
영서, 당황하는.

영서 윤정년! 야, 윤정년!

영서, 바다로 뛰어든다.

---

#12 바닷속. 낮

물속으로 가라앉는 정년. 정년,
저 멀리 환한 빛을 보면서 서서히
의식을 잃어가는데 바다에 뛰어든
영서가 환한 빛을 등지고 정년
쪽으로 다가온다. 정년, 환상인 듯
현실인 듯 몽롱하게 영서를 보는.
영서, 가라앉는 정년의 손을 잡는.

#13 바닷가. 저녁

정년과 영서, 콜록거린다.

영서 야! 넌 수영도 못 하면서
바다로 뛰어들면 어떡해!!!

정신 못 차리고 물 토하는 정년.
영서, 할 수 없이 등 두드려주는.
콜록거리면서 물 토해내느라
정신없다가 간신히 제정신이 들자
영서를 쏘아보는 정년.

정년 (영서를 확 밀어버리는)
너 뭐여! 안 그래도 죽고
잡은디 왜 너까지 보태는
거여! 네 소원대로 옥경 선배
후계자 자리 차지했으면
콧노래나 부르고 살 일이제, 뭔
억하심정으로 날 찾아온 거여!
영서 (속이 뒤집어지는) 죽고
싶을 정도로 네가 뭘 했는데?!
정년 벨 지랄을 다 해도 소리가
안 나오는 걸 네 눈으로 봐놓고!

도대체 날더러 멀 어쩌란 말이여!

영서 아직 연기가 남아 있잖아! 내가 그렇게 따라잡고 싶어도 따라가지 못했던 네 연기가 남아 있잖아!

정년 (멍히 영서를 보는)

영서 난 네 소리만 무서워했던 게 아니란 말야. 네 연기…… (눈물 흘리는) 아무리 너처럼 몰입하려고 해도 너처럼은 될 수 없을 거 같아서 하루하루가 죽게 힘들었어.

정년 (상상도 못 한 이야기에 눈물이 후두둑 떨어지는)

영서 (오열하는) 마지막 합동공연 오디숀 때 넌 내가 꿈꾸던 연기를 했어. 그날 네가 연기하는 걸 보면서 난 내내 숨도 못 쉬고 있었어. 단 한 번만이라도 그런 연기를 해보고 싶었는데 결국 난…… (울음으로 목이 막히는) 근데 왜 다 포기하려고 하는 거야…… 왜 내가 바랐던 걸 다 이뤄놓고도 쉽게 다 포기하려고 하는 거냐고! 네가 뭔데!

정년, 멍히 영서를 보며 눈물을 흘린다. 그렇게 바닷가에서 오열하는 두 소녀에서 오래오래.

[시간 경과]

한바탕 난리를 치고 지쳐버린 정년과 영서, 주저앉아 노을이 지는 바다를 본다.

정년 나 목 뿌러지고 나서부터 계속 같은 꿈을 꾼다.

영서 (정년을 보면)

정년 자꾸 오디숀 본 날, 그날 꿈을 꿔. 꿈속에서는 예전처럼 멀쩡하니 소리가 나와야. 다리 딱 벌리고 배에다가 힘 딱 주고, 단전에서 소리를 뽑아 올리면 한없이 소리가 뽑아져 나와. 내 마음 먹은디로 소리가 나오는디 꿈속에서도 겁나게 황홀하드라야…….

정년의 얼굴에 희미한 미소가 떠오른다. 그런 정년을 안쓰럽게 보는 영서.

정년 눈을 떴는디 꿈이 하도 생생한께 용기를 내서 소리를 해봤지 않겄냐. 근디…… 아무리 꿈속에서마냥 배에 힘을 주고 소리를 내려고 해봐도 암 소용이 없더라고. 아따, 그럴 때면 세상에 나 혼자 남은 거맹키 겁나게 무섭고 돌덩이로 가슴이 딱 짓눌리는 거 같은디…….

영서 (애틋하게 정년을 보다가) 정년아.

정년 (영서를 보는)

영서 넌 지금도, 앞으로도 혼자 남을 일 없어. 내가 죽 네 옆에 있을 거니까. 네가 다시 무대에 설 때까지 난 언제까지고 널 기다릴 거야.

정년, 울컥해서 영서를 보는. 영서, 정년을 보며 눈물이 고여 웃는다.

---

**#14 한성여관 앞. 밤**

정년과 영서, 나란히 골목길을 걸어온다.

정년 옥경 선배랑…… 다 잘 있제?

영서 응, 잘 있어.

여관 앞에 멈춰 서는 두 사람.

정년 (주란을 묻고 싶지만 차마 묻지 못하고 망설이다가) ……저, 긍께 머시냐잉…… 거시기…… 애기들도?

영서 그럼, (하다가 멈칫, 정년이의 망설임을 눈치채고 그제야 주란을 묻고 싶어한다는 걸 아…… 하고 깨닫는) 주란이……

널 많이 보고 싶어 해. 꼭 널 데리고 오라고 했어.

정년　(순간 표정에 반가움과 그리움이 스쳐 지나가는) 참말로?

순간 감정을 감추지 못하는 정년을 보며 영서, 정년의 간절한 그리움이 느껴져 안쓰러운……

영서　응, 기다리고 있겠다고 했어. (잠시 사이) 너 서울로 올라오면 주란이가 할 얘기가 있을 거야. 그러니까 너, 꼭 나랑 올라가야 돼.

정년　(잠시 생각에 잠긴 얼굴이 됐다가 영서를 보는) 늦었다. 들어가.

영서　응.

정년　너 언제 서울 올라가냐?

영서　내일 아침에 출발할 거야.

정년　(고개 끄덕이는)

영서　나랑 같이 올라갈 거지?

정년　(잠시 영서를 보다가) 들어가라이.

영서, 정년을 잠시 보다가 들어가는. 정년, 영서 뒷모습을 보다가 돌아서서 간다.

---

**#15 정년 집 마당. 밤**

정년, 마당 안에 들어선다. 정자, 안절부절못하고 기다리다가 정년이 들어오자 황급히 다가오는.

정자　뭐 하다 인자 들어와! 서울서 손님들 와서 한바탕 난리가 났었어!

정년　(담담하게) 엄니는?

---

**#16 정년 집 부엌 안. 밤**

용례, 부뚜막 앞에 앉아 불을 때고 있는. 정년, 그런 용례의 뒷모습을 갈등하며 잠시 보다가 부엌 안에 들어온다.

정년　엄니.

용례　(돌아보지 않는)

정년 (어렵게 입을 떼는) 엄니,
나 엄니한티 할 말 있어.
용례 (멈칫하는, 정년이 무슨 말 할지 알 것 같아 가슴이 덜컥 내려앉는, 일부러 정년 쪽 안 보고 딴소리하듯) 내일은 낙지도 캐야 하고, 수자네 김장하는 것도 도와야 하고 할 일이 산더미여. 너도 일찍부터 일 거들어야 한께 어서 가서 자.
정년 (엄마가 딴소리하는 거 눈치채고 마음 아픈) 단장님이…… 엄니한티 뭐라고 했어?
용례 (불안한 만큼 화가 치솟아서 벌떡 일어나는, 정년 안 본 채로) 뭐라고 하긴! 말 섞기 싫어서 보자마자 쫓아 보냈다. 어떻게 감히 얼굴을 쳐들고 여길 와!
정년 (힘겹게) 엄니……
나 엄니한티는 진짜 미안허지만…… 나, 국극 계속 할라요.

용례, 불길한 예감이 맞아떨어지자 눈을 질끈 감는.

정년 (간절하게) 엄니…….
용례 (정년을 확 돌아보며 벌컥) 제정신이냐? 네가 제정신이야? 그 지옥을 겪고도 또 국극을 하겄다고? 그 서울서 같이 온 가시나가 너한티 뭔 소리 했냐. 뭔 사탕발림 소리를 들었길래 또 국극 타령이여!
정년 (눈가가 붉어지고 목소리가 떨리는) 소리헐 때만 가슴이 뚫리는 거 같단 말이여.

용례, 가슴이 무너지는.

정년 처음에는 예전처럼 소리 못 할 바에는 소리고, 국극이고 다 접자고 생각했는디……
아예 소리를 등질라고 한께 더 눈앞이 캄캄하고 가슴이 먹먹한 것이…… 숨을 못 쉬겄어.

정년, 눈물이 후두둑 떨어진다.
용례, 정년의 말이 하나하나
가슴에 맺히는 것 같아 미치겠는.
용례, 무너지지 않으려 안간힘을
쓰고 정년을 쏘아보지만 어쩔 수
없이 눈에 눈물이 고이는.

정년 (울부짖는) 소리를 할
때만 숨을 쉬고 살 거 같은디
어쩌냔 말이여…… 소리를
해야만 가슴이 뚫리는디!
나도……이런 나를 어쩔 수가
없단 말이여…….
용례 (마음 모질게 먹고
몰아붙이는) 이 정신 나간
가시나야. 목이 부러졌는디
어떻게 소리를 하겄다는 거여!
인자 소리꾼도 뭣도 아닌 네
소리를 누가 들으러 온다고!!
정년 (눈물 흘리지만 결연한
눈빛) 소리가 안 나오면 안
나오는 대로…… 무대에
설라고. 목이 부러지면 군무를
할 거고, 다리가 부러지면
촛대라도 설 거여.

할 말 잃는 용례. 정년의 집념
앞에서 미칠 것 같다. 용례, 기어이
참고 참았던 눈물이 쏟아지는.
정년, 용례에게 너무 미안하고
마음 아파서 흐느끼는. 그렇게
가슴이 찢어지는 두 모녀.

---

#17 정년 집 부엌 앞. 밤

정년과 용례의 이야기를 듣던
정자도 하염없이 눈물을 흘리는.

---

#18 정년 집 안방. 밤

용례, 잠을 못 이루고 앉아 있는.
곤히 잠든 정자. 용례를 등지고
누워 있는 정년. 용례, 정년을
보며 미칠 것 같다. 정년도
잠 못 이루고 고민 많은 얼굴.
용례, 고민에 고민을 거듭하다가

벌떡 일어난다. 방을 나가는 용례. 정년, 용례가 나가는 내내 미동도 않고 누워 있다가 문이 닫히자 일어나 앉는. 정년, 용례를 설득하는 게 쉽지 않을 것임을 예상하고 한숨을 쉬는.

---

**#19 한성여관 대문 앞. 밤**

용례, 마구 문을 두드린다.

용례　문 열어! 빨리 문 열랑께!!!

여관 주인, 문 여는.

주인　아니, 정년이 엄니 아니요? 어디 또 전쟁이라도 났소? 이 밤에 왜 그러요?
용례　여기 서울서 온 강소복 묵고 있지라. 당장 나오라고 하씨요.

그때 소복, 무슨 일인가 싶어 대문 쪽으로 오다가 용례와 눈이 마주치는. 소복, 표정이 굳는. 용례, 씩씩거리면서 소복을 본다.

---

**#20 한성여관 방 안. 밤**

소복과 용례, 대치하듯 마주 앉아 있는.

용례　(침착하려고 애쓰는) 긴말 필요 없고, 날 밝는 대로 조용히 떠나. 괜히 우리 애기 만나서 들쑤실 생각하지 말고.
소복　(침착하게) 네가 아무리 정년이를 붙잡는다고 해도 결국 저번처럼 정년이는 제 발로 나를 찾아올 거야.
용례　(폭발하는) 야, 이 오살할 년아! 우리 애기를 산송장으로 돌아오게 만들어놓고는 뭐? 정년이가 지 발로 또 널 찾아갈 거라고? 네가 사람이냐? 기어이 우리 애기 죽어나가는 꼴을 보겠다는 거여?

소복, 그동안의 해묵은 감정들이 욱신거려 용례를 쏘아보는.

소복　정년인 너랑 달라!
넌 천재 소리 못 듣느니 다 때려치우겠다고 도망갔지만 정년인 도망치지 않고 자기 자리로 돌아올 거라고! 정작 정년이는 맞서 싸울 준비가 돼 있는데, 네가 겁이 나서 애 앞길을 막고 있잖아!
용례　떡목이 된 애기보고 돌아가서 뭘 하라는 거여! 목이 멀쩡했을 때도 가시밭길인 그 길을 인자 떡목으로 평생 걸어가라고? (흐느끼는) 왜 자꾸 암흑천지인 그 길로 우리 애기를 떠미냔 말이여! 그냥 좀 돌아가아! 내 새끼 내가 평생 끼고 이대로 살란께! 내 딸내미 소리에 한 번 뺏겼으면 됐지, 두 번은 안 된단 말이여!!

용례의 애끓는 오열. 소복, 그런 용례를 보면서 마음 한구석이 아려오는. 소복, 눈물을 꾹 참는다.

소복　네가 떠나고 나서……
나, 너처럼 최고의 자리를 한번 차지해보겠다고 몸부림을 쳐봤다. 남들은 다 잘한다고, 명창이라고 박수 쳐줬지만 내 스스로는 알겠더라. 너처럼은 될 수 없다는 거…… 네가 떠나고 나서 알았어. 내가 그렇게 실력이 늘었던 건, 네가 있어서였어.
용례　(눈물 젖은 얼굴로 소복을 보는)
소복　그렇게 미련 없이 사라져버린 네가 너무 밉고 원망스럽고…… 그리고…… 많이 보고 싶었어. 이 외로운 길, 너랑 같이 걸어갔으면 얼마나 좋았을까…… 하고.

소복, 눈물이 흘러내린다. 한 번도 생각 못 한 소복의 아픔을 알게 된 용례, 가슴 한구석이 저려온다. 용례, 자기도 모르게 눈물이 나는. 용례, 마음 약해지지 않으려 소복을 외면하고 얼른 눈물을 닦는다.

소복 (눈빛 간절해지며) 공선아, 소리꾼은 목이 부러지면 판에 서지 못하지만, 국극은 달라. 국극은 소리를 못해도, 춤을 못 춰도, 연기를 못해도 무대에 설 수 있어. 목이 부러져도 얼마든지 무대에 설 수 있다고!
용례 (눈빛 흔들리는, 마음 다잡으며 고개 가로젓는) 말도 안 되는 소리여. 목이 부러졌는디 그 많은 창 부분을 어쩌라고? 돼지 맥따는 소리로 부르란 말이여?
소복 그럼 네가 정년이한테 가르쳐줘. 부러진 목으로 어떻게 소리를 할 수 있는지.
용례 (벌컥) 뭔 귀신 씨나락 까먹는 소리를 하는 거여! 내가 떡목이 된 지가 몇 년인디!
소복 (그 어느 때보다 강한 눈빛으로) 아니, 넌 소리를 할 수 있어! 다른 사람은 몰라도 내가 알아. 결국 넌 타고난 소리꾼이니까! (절박하게) 정년이한테 떡목으로 소리를 어떻게 하는지 가르쳐줄 사람은 너밖에 없어. 그러니까 공선이 너부터 다시 시작해야 돼. 한 곡조만, 아니, 딱 한 소절만이라도 불러봐, 그럼 그 순간 너도 알게 될 거야.

용례, 절박하게 자신을 보는 소복을 할 말 잃고 보는.

소복 (간절하게, 단단한 눈빛으로 용례를 보며) 난다 긴다 하는 명창들 소리 많이 들어봤지만 그 누구도 너처럼 가슴에 사무치는 소리를 내지 못했어. 소리꾼은 그저 재주로만 소리를 하는 게 아니라는 걸 누구보다 네가 잘 알잖아. 네 가슴속에 켜켜이 쌓인 한, 그 한을 다스리는 법을 정년이한테 가르쳐줘.

용례, 뒤통수를 한 대 맞은 듯 멍하니 소복을 보다가 벌떡 일어난다.

용례 (애써 모질게) 벨 소리를 다 한다고 해도 안 되는 건 안 되는 거여. 난 그럴 생각 없응께 돌아가.

용례, 문 열고 나가버리는. 소복, 그런 용례 뒷모습을 아프게 보는.

---

#21 한성여관 방 앞. 밤

용례, 문을 젖히고 나온다. 방 앞에 서서 내내 듣고 있던 영서, 몸을 숨긴다. 용례, 자리를 뜨고 영서, 그런 용례 뒷모습을 심란하게 보는.

#22 한성여관 대문 앞. 밤

용례, 빠른 걸음으로 나오다가 걸음을 멈추고 여관 쪽을 돌아본다. 소복이 했던 말들 때문에 약해지고 흔들리는 용례의 표정.

---

#23 정년 집 부엌 안. 밤

용례, 아궁이 앞에 앉아 골똘히 생각에 잠겨 있는. 용례, 소복의 말대로 자신이 과연 소리를 할 수 있을까, 혼란스러운. 의구심과 불안함에 흔들리는 용례의 표정. 용례, 용기를 내서 사철가를 조심스럽게 읊조리듯 불러본다.

용례 *이 산 저 산 꽃이 피니 분명코 봄이로구나—*

안 되겠다 싶어 멈추는 용례. 역시 자신의 목소리가 한없이 낯설고 실망스러운. 원래 자신의 소리가 어땠는지 기억하기에 더더욱…….
용례, 이렇게 번민하는 자신이
어이없어서 자조적인 헛웃음이
나오는. 용례, 흔들리는 마음을
떨쳐내듯 마음을 다잡고 눈빛이
독해진다.

---

#24 한성여관 대문 앞. 아침

대문 앞에서 기다리고 있는 소복의
차와 기사. 소복과 영서, 대문을
나서다가 놀란다. 정년이 그들
쪽으로 다가오는.

영서 (환해져서) 정년아!

정년, 결심한 듯한 표정으로
소복을 보는.

---

#25 정년 집 부엌 안. 아침

용례, 아침을 준비한다. 정자,
사색이 돼서 들어오는.

용례 정년이 빨리 깨워라.
정자 엄니, 정년이가 방에 없소.
용례 (표정 굳어서 정자를
보다가 부엌에서 뛰쳐나가는)

---

#26 정년 집 마당. 아침

용례, 마당을 황급히 나서려고
하는데 정년이 마당 안으로
들어온다. 정자, 놀라서 정년을
보는. 용례, 안도하는.

정자 어디 갔다 와! 느그
단장님하고 가버린 줄 알고
놀랐잖여!
정년 (담담히) 인자 엄니한티
말 안 하고 야반도주하는 그런
짓 안 할 거여. 엄니가 나 보내줄
때까지 암 데도 안 갈랑께
안심하쑈.

용례, 안심이 되는 한편 정년이
쉽게 포기하지 않을 걸 눈치채고
울컥하는.

용례　쓰잘데기없는 소리 말고 언능 아침이나 차려. (부엌으로 들어가는)

그런 용례를 짠하게 보는 정년.

---

**#27 도로&소복 차 안. 낮**

소복과 영서, 뒷좌석에 타고 간다. 영서, 창밖을 보고 생각에 잠긴.

---

**#28 한성여관 대문 앞. 아침 〔회상, #24 이어서〕**

영서, 환해져서 정년에게 다가가는.

영서　우리랑 같이 가려고 온 거지?
정년　(고개 젓는) 안 해, 지금은 못 가.
영서　(실망하는) 그럼?
정년　엄니 가슴에 지금꺼정 대못 박은 게 한두 번이 아닌디 어떻게 또 그 자리에 대못을 박겄냐. 우리 엄니한테, 허락받고 올라갈란께 너 먼저 올라가라.
영서　너희 어머니가 영영 허락 안 해주면?
소복　그래, 알았다.
정년　(소복을 본다)

소복, 실망한 기색 없이 담담하게 정년을 보는.

소복　너희 어머니가 기꺼운 마음으로 보내주면, 그때 와. 기다리고 있을 테니까.

정년, 고맙게 소복을 본다.

---

**#29 도로&소복 차 안. 낮 〔현재〕**

영서, 소복을 본다.

영서　정년이 어머니가 진짜 허락해주실까요?

소복 가슴에 응어리가 풀리려면 시간이 걸릴 테니 기다려주자.

소복, 창밖을 본다. 그 표정, 어둡지만은 않은.

---

#30 파스텔 다방 안. 낮

옥경, 정장 입은 30대 남자(영화사 직원)에게 서류를 내미는.

남자 잘 생각하셨습니다. 후회 없는 선택이 되실 겁니다.
옥경 제 공연 끝날 때까지 기사 내지 않겠다는 약속, 지켜주세요.
남자 물론입니다.

옥경, 무표정한.

---

#31 옥경 집 거실. 낮

거실로 들어선 옥경, 탁자 위에 있는 편지들을 하나씩 넘겨본다. 옥경, 넘겨보다가 멈칫하는. 봉투 겉면에 '서혜랑 앞', 보낸 사람에 '조성태'라고 써 있는. 옥경 표정, 놀라서 굳어지는데 편지를 낚아채 가는 손, 혜랑이다. 혜랑, 편지를 마구 구겨버리는.

혜랑 볼 거 없어, 이딴 편지.
옥경 조성태…… 은재 아빠잖아.
혜랑 (허, 웃는) 아빠? 키웠어야 애비인 거지.
옥경 (눈치채는) 편지 온 게 처음이 아닌가 보구나.
혜랑 새끼 버리고 간 인간 얘기할 거 없어.
옥경 ……그래. 네 마음 편한 게 제일 중요하지. (다정한) 오늘 연습 끝나면 은재랑 다 같이 맛있는 거 먹으러 가자. (자리 뜨려는데)
혜랑 불안해.
옥경 (혜랑을 보면)

혜랑 너 요새 군소리 없이 연습만 열심히 하잖아. 나한테도 잘해주고. 꼭 아무 일 없었던 사람처럼…….

옥경 지나간 일은 묻어두고 지금 할 수 있는 일을 해야지. 지금은 공연에만 집중하고 싶어.

혜랑 (긴가민가하지만 옥경을 믿고 싶은) ……그래, 알았어.

---

#32 매란국극단 일각. 밤

영서, 걸어가는데 뛰어서 쫓아오는 주란.

주란 영서야!

영서 (돌아보는)

주란 (떨리는 마음으로) 정, 정년이는? (둘러보는) 같이 못 온 거야? (불안한, 조급해지는) 안 오겠대? 왜? 혹시 많이 아픈 거야?

영서 (안심시키려는) 정년이 건강하게 잘 지내고 있어. 지금 당장은 아니지만 꼭 돌아오겠다고 했어.

주란 (밝아지는) 정말?

영서 그래, 나한테 다짐했어. 꼭 돌아올 거라고.

주란 (이루 말할 수 없이 안심되는) 다행이다…….

영서 네가 기다린다고도 했어. 정년이가…… 너 많이 궁금해했어.

주란 (그 말에 가슴 덜컹 내려앉아 눈물 글썽이는) 정말?

영서 (고개 끄덕이는) 정말이야. 그러니까…… 이번에 정년이 올라오면 네가 하고 싶은 얘기 전부 다 해.

주란 (곧 떠나야 하는 자신의 처지 생각하며 기운 없이 쓸쓸하게 웃는) ……하고 싶은 얘기 너무 많아…… 근데…….

영서 (주란의 미소가 너무 쓸쓸해서 뭔가 이상한)

주란 (영서 보는) 갔다 오느라

피곤했겠다. 어서 들어가서 푹 쉬어. (자리 뜨는)

어깨 축 처져서 가는 주란. 영서, 주란의 심상찮은 분위기를 눈치채고 기분 이상해져서 보는.

---

#33 매란국극단 일각. 밤

주란, 그 누구와도 나눌 수 없는 무거운 자신만의 비밀을 안고 휑한 마음으로 쓸쓸하게 걸어가는.

---

#34 국제극장 앞. 밤

간판에 〈바보와 공주〉 포스터가 있고 '문옥경' '서혜랑' 이름이 크게 박혀 있는. 장사진을 치고 있는 기자들과 공연을 보러 온 관객들로 정신없는 극장 앞. 옥경의 차가 와서 서고 옥경이 차에서 내린다. 옥경을 에워싸는 기자들과 팬들. 옥경을 향해 마구 터지는 카메라 플래시들. 팬들, '문옥경은 우리가 지킨다' '여성국극 황태자는 오직 문옥경뿐' 플래카드를 흔들며 소리 지르는. 옥경, 팬들과 눈 마주치며 웃어주고 인사하다가 여유롭게 극장 안으로 들어가는.

기자1 이야…… 문옥경 인기는 전혀 타격 없는 거 같은데?
기자2 표도 여전히 다 매진이랍니다. 끄떡없어요.

---

#35 국제극장 주연배우 분장실 안. 밤

옥경, 화장하다 말고 거울 속 자기 모습을 물끄러미 들여다본다. 이제 오늘이 마지막 공연이라는 것을 아는 옥경, 기분이 묘한. 노크 소리 들리더니 소복이 들어온다. 옥경, 다시 화장을 하는.

소복 준비 다 돼가니?
옥경 네.

소복, 선뜻 말 못 꺼내고 망설인다.

옥경, 눈치챈다.

옥경 (흘끔 보는) 하실 말씀 있으세요?

소복 이번 합동공연 잘 끝내고…… 다음 공연은 네가 원하는 걸로 올리자.

옥경 (화장하던 손 멈추고 소복을 본다)

소복 번안극이든, 창작극이든, 지금까지 한 번도 시도 안 해본 것도 상관없으니까 뭐든 네가 원하는 걸로 올려주마.

옥경 (무표정하게) 너무 실험적이면 관객이 떨어질 텐데요. 관객 떨어지는 거 제일 싫어하시잖아요.

소복 그동안 다른 국극단이며, 영화 쪽에서도 제의 많이 받은 거 알고 있다. 하지만 상대가 아무리 돈을 많이 준다고 해도 넌 결국 우리 매란에 남아주었지. 그러니 나도 이제 널 위해서 양보하마.

옥경, 물끄러미 소복을 본다. 소복, 긴장해서 옥경의 반응을 살핀다.

옥경 (풀썩 웃는) 내일 해가 서쪽에서 뜨겠어요. 저 위해서 이렇게까지 양보해주시고, 얼떨떨한데요? 지금까지 밖에서 받았던 제안들 중에서 가장 끌리는 얘기예요.

소복, 옥경의 말을 긍정의 의미로 해석하고 안심한다. 긴장해 있던 표정 풀리는 소복.

소복 그럼 어떤 걸 할지는 나중에 상의하고, 우선 합동공연부터 잘 끝내자. 주변에서 아무리 물어뜯고 공격해도 넌 여성국극 최고의 남역이다.

옥경 네.

소복 나가려고 하면,

옥경 단장님.

소복 (돌아보는)

옥경 (이별을 작심한) 오늘 공연 기대해주세요. 제가 최고의 무대를 보여드릴게요.

소복 (눈치 못 채고 고개 끄덕이는)

---

## #36 국제극장 분장실 안. 밤

분장을 하는 배우들. 초록, 복실, 연홍, 의상들 정리하는 등 잡일하는.

복실 (소리 죽여) 너희들 그 얘기 들었어? (주위 눈치 살피고) 이번 공연만 하고 혜랑 선배 국극단 그만둔다는 소리가 있어.

초록 (놀라서) 왜?

복실 몰라. 단장님이랑 싸웠단 얘기도 있고.

연홍 어째 불안불안하다. 옥경 선배 아편 얘기로 안 그래도 뒤숭숭한데 혜랑 선배는 그만둔다고 그러고…… 우리 국극단 무슨 일 나는 거 아니겠지?

영서와 주란, 이야기 다 듣고 있지만 동요 없이 분장하는. 금주, 주란 옆에 있는 시침핀이 가득 든 통을 주란 손 위로 엎어버리는. 주란, 아파서 벌떡 일어나는.

금주 어머, 미안. 손이 미끄러져서 그만.

매란을 뺀 다른 국극단 단원들, 쿡쿡 웃는.

낭랑 연구생 어우, 아프겠다.

칠성 연구생 (비꼬는) 공주님 옥체 상하시겠다.

초록 (발끈해서 일어나는) 일부러 엎어놓고 지금 뭐 하는 거야!

금주　(가소롭다는 듯) 내가 일부러 그랬다는 증거가 어딨어? 실수라니깐?

초록　(금주에게 덤비려는) 근데 이게,

금주　(얄밉게) 어머, 무서워. 왜, 한 대 치게? 문옥경은 아편이나 하고 돌아다니고 밑에 애들은 깡패처럼 굴고, 매란국극단 엉망진창이구나.

영서, 화장대 위에 있는 꽃병째 집어 들어 금주 쪽으로 던져버린다. 금주 바로 뒤에 있는 벽에 꽃병이 부딪혀 요란한 소리와 함께 산산조각 나버리는. 순식간에 조용해진 분장실 안. 금주, 놀라서 그대로 굳어버린다.

영서　미안, 나도 실수였어.

금주　야! 허영서!!

영서　다음은 뭐야. 서로 머리끄덩이 쥐어뜯고 싸우기라도 해야 하는 거야? 아님 신발 안에 유리 파편이라도 숨겨놨니? 그렇게 우리가 싫으면 무대 위에서 실력으로 이겨. 이런 같잖은 기 싸움 하지 말고.

금주, 씩씩거리다가 다른 국극단 연구생들이 말리며 분장실 밖으로 데리고 나가는.

주란　고마워.

영서　저런 애들 신경 쓸 거 없어.

주란　신경 안 써. 이런 건 아무것도 아니야.

---

#37 〈바보와 공주〉 작품 설명

대고구려 안학궁, 구중궁궐 속에는 평원왕의 고명딸이자 알아주는 울보로 이름을 떨치던 평강공주가 살았는데 어느 날, 몰락한 귀족 집안의 후손 바보 온달을 만났더랜다. 무슨 조화인지 고귀한 공주님은 바보 온달에게 홀딱 반해버렸고 간신 조현의 방해로 헤어지게 된 두 연인은 훗날을 약속한다. 다시 만날 날이 그 언제인가, 몇 년 후 늠름해진 온달과 아리따운 평강은 마침내 눈물겨운 해후를 한다. 사랑하는 두 연인이 다시 만났으니 못 할 일이 무엇인가, 둘은 힘을 합쳐 안으로는 조현을 물리치고 밖으로는 요동 땅을 정복하여 이제 장밋빛 미래만 남은 듯하였는데…… 아 누가 알았으랴, 비극이 이들을 기다리고 있을 줄. 평강은 뒤늦은 후회에 가슴을 치지만 사랑하는 지아비 온달은 전장에서 불귀의 객이 되고야 만다.

---

**#38 국제극장 공연장 안. 밤**

연구생들, 군무를 추며 합창한다.

연구생들 *대성산엔 소쩍소쩍 소쩍새 울고 동천호엔 꾀꼴꾀꼴 꾀꼬리 우는데 대고구려 안학궁엔 어느 새가 우느냐 우리 대왕 고명따님 평강공주님 훌쩍훌쩍 눈물 많은 울보 공주님—*

주란 (엉엉 우는 시늉)

고구려왕 우리 공주 울음소리에 온 나라가 떠나가겠구나. 그래, 오늘은 또 왜 우는고?

주란 공이 수풀로 굴러가 보이지 않사옵니다. 찾아주셔요, 아바마마.

영서, 공을 주워 들고 나타난다.

영서 거기 누가 이리도 슬피 우는 게요?

영서, 공을 갖고 가다 제 스텝에 제가 꼬여 넘어지는. 관객들, 우하하 웃는다.

관객1 술 한잔 걸치고 온 거여?
관객들 (정신없이 웃는)

영서, 멋쩍게 웃으면서 머리를 긁적인다.

영서 (능청) 아니, 술도 안 먹었는데 어째 이리 다리에 힘이 풀리지. 난생처음 어여쁜 공주님을 보니까 사지에 힘이 빠졌는가 보오.

관객들, 더 큰 소리로 웃는.

---

## #39 국제극장 대기실 안. 밤

초록 뭐야, 쟤 허영서 맞아? 바보 연기 절대 안 할 줄 알았는데.
복실 근데 저거 실수야, 일부러 넘어진 거야? 너무 자연스러워서 뭐가 뭔지…….

---

## #40 국제극장 공연장 안. 밤

아역 온달과 평강의 이별 장면.
영서, 무릎을 꿇고 비통하게 연기하는.

영서 (소리하는) *생사는 천륜이라 한탄 말고 살았거늘 부모형제 일가친척 역적누명이 무슨 말이고 천애고아 이 내 신세 원망 말고 살았거늘 꽃 같은 애기님과 생이별이 무슨 일이냐 모든 것이 게으른 몸 둔한 머리 내 탓이다 내 탓이라 울지 마소 울지 마소—*

주란을 보며 하염없이 눈물을 흘리는 영서.

주란 *낭군을 찾으리다 눈물 젖은 소맷부리 끊어내고 일편단심 혼인맹약 가슴에 품고 내 낭군 찾기까지 절대 울지 않으리다—*
영서 *어서 오오 어서 오오 애기님을 기다리리다 대동강*

*잠룡이 되어 둔한 머리를*
*깨치고 삼수갑산 범이 되어*
*용맹무쌍 떨치어 애기님을*
*기다리리다—*

영서, 주란 앞에 무릎을 꿇고 손등에 가만히 입을 맞춘다. 관객들, 열렬하게 박수를 치는. 여기저기서 "허영서!"를 외치고 환호하며 꽃을 던지는.

---

## #41 국제극장 대기실 안. 밤

지켜보고 있던 연구생들 술렁이는. 남희와 금주, 표정 안 좋은.

남희 뭐야…… 이제 겨우 아역 부분 끝난 건데 저런 반응…….
금주 (이를 악무는) 완벽한 대관식이네요.

옥경과 혜랑, 나갈 준비를 하는.

혜랑 (무대 보며 씁쓸한) 우리 처음에 〈춘향전〉 공연했을 때도 저랬었지.
옥경 지나온 과거 같은 건 돌아볼 필요 없어. 오늘 우리가 할 무대가 전설이 될 테니까.
혜랑 (옥경을 보는, 감동해서 눈물 고이는)
옥경 지금부터 이 무대는 너랑 나만의 것이야. 혜랑아, 네가 할 수 있는 최고의 연기를 나한테 보여줘. 나도 네가 본 적 없는 최고의 연기를 보여줄게.

혜랑, 황홀하게 옥경을 본다.

---

## #42 국제극장 공연장 안. 밤

혜랑, 장검 두 개를 들고 춤을 추기 시작하는. 비장하고 아름다운 혜랑의 검무. 관객들, 넋을 잃고 혜랑의 검무를 본다. 군사들이 칼을 들고 혜랑 주위를 에워싼다.

혜랑 네 이놈 군사들아!

(소리하는) *북쪽으로 수나라 돌궐이 도사리고, 남쪽으로 백제 신라 호시탐탐 노리는데 나라는 못 지킬망정 간신 조현 수족 되니, 네놈들은 어느 나라 백성이냐!*

군사들과 칼싸움을 벌이는 혜랑.

혜랑 *태아 손잡이 누구에게 넘길꼬! 간장과 막야를 팔뚝에 거니 내 낭군 내 낭군이시라—*

그 어느 때보다 춤에도, 노래에도 자신의 모든 것을 쏟아넣는 혜랑.

[시간 경과]

온달의 집 마당 안. 옥경, 홀로 검을 연습한다. 옥경이 검을 다루는 화려한 실력에 관객들 감탄하는.

여학생1 어떻게 검이랑 꼭 한 몸처럼…….

여학생2 다른 한다 하는 니마이들 봐도 결국 문옥경 뛰어넘는 배우는 못 봤어.

그때 혜랑, 옥경 쪽으로 달려온다.

혜랑 낭군님!

옥경 정말 공주마마세요? 우리 울보 공주님?

혜랑 (소리하는) *낭군을 찾으리다 눈물 젖은 소맷부리 끊어내고 일편단심 혼인맹약 가슴에 품고 내 낭군 찾기까지 절대 울지 않으리다—*

옥경 (소리하는) *어서 오오 어서 오오 애기님을 기다리리다 대동강 잠룡이 되어 둔한 머리를 깨치고 삼수갑산 범이 되어 용맹무쌍 떨치어 애기님을 기다리리다—*

옥경과 혜랑, 눈물을 글썽거리며 마주 본다.

옥경 공주마마.

혜랑 낭군님.

입을 맞추는 옥경과 혜랑. 관객들, 열렬하게 박수 친다.

---

#43 국제극장 대기실 안. 밤

소복, 흡족하게 무대를 지켜본다. 밝은 표정의 도앵, 소복 쪽으로 다가온다.

소복 관객들 반응 어때?

도앵 난리예요. 쉬는 시간인데 3막 보겠다고 다들 자리에서 꼼짝도 안 합니다.

소복 (만족스러운 표정)

---

#44 국제극장 공연장 안. 밤

군사들 앞에서 위엄 있게 호령하는 혜랑.

혜랑 간신 조현의 일당을 처벌하고 요동을 정벌했으니 이제 남은 건 신라를 정복하는 일뿐이다! 가라! 가서 신라 땅개들을 쓸어버리고 적장의 수급을 베어 오너라! 그러면 내 그에 맞는 상을 후하게 내리리라!!

군사들 (열광하며 소리 지르는)

한쪽에 서 있는 옥경, 표정 어두운.

[시간 경과]

옥경과 혜랑, 단둘이 침실에 남은. 옥경, 창밖을 보는.

혜랑 내일 먼 길 떠나시려면 일찍 주무셔야 합니다.

옥경 공주님, 간신을 벌하고 요동을 정벌하는 과정에서 많은 피를 보셨습니다. 정녕 여기서 더 하셔야 하겠습니까?

혜랑 (당혹스러운) 낭군님, 어찌 그런 말씀을 하십니까?

옥경 (비통하게) 고구려의 태평성대를 바라던 어진 공주님은 간 곳이 없고, 지금 제 눈앞의 공주님은 오로지 더 많은 전쟁과 더 많은 피만을 원하고 계십니다.
혜랑 (원망스러운) 고구려를 위한 제 마음을 어찌 몰라주십니까? 좀 더 강성한 나라를 만들고자 이러는 것입니다.
옥경 (안타깝게 보며) 공주님은 변하셨습니다. 공주님이 이렇게 변할 때까지 아무 손도 쓰지 못한 저는 무력하고 쓸쓸한 지아비입니다.
혜랑 낭군님!
옥경 걱정 마십시오, 이번에도 나가서 승리를 거두고 돌아올 테니…….

옥경, 돌아서서 침실을 나가는. 혜랑, 원망스럽게 옥경을 보는.

[시간 경과]

시체가 끝도 없이 늘어선 전쟁터. 바닥에 쓰러진 군사들을 헤치고 힘겹게 걸어가는, 장군 옷을 입은 옥경.

옥경 괴롭구나. 어찌하여 사랑이 사람을 해하는고. 왕의 부마 되어 궁에 들어와 하는 일. 간신 조현의 목을 쳐라! 신라 땅개들을 죽여라! 사랑하는 공주마마의 뜻에 따라 칼을 휘두르니 온몸에서 피비린내가 진동하는구나.

관객들, 눈물을 글썽인다. 옥경, 관객들을 등진다. 관객들, 술렁이는.

여학생1 뭐야, 지금 관객석을 등진 거야?
여학생2 배우가 얼굴이 아니라 등을 보였어…… 연기를 어떻게 하려고.

옥경, 계속 등진 채로 연기한다.

옥경　이것이 내가 맹세한 범과 용의 길인고? 끝없는 살육의 길이? 복사꽃 흩날리는 안학궁 연못가. 공주마마와 만났을 적에는 이리될 줄 몰랐다. (손에 든 칼을 떨구는)

관객들, 숨죽이고 옥경의 연기를 지켜본다.

옥경　허나 다시 돌아간다 하더라도……. (어깨가 떨리기 시작하는)

관객들, 옥경의 가슴이 사무치는 비장한 연기에 흐느끼기 시작하는. 혜랑, 옥경에게 달려온다.

혜랑　온달!
옥경　공주님!

그때 화살이 하나 날아와 옥경 등에 꽂히는. 옥경, 쓰러지는. 경악한 혜랑, 옥경을 안아 올리는.

혜랑　온달! 내 낭군이시여! 괜찮습니다, 괜찮아요. 얼른 사람들을 부르겠습니다.
옥경　(간신히 혜랑의 얼굴을 어루만지며 소리하는) *세상 풍파 고단하여…… 우는 이 많다지만…….*
혜랑　(눈물 참으며) 낭군님! 말씀을 멈추세요! 상처가 덧납니다!
옥경　(혜랑의 얼굴에서 눈을 떼지 않고) *말해주오…… 우는 이여…… 어찌하여…… 애달…… 프……오…….*

혜랑의 얼굴을 어루만지던 옥경의 손이 툭 떨어진다. 혜랑, 옥경을 끌어안고 흐느끼는. 단원들, 나와 군무를 추며 합창하는.

단원들　*오오오 장군님 가시네.*

*홍진세상 잊고 가시네 공주님*
*모르시는 평화로 가시네 오오오*
*우리는 가네 사바세상 잊고*
*가네 차고 습진 세상 떠나*
*공주님 모르시는 영원으로 가네.*

막이 내린다. 다음 순간 관객들, 모두 일어나 미친 듯이 박수를 치며 환호하는.

---

**#45 국제극장 대기실 안. 밤**

연구생들도 눈물 흘리며 정신없이 박수 치는. 영서, 무대 쪽을 보며 눈물 흘리며 박수 치는.

주란 (감격해서) 역시 옥경 선배야. 등을 보이고도 감정 전달을 다 했어.
영서 (흥분해서 상기된 표정, 고개 끄덕이는) 이게 바로 문옥경이야. 관객들한테 최고의 니마이가 뭔지 제대로 보여줬어.

소복도 대만족해서 박수 친다. 도앵, 흥분해서 소복 쪽으로 달려오는.

도앵 단장님! 관객들이 전부 다 난리가 났어요! 밖에서도 티켓을 더 팔라고 난리입니다!
소복 (흡족한) 그래, 이걸로 됐다. 옥경이가 건재하다는 걸 보여줬으니 아편 얘긴 쏙 들어갈 거고, 이번 합동공연은 성황리에 끝날 거야!

---

**#46 국제극장 분장실 안. 밤**

혜랑, 잔뜩 들떠서 꽃다발을 한 아름 갖고 들어온다. 밖에서 흥분한 사람들이 "문옥경!" "문옥경!" 이름 외치는 것이 들리는. 혜랑, 문을 닫는다.

혜랑 들려? 저 사람들 소리?
옥경 (묵묵히 분장을 지우는)
혜랑 (비웃듯) 허영서랑

홍주란? 아직 가당치도 않지. (들떠서) 옥경아, 우리 매란을 나가서 다른 국극단으로 가자. 아니, 아예 우리끼리 새 국극단을 만들자! (들떠서 옥경이 무반응인 건 보이지도 않는) 차라리 잘됐어. 너한테 말 안 했는데 사실 나, 이번 합동공연이 마지막이거든.

옥경 알아.

혜랑 (놀라는) 알고 있었어?

옥경 (냉랭한) 응. 근데 그게 뭐? 나랑 무슨 상관인데?

혜랑 (굳는) 뭐?

옥경 (짐을 챙기기 시작하는) 나도 오늘이 마지막이야.

혜랑 (충격받은) 마지막이라니?

옥경 떠날 거라고. 오늘로 내 국극배우 생활은 끝났어. 더 보여줄 것도 없고, 더 하고 싶은 것도 없어.

옥경, 그동안 썼던 화장품과 화장 도구들을 한데 모아 미련 없이 쓰레기통에 버린다. 혜랑, 멍히 옥경을 보는.

혜랑 그만두면…… 어디로 가겠다는 거야.

옥경 영화를 할 거야. 이미 계약도 했어.

혜랑 그럼 나는…… 나는? (한 가닥 희망을 걸고) 나도 같이 가는 거지?

옥경 이제부턴 따로 움직이자. 너는 네 갈 길 가고 나는 내 갈 길 가고.

혜랑 농담이지? 진심 아니지?

옥경 (묵묵히 짐을 챙기는)

혜랑 (악에 받치는) 안 돼, 그럴 순 없어! 네가 아편굴에서 다 죽게 생겼을 때 꺼내준 게 누군데! 국극단에서 돈 빼돌려서 고 부장한테 기자들 관리하라고 한 건 누구고! 내 손 더럽히면서 넌 흠집 하나 안 나고 왕자님으로 군림하게 만들었어!

내가 놔주기 전까진 넌
아무 데도 못 가!

옥경 (무표정한) 날 손아귀에 넣고 있었다고 착각하지 마. 넌 한 번도 날 완전히 가진 적이 없어.

혜랑 (멍히 옥경 보다가 다시 매달리는) 옥경아, 내가 다 잘못했어. 다시는 안 그럴게. (눈물 흘리는) 제발 나 버리지 마, 응?

옥경 (더 이상 분노도, 짜증도 나지 않고 그저 연민으로 보는) 아직도 더 할 게 남았어? 우리 사이 그나마 좋았던 모습으로 기억되고 싶으면 더 이상 망가지지 마.

옥경의 냉정함 앞에 그 어떤 발악도, 애원도 통하지 않는다는 것을 깨달은 혜랑, 온몸에서 기운이 빠져나가는. 옥경을 잡은 손에서 힘이 빠지는 혜랑. 짐을 다 챙긴 옥경, 자리를 뜨려다가 혜랑을 보는.

옥경 혜랑아, 오늘 네 연기 최고였어.

혜랑, 멍히 옥경을 본다. 옥경, 혜랑에게 입맞춤한다. 사랑도, 열정도, 애증도 사라지고 그저 약간의 연민만 남은 마지막 작별의 입맞춤.

옥경 잘 있어, 공주님.

혜랑, 최면에라도 걸린 사람처럼 멍하니 옥경을 보기만 한다. 옥경, 분장실을 나간다. 남겨진 혜랑, 멍청히 서 있다가 정신이 번쩍 나서 옥경을 쫓아 나간다.

---

**#47 국제극장 분장실 밖. 밤**

혜랑, 옥경을 쫓아가려고 하지만 사람들에게 가로막혀 움직이지 못한다. 옥경, 사람들 헤치고 빠져나간다. 혜랑, 안간힘을 써서 사람들을 밀치며 쫓아가려고 애쓰지만 쉽지 않은.

---

#48 국제극장 일각. 밤

소복, 바쁘게 걸어가다가 옥경과 마주친다.

소복 (기분 좋아서) 아, 마침 너한테 가는 길이었다. 가자, 기자들이 기다려. 인터뷰해야지. (몇 걸음 가는데)

옥경 (움직이지 않고 소복을 본다)

소복 (의아해서 옥경을 돌아보는)

옥경 그동안 감사했습니다, 단장님.

소복 (눈치채고 표정 굳는)

옥경 제가 방황하고 있을 때 국극을 알려주셨고, 절 최고의 남역 배우로 키워주셨죠. 덕분에 한동안 즐거웠습니다.

소복 (애써 이성을 찾으려고 하며) 옥경아, 공연 잘 끝내놓고 왜 이러는 거야…… 아까 약속했잖아, 너 원하는 대로 어떤 공연이든 올려주겠다고!

옥경 한 1년 전이었다면, 아니 석 달 전만이었어도 그런 제안이 유혹적이었을 거예요. 지금은…… (피식 웃는) 좀 늦은 감이 있네요.

소복 (목소리 떨리는) 옥경아. 너 이 공연 주연배우야. 이런 식으로 박차고 나가겠다고? (분노가 치솟는) 그럼 남은 공연은? 널 기다리고 있는 관객들은? (절규하는) 매란은!

옥경 (담담한) 저 붙잡는다고 잡히지 않는다는 거 아시죠. 매란에도, 국극에도 이제 아무 미련 없습니다.

소복 (분노와 절망으로 가슴이 콱 막히는 듯한) 넌…… 최소한의 책임감도 없니?

옥경 (빤히 소복을 보는, 비꼬는

투 아니고 정말 의아하다는 듯이)
책임감이요? 정말 저한테 그런
걸 기대하셨어요?

소복, 할 말 잃는.

옥경 건강하세요, 단장님.

옥경, 목례하고 자리 뜬다. 소복,
충격으로 멍한.

---

#49 국제극장 앞. 밤

옥경, 극장에서 나오자 기다리고
있던 팬들과 기자들이 옥경
쪽으로 몰려든다. 옥경, 그들에게
시선조차 던지지 않고 자신의 차에
오른다. 뒤따라 달려 나온 소복,
옥경의 차 창문을 두드린다.

소복 옥경아! 문 열어봐!
옥경아!

옥경, 소복 보지 않은 채
무표정하게 잠시 그대로 있다가
시동을 건다. 옥경의 차가 출발해
버리고 뒤늦게 달려 나온 혜랑,
옥경의 이름을 부르며 쫓아가지만
소용없는. 영문 모르는 팬들과
기자들, 일부는 의아하게 혜랑을
보고 일부는 옥경의 차를 쫓아
달려가는. 혜랑, 주저앉아
울부짖고 뒤따라 소복, 멀어져가는
옥경의 차를 절망감으로 본다.

---

#50 시장 안. 낮

정년, 생선을 손질하는. 용례,
바지락이 든 양동이 들고 정년
쪽으로 온다.

용례 들어가, 엄니가 할란께.
정년 (손 안 쉬고) 됐어, 다
했응께 엄니나 들어가서 쉬어.
용례 (열심히 일하는 정년을
불안하게 보는)
정년 (눈치채고 보는) 뭐, 할 말
있소?

용례 (불안함 감추고) 암것도 아니여.

정년 나 도망 안 간께 마음 놓으쇼.

용례 (멈칫해서 정년을 보면)

정년 (안심시키듯 웃는) 약속했잖애. 엄니가 보내줄 때꺼정 암 데도 안 간다고.

용례, 그 말을 들으니 더 속이 상하고 심란해지는. 정년, 다시 생선 손질에 여념 없고 용례, 그런 정년을 보는.

---

#51 정년 집 부엌 안. 밤

용례, 밥을 짓다가 정년 생각에 잠겨 손이 느려진다. 정자, 옆에서 저녁 짓는 걸 돕다가 그런 용례를 본다.

정자 (조심스럽게) 엄니, 정년이…… 말이어라. (용기 내서 조심스럽게) 아무리 생각해도…… 슬슬 보내야 하지 않겄소?

용례 (화가 나서) 뭐여? 보내긴 어딜 보내냐! 인자 마음 다잡고 살고 있는 앨 어딜 보내! (불안감이 덮쳐오는) 너 이 가시나, 혹시 저번처럼 정년이 서울로 야반도주하는 거 또 도울라고 그러는 거여?

정자 (답답한) 그런 거 아니어라. 아, 글고 정년이 입으로 엄니가 보내주기 전까진 안 간다고 한 거 들었잖애요.

용례 근디 정년이 보내잔 소리가 왜 나오냔 말이여! 인자 너까지 내 속 뒤집을 거여!

정자 정년이…… 서울서 국극 대본을 하나도 못 버리고 다 갖고 왔단 말이요. 정년이 국극 완전히 포기한 적이 없소.

용례 (가슴이 덜컹 내려앉아 표정 흔들리는, 하지만 애써 다잡는) 대본을 갖고 왔는디 어쩌란 말이여. 넌 봤으면

그놈의 대본 다 불 싸질러
버리지 뭣 했냐!
정자 (답답한) 아, 불 싸지르면
뭐 하겄소. 정년인 한 줄 한
줄 모조리 다 외웠을 것인디.
(눈물 그렁해서) 정년이 혼자
방에서 그 대본을 꼭 보듬고
있는 걸 봤소. 울지도 않고, 그
대본만 죽을 듯이 꼭 보듬고
있는디 그걸 봄서 나는, 나는
암것도 할 수 있는 게 없고……
(북받쳐서 눈물 흘리는) 엄니,
나는 말이요, 꿈이란 게 뭔지도
모르겄고, 한 번도 가져본 적도
없고, 그란께 정년이가 얼마나
간절한지 짐작만 할 뿐이요.
근디 엄니는 나랑 다르잖애요.
엄니는 정년이가 얼마나 속이
타들어감서 하고 싶은지 그걸
누구보다 잘 알잖애요.
용례 (울컥해서 눈물 날 거 같은,
무너질까 봐 애써 정자 외면하는)
정자 국극을 할 때만 가슴이
뚫리고 살 거 같다는디 그럼 다
끝난 얘기 아니요…… (더할
나위 없이 간절하게) 그란께……
제발 엄니가 정년이 좀 한 번만
살려주면 안 되겄소……? 제발
이번 한 번만……. (목이 잠기는)

정자, 눈물 흘리며 간절하게 용례
보는. 용례, 미칠 것 같다.

---

#52 정년 집 안방. 밤

정자, 잠들어 있는 듯 누워 있는.
정년, 눈만 감고 있는. 용례,
정자 얘기까지 듣고 나니 더
돌아버릴 것 같은. 용례, 정년
문제로 심란하고 속상해 잠이 오지
않는다. 정년, 눈을 뜬다. 정년,
소리 죽여 일어나서 밖을 나가는.
용례, 그런 정년 쪽을 본다.

---

#53 정년 집 부엌 안. 밤

답답한 정년, 찬물을 벌컥벌컥
마신다. 그래도 답답함이 가시지

않는. 정년, 적당한 데 걸터앉아 생각에 잠겼다가 벌떡 일어난다.

---

#54 정년 집 마당. 밤

정년, 연기에 앞서 심호흡을 한다. 밤공기를 들이마시고 마음을 가라앉힌 정년. 방자 연기를 하기 시작하는 정년.

정년　히야, 도련님! 멋들어져서 넋이 홀딱 빠져부러요!
(처음 연구생 공연처럼 신나게, 제스처까지 섞어가며) 자!
도련님, 이것이 제가 아까 말씀드린 그 삼남에서 제일가는 광한루올시다. 어떻소? 아닌 게 아니라 자알 지었지요?

용례, 문을 조심스럽게 열고 그런 정년을 본다. 정년, 눈치채지 못하는.

정년　아이고, 오늘이 단옷날 아닙니까! 퇴기 월매의 딸 춘향이가 추천하는 모양입니다요! (고개 끄덕이며 몽룡의 말 듣는 시늉 하더니) 도련님이 그리 말씀하시면, 소인 방자, 사내답게 건너갑지요!

용례, 숨을 죽이고 정년의 연기를 본다. 소리 부분을 앞두고 정년, 잠시 멈춘다. 정년, 떨리는 마음으로 소리하기 시작하는.

정년　(소리하는) *방자 부름 듣고 춘향 부르러 건너간다, 건드러지고 맵시 있고 태도 고운 저 방자,*

정년의 소리, 제대로 나오질 않아서 쉰 소리가 절반인. 하지만 있는 힘을 다해 소리를 하는 정년. 연구생 공연 때처럼 신명 나게 부르려고 하지만 뜻대로 목소리가 나오지 않아 고통스럽다. 정년의 처절한 모습을 보던 용례, 마음이 미어져서 눈물이 고인다.

정년 (소리하는) *궁구러지고 맵씨 있고 태도 고운 저 방자, 쇠수 없고 발랑거리고 우멍시런 저 방자.*

신명 나는 노래와는 달리 처절하고 힘들어 보이는 정년. 소리를 하며 거의 사투를 벌이는 듯한. 용례, 안간힘을 쓰고 있는 딸을 보며 눈물을 뚝뚝 흘리는. 간신히 소리를 끝낸 정년, 땀을 비 오듯 흘리며 숨을 헐떡이는. 그런 정년을 보던 용례, 갈가리 가슴이 찢어져서 소리 죽여 흐느낀다. 용례, 이제는 더 이상 어찌할 수 없음을 깨닫고 소리 죽여 울고 또 우는.

---

**#55 정년 집 안방. 새벽**

지친 정년, 쓰러져 잠들어 있는데 용례, 정년을 흔들어 깨운다.

용례 정년아!

정년, 간신히 눈을 뜨고 용례를 보면,

용례 싸게 일어나봐, 갈 데가 있응게.

---

**#56 바닷가. 새벽**

아직 해가 완전히 뜨지 않은 새벽. 앞서서 걸어가는 용례. 잠이 덜 깬 상태로 용례를 따라가는 정년.

정년 (약간 투정 섞여) 엄니, 어디까지 가아. 나 춥고 배고파 죽겄어.

용례, 정년을 돌아본다.

용례 앞으로 네가 가려는 길은 이것보다 훨씬 더 멀고 험한 길일 거여.

정년　(알아듣고 잠이 번쩍 깨서 용례를 보는)

용례　그래도 갈 거여?

정년　(잠시 용례를 보다가 고개 끄덕이는) 갈라네.

굳은 의지가 가득한 정년의 얼굴. 용례, 그래, 어쩔 수 없구나, 체념의 미소가 떠오르는. 정년의 결심을 이해하고 받아들이며 고개를 주억거리던 용례, 눈물이 고여 바다를 본다. 정년, 그런 엄마를 짠하게 보는.

[시간 경과]

바다를 보고 나란히 앉은 모녀.

용례　예전에 정정렬이라는 명창이 계셨다. 춘향가로 유명한 양반이었는디, 그 선생님이 소리를 했다 하면 듣는 사람들이 다 눈물을 쏟고 난리가 났어야. 근디 그분이 떡목이여. 선천적으로 목이 탁하고 고음이 전혀 안 올라간단 말이여.

정년　(눈이 번쩍 뜨이는) 근디 어떻게 명창이여? 소리가 갈라지고 뚝뚝 끊겼을 것인디? 엄니도 직접 들어봤어?

용례　들어봤제. 정정렬 선생님은 타고난 떡목을 다듬고 또 다듬어서 거칠고 힘이 있는 소리로 바꿔놨어. 그라니께 듣는 사람 귀에는 빈 곳이 없이 다 채워져서 들릴 수밖에 없제. 그래서 사람들은 선생님이 없는 소리, 무를 부른다고 했었다.

정년의 눈, 희망으로 반짝이기 시작한다.

정년　(따라서 되뇌는) 없는 소리, 무를 부른다…….

용례, 오랜만에 밝은 표정인

정년을 따뜻하게 본다.

용례　정년이 넌 뭣으로 빈 소리를 채울 거여?

정년　엄니라면…… 뭣으로 채워서 불렀겄어?

용례　(잠시 생각하는) 나라면…… 눈물로 채우지 않았겄냐.

정년, 가슴이 쿵, 내려앉아서 용례를 본다.

용례　(바다를 보며 일어나는) 해 뜨는갑네.

점점 밝아지는 하늘. 정년, 일어나서 바다를 본다. 나란히 서서 바다를 보는 두 사람. 용례, 아침 해가 떠올라 빨갛게 물드는 바다를 보면서 점점 가슴이 뜨거워지는.

용례　*추월은 만정허여 산호주렴 비춰들제—*

정년, 깜짝 놀라서 용례를 본다. 용례, 떡목으로 있는 힘을 다해 추월만정을 부르는. 용례, 자신을 옭아매던 지난날과 작별하듯 추월만정을 가슴에 사무치게 부른다. 용례의 눈물로, 한으로 채운 추월만정이 정년의 마음을 파고든다.

용례　*창천 외기러기는 월하에 높이 떠서 뚜루루루루 낄룩, 울음을 울고 가니, 심황후 반기 듣고, 기러기 불러 말을 한다.*

그동안의 쌓인 한을 바다에 다 토해내듯, 용례, 눈물을 흘리며 처절하게 추월만정을 부르는. 고음은 올라가지도 않고 갈라지지만 어린 공선이 불렀을 때보다 훨씬 더 처절하고 한이 깊은 소리다. 정년, 듣다가 가슴이 미어져 눈물을 흘리는.

비로소 과거의 아픔을 끊어내고
자유로워진 용례, 계속 눈물을
흘리고 정년, 엄마가 보이지 않는
사슬에서 놓여났음을 느끼고
가슴이 벅차오르는. 그렇게 모녀,
가장 가슴 아프고 벅찬 순간에
10부 엔딩.

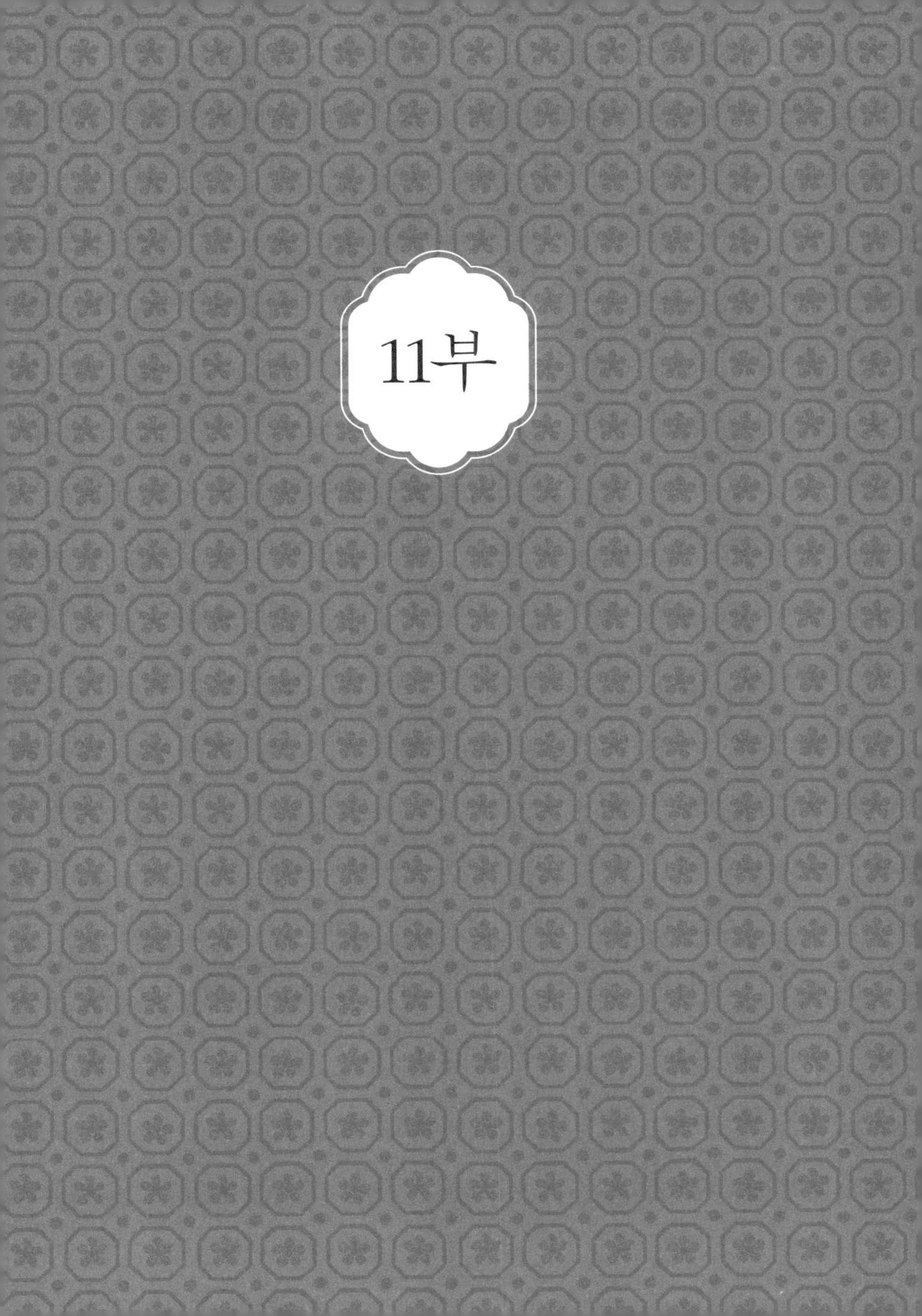

# 11부

(주란) (떨리는 목소리로) 잘 있어, 정년아.
내 하나뿐인 왕자님.

### #1 서울역 앞. 낮

정년, 사람들에 섞여 서울역을 나선다. 활기로 가득 찬 길거리를 보는 다부진 정년의 표정.

### #2 매란국극단 연습실 안. 낮

연구생들, 수업 들으려고 모였다. 다들 불안하고 어두워 보이는 표정.

복실 신문 봤어? 전부 다 문옥경 얘기뿐이야. 영화 찍을 거라던데?
연홍 그럼 이제 우리 국극단은 어떻게 해? 망하는 거야?
초록 야! 망하긴 뭘 망해!
복실 솔직히 맞잖아, 이제 니마이가 없는데 공연을 어떻게 해.

도앵, 연습실 안으로 들어온다.

도앵 자, 단장님께서 갑자기 일이 생기셔서 좀 늦게 들어오실 거다. 우선 우리끼리 시작하자.

연구생들, 조용해져서 불안하게 서로를 마주 보는.

도앵 뭐야, 분위기 왜 이래.
원철 우리 국극단 진짜 무슨 일 생기는 거예요?
필순 단장님 돈 빌리러 가신 거 맞죠?
복실 옥경 선배 이제 다시는 안 오시는 거예요?
원철 야, 그건 진작 물 건너간 얘기고!

와글와글 난리인 연구생들. 영서와 주란만 차분하게 앉아 있는.

도앵 조용조용! (연구생들 조용해지자) 밖에서 시끄럽게 떠드는 거 신경 쓸 거 없다. 너희들은 너희들 할 일만 하면 돼.
원철 (볼멘소리) 다른 국극단에서는 다 우리 매란이 문 닫을 거라고 얘기해요.
필순 맞아요, 단원들도 몇 명 그만뒀잖아요. 이렇게 계속 사람 빠져나가면 우리 국극단은 큰일 나는 거 아니에요?
도앵 국극단 생활 못 버티고 그만두는 애들은 늘 있었어. 또 신입 연구생들을 뽑을 거다.
원철 분위기가 이런데 누가 들어오려고 하겠어요?
정년 [소리] 여기 신입 연구생 한 명 받아줄랑가?

연구생들, 놀라서 돌아보는. 정년, 웃으며 아이들을 보는. 영서, 깜짝 반가운 표정. 주란은 밝아졌다가 이내 흐려지는. 연구생들, 정년을 에워싼다. 초록, 누구보다 먼저 달려가 끌어안는.

초록 (울 것 같은) 이 기집애야, 걱정돼 죽는 줄 알았잖아!
정년 (마주 안아주며 웃는) 잘 지냈냐?
도앵 잘 왔다. 다들 너 기다리고 있었어.
복실 그중에서도 제일 너 눈 빠지게 기다린 건 초록이야.
정년 (놀리는 말투) 워메, 참말이여?
초록 (새침한) 아냐! 그동안 나도 바빴어. 나 이제 연구생 아니고 정식 단원이거든?
연홍 아, 맞아! 초록이도 그렇고 영서랑 주란이 이 셋은 이제 연구생 아니다? 정식 단원 됐어.
정년 아따, 진짜야아? 다들

잘했네잉. 나는 입단시험부터 다시 봐야 된디…… 인자 초록이보고 선배라고 해야 쓰겄구만.

초록 (좋지만 표정 관리하며) 괜찮아, 맞먹어도 돼. 선배의 넓은 아량으로 봐줄게.

복실 근데 너 목은? 목은 이제 괜찮은 거야?

연홍 예전처럼 다시 소리할 수 있는 거지? 그래서 올라온 거지?

아이들, 시선 다 정년에게 쏠리는.

정년 (난감한) 아, 그것이 그란께이,

초록 (정년 기색 눈치채고 얼른) 야, 이제 막 올라온 애한테 뭘 그렇게 물어봐. 다들 궁금한 거 있어도 참아. (정년 향해 부드럽게) 피곤할 텐데 얼른 가서 쉬어.

복실 (눈꼴셔서) 어우, 뭐야, 저 간지러운 말투는.

다 같이 정년을 만난 반가움으로 웃고 떠드는. 정년, 영서와 눈이 마주친다. 영서, 정년을 보고 미소가 번진다. 정년도 영서를 향해 웃어주는. 주란, 그런 그들 사이에 끼지 못하고 있다가 슬그머니 나가는. 정년, 그런 주란 쪽을 보는. 정년, 표정 어두워지는.

---

**#3 매란국극단 단장실 안. 낮**

책상 위에 어지럽게 쌓인 장부와 서류들. 소복, 통화 중이다. 심각한 분위기.

소복 ……죄송합니다. 조금만 더 날짜를 미뤄주시면 어떡해서든 갚겠습니다. (사이) 네, 네. 정말 죄송합니다.

전화 끊은 소복, 한숨. 책상 위의 옥경 기사가 실린 신문에 시선이 멎는 소복. 소복, 화가 나서 신문을 구겨버린다. 그때, 노크 소리 들린다.

소복 네.

정년, 들어온다. 정년을 보고 표정이 밝아지는 소복.

정년 단장님, 저 지금 왔습니다. 엄니 허락받고 오니라고 쪼까 늦어부렀습니다.
소복 (미소 띠고 보는) 그래, 잘 왔다.
정년 입단시험 날짜 정해지면 언제든 보겄습니다.
소복 내 확인을 거치고 싶어서라면 입단시험 굳이 보지 않아도 된다. 네가 여기 돌아온 건 이미 준비됐단 뜻인 거 알아.
정년 (고개 젓는) 아니요, 꼭 볼라요. 제 목이 지 마음같이 나와줄지 알 수 없응께요. 지도 확인해보고 싶어갖고요.
소복 (잠시 고민하다) 정 그렇다면 좋아, 시간과 장소는 나중에 말해주마.

정년, 고개를 숙이고 단장실을 나간다. 소복, 그런 정년을 흐뭇해서 보다가 다시 시선이 책상 위의 장부들로 향하자 표정 어두워지는.

---

#4 매란국극단 뒷마당. 낮

정년, 옥경을 찾아 기웃거린다. 정년, 지나가는 영서 발견하고 다가간다.

정년 영서야.
영서 (돌아보는)
정년 어째 옥경 선배가 안 보이네? 나 왔다고 인사드려야 쓴디. 오늘은 안 나오셨는갑제?
영서 (표정 어두워지는) 옥경 선배…… 국극단 나갔어.
정년 (표정 굳는)

나갔다고야……? 그럼 어디 다른 국극단으로 갔단 말이여?
영서 아니, 아예 국극을 그만뒀어.
정년 (충격받아 할 말 잃는)
영서 합동공연 첫날 공연만 하고 그대로 잠적해버렸어. 그것 때문에 합동공연은 제대로 해보지도 못하고 끝났고, 요새 단장님이 그 뒷수습 하느라 정신이 없으셔.

정년, 생각지도 못한 얘기에 할 말 잃고 멍하니 영서 보는.

---

#5 옥경 집 대문 앞. 낮

정년, "옥경 선배!" 부르며 문을 마구 두드린다. 그때, 대문 열리고 은재가 나온다.

정년 (당황하는) 너는…… 혜랑 선배 조카 아니여?
은재 (고개 끄덕이는)
정년 아가, 옥경 선배 안에 계시냐? 나가 지금 쪼까 봬야 쓰겄는디.
은재 (고개 도리도리) 왕자님은 떠났어. 그래서 공주님이 슬퍼해.

옥경이 없어졌다는 걸 확인 사살 당한 정년, 눈앞이 캄캄해지는.

정년 (마음 급해지는) 어디로? 어디로 떠났는지 들었냐?
혜랑 [소리] 혹시 거기 옥경이야?

혜랑, "옥경아!" 다급하게 부르며 대문 앞으로 나오는. 정년, 혜랑의 모습을 보고 놀란다. 언제나 화려하고 단정했던 혜랑의 모습은 간데없고 흐트러진 매무새에 제대로 손질되지 않은 머리, 화장도 제대로 되지 않은 얼굴, 초췌하기 짝이 없고 허둥지둥하는 모양새가 누가 봐도 혜랑의 몰락이 역력히 느껴지는. 혜랑, 옥경인 줄 알고 뛰쳐나왔다가 정년을 보고 싸늘하게 표정 굳어지는.

혜랑　은재 들어가 있어.
은재　(들어가는)
혜랑　네가 여기 무슨 일이야.
정년　옥경 선배 떠났다는 얘기 듣고 왔어라. 혹시 어디로 가셨는지,
혜랑　나도 몰라. 안다고 해도 말해줄 생각 없고.
정년　(어깨 처지는) ……알겄구만이라. (돌아서 가려는데)
혜랑　(정년을 보는 눈에 미움이 가득한) 옥경이가 없어졌으니까 이제 네가 매란에서 왕자가 될 거라고 생각하니?
정년　(혜랑 보는)
혜랑　(어떻게라도 정년을 할퀴어버리고 싶어 가시 돋친) 그렇잖아. 호랑이 없어진 굴에 뭐가 호랑이 행세한다고. 근데 꿈 깨. 넌 절대 문옥경이 될 수 없어. (경련 일으키듯 비웃는) 그러게 목포 촌년이 시장 바닥에서 계속 소리나 팔 일이지, 왜 헛바람이 들어가지고.
정년　(독사 같은 혜랑을 싸늘하게 보는)
혜랑　아, 내가 하나 착각한 게 있어. 옥경이가 널 편애한다고 생각했거든. (코웃음) 옥경이, 너 목소리 잃자마자 흥미를 잃어버리더라? 넌 옥경이한테 딱 그만큼이었던 거야. 알았니?

혜랑, 말끝에 발작을 일으키듯 웃는. 정년, 분노로 보다가 점점 분노가 잦아들며 이내 혜랑을 연민으로 보는. 혜랑, 숨이 넘어갈 듯 웃지만 왠지 한없이 공허하고 초라해 보이는.

정년　……내 목소리 망가뜨리려고 부추겼던 그때나

지금이나 어째 그리 변한 것이 없소.

혜랑 (웃음이 잦아들며 정년을 보는)

정년 그때 내가 왜 그짝 같은 사람 말을 들었는지 모르겄소. (혜랑을 건조하게 보는) 이라고 헛껍딱만 남은 사람인디.

혜랑 (싸늘하게 굳어버리는)

정년 옥경 선배 떠났다는 얘기 듣고 많이 괴로웠소. 내가 꼭 버려졌다는 생각이 들어서. 근디 인자 알았소. 다 부질없는 일이요. (담담한) 난 그냥 옥경 선배에 대한 좋은 기억만 남길라요. 나한테 국극을 알려준 사람은 결국 옥경 선밴께요. 그란께 그짝도 인자 놔줄 건 놔주소. 그라고 독 품고 있어 봐야 한번 떠난 사람 안 돌아오요.

혜랑, 자신을 담담하게 보는 정년을 멍하니 본다. 정년, 미련 없이 돌아서서 간다. 남겨진 혜랑, 철저하게 자신이 정년에게 지고 또 졌다는 것을 느낀다. 그야말로 껍데기만 남아버린 혜랑, 넋 나가서 정년 뒷모습을 본다.

---

#6 매란국극단 휴게실 안. 밤

정년, 심란하게 벽에 걸린 사진을 본다. 소복, 옥경을 비롯한 매란의 원년 멤버들이 다 같이 찍은 사진. 영서, 정년 곁으로 온다.

영서 (정년이 심란한 것을 아는) 아마 옥경 선배, 누가 말려도 듣지 않았을 거야.

정년 (허탈하게 웃는) 난 내가 목포서 올라오기만 하면 다 해결되는 문젠 줄 알았어야. 매란도 옥경 선배도 당연히 다 그 자리에 그대로 있을 거라고 생각했어. 참말로 어리석었제.

영서 대신 내가 여기 있잖아. 난 무슨 일이 있어도 이 자리 떠나지 않을 거야.

정년 (영서의 말에 마음이 녹아드는)

영서 그리고 이제 네가 돌아왔고. 지금부터는 우리가 옥경 선배 자리를 대신하면 되는 거야.

정년 너야 충분히 할 수 있겄지. 근디 난…… 아직 소리를 지대로 할 수 있을지 그것도 모르겄는디…… 옥경 선배 빈자리까지? (피식 웃는) 누가 들으면 말도 안 되는 소리라고 하제…….

영서 그렇게 떠들라 그래. 내가 알아, 넌 충분히 할 수 있어.

정년 (영서 보는)

영서 잊지 마, 넌 내가 유일하게 인정한 경쟁 상대야.

정년 (뭉클해서 영서를 보는)

영서 아, 물론 정식 단원인 내가 연구생도 아닌 너랑 이런 얘기하는 건 너무 빠른 감이 있긴 한데…….

정년 음마? 그란께 나는 아직 네 상대가 안 된다?

영서 당연하지, 억울하면 빨리 입단시험 봐.

둘, 웃는다. 주란, 휴게실 밖에서 둘을 지켜보다가 화기애애한 정년과 영서를 보고 차마 그 사이에 낄 수 없어 못 들어가는. 주란, 씁쓸한 기분으로 돌아서고 정년, 그런 주란을 보고 멈칫하는.

정년 아야, 나 잠깐만.

정년, 주란을 쫓아가고 영서, 정년과 주란 사이에 못다 한 이야기들을 짐작하고 쫓아나가지 않는.

---

**#7 매란국극단 마당. 밤**

정년, 주란을 쫓아간다.

정년 주란아! (좀 더 크게)

홍주란!!

주란 (정년이 부르는 소리 듣고 멈칫, 멈춰 서지만 차마 돌아볼 용기는 나지 않는)

정년 홍주란! (하면서 주란에게 다가가는데)

주란 (정년을 피하듯 그 자리 황급히 떠서 가버리는)

남겨진 정년, 어이없고 주란에게 서운한.

---

#8 파스텔 다방 안. 낮

소복, 영섭과 이야기한다.

소복 대본 읽었는데 좋았습니다. 다만 이왕 이런 이야기를 할 거면 좀 더 웅장한 규모를 살릴 수 있는 장면들이 더 들어가면 어떨까 싶은데요. 덕만이 입궁하는 장면도 더 화려했으면 좋겠고, 전쟁터 장면도 좀 더 규모가 컸으면 좋겠고요. 대본 수정이 언제까지 가능하실지…….

영섭 (뭔가 애매한 태도로) 아, 네에…… 그게 저…….

소복 (눈치채고) 무슨 문제라도…….

영섭 (어렵게) 단장님, 제가 이런 말씀까진 안 드리려고 했는데요. 사실은 영화 쪽에서 시나리오를 써보지 않겠냐고 제의가 들어와서요. 이제부터는 그쪽 일에만 집중을 해야 할 거 같습니다.

소복 (놀라서 영섭을 보는) 네? 그럼 이 대본은 이렇게 내버려두고요?

영섭 저도 지금부터 그쪽이랑 길을 터놔야 먹고살지 않겠습니까. 저도 단장님께 이렇게까지 하고 싶지 않았습니다만 정말 갈수록 힘들어져서요. 죄송합니다.

영섭, 서둘러서 자리를 떠난다.

소복, 망연자실한.

---

### #9 매란국극단 대문 앞. 낮

차 뒷좌석에서 내리던 소복, 문득 대문 앞을 둘러본다. 늘 가득하던 팬들은 거의 보이지 않고 두세 명만 있는.

[플래시백]

늘 팬들로 북적이던 대문 앞.

소복, 마음이 휑해지는. 쓸쓸한 표정으로 대문 앞을 둘러보던 소복, 마음을 다잡고 표정이 다시 냉정해진다. 대문 안으로 들어가는 소복.

---

### #10 매란국극단 연습실 안. 낮

소복, 아이들에게 〈신라의 여왕〉 대본을 한 부씩 나눠준다.

소복 자, 이건 너희가 오디숀을 볼 새로운 작품이다. 제목은 〈신라의 여왕〉. 선덕여왕에 관한 이야기다.

연홍 선덕여왕? 조선 시대 사람이야?

초록 이 답답아, 방금 〈신라의 여왕〉이라고 했잖아!

복실 근데 이거 새로운 극 아니야?

초록 그러게? 처음 들어봐.

아이들, 설렘이 가득한 술렁거림. 대본을 훑어보던 도앵, 표정이 굳는다. 지금 상황에서 올리기 힘든 공연이라는 걸 알고 고민이 가득해 보이는 도앵.

소복 그래, 이건 권영섭 선생님이 새로 쓰신 극이다. 아직 수정이 다 끝나지 않았지만 내용은 크게 달라지지 않을 거야. 이 대본을 가지고 여자 주인공인 선덕여왕과 남자 주인공 김유신 오디숀을 열도록 하겠다. 연구생들한테도 제한 두지 않을 테니까 누구든 원하는 사람은 오디숀에 응시하면 된다. 윤정년, 물론 넌 입단시험을 통과해야 이 오디숀을 볼 수 있다.

정년 예.

소복, 자리 뜨자 도앵, 따라 나가는. 아이들, 와글와글 떠드는.

정년 (대본 훑어보다가 고개 갸웃하는)

영서 왜?

정년 이거 상당히 규모가 큰 극인 거 같은디…… 근디 우리 사정 안 좋담서, 이런 거 만들 수 있어?

영서 (어두워지는) 아마 단장님 입장에서는 이런 규모의 극 쉽게 포기하실 수 없을 거야. 그래야 우리가 여전히 건재한 걸 보여줄 수 있으니까.

복실 야야, 그런 건 다 어른들 사정이고, 알아서 하시겠지. (초록 향해) 넌 선덕여왕으로 오디숀 볼 거지?

초록 당연하지, 서혜랑도 없는 지금 나 말고 여자 주인공 할 사람이 누가 있어.

정년, 그 말에 자기도 모르게 반사적으로 주란 쪽을 본다.

연홍 주란이 있잖아.

초록 (연홍 흘겨보는)

연홍 (얼른 시선 피하는)

초록 그래, 좋아. 당연히 정정당당하게 경쟁을 해야지. (주란 향해 새침하게) 주란아, 넌? 너도 선덕여왕으로 오디숀 볼 거지?

주란 (어두운 표정으로) 어? 어…….

주란, 표정 흐려져서 시선 떨구고 정년, 그런 주란 쪽을 보고 있지 않지만 잔뜩 신경 쓰이는. 영서,

어두운 표정의 주란을 의아하게 보는.

---

#### #11 매란국극단 단장실 안. 낮

똑똑 노크하고 들어오는 도앵.
소복, 밝은 표정으로 통화하는.

소복 그래, 무슨 말인지 알지. 이럴 게 아니라 자세한 얘긴 이따 만나서 하자. (사이) 거기 알아. 알았어, 좀 있다가 보자. (전화 끊고 도앵 보는) 뭐, 할 얘기 있니?
도앵 (어렵게) 저, 단장님. 〈신라의 여왕〉 말인데요. 대본은 좋습니다만, 지금 우리 형편에 이런 대규모 극을 올리는 건 아무래도 좀 무리인 거 같아서요.
소복 제작비 때문에 그러지? 걱정할 거 없어. 좀 전에 투자하겠다는 사람이랑 통화했다.
도앵 (반갑고 놀라운) 돈을 대주겠다는 사람이 있어요?
소복 너도 기억할 거다. 우리 매란 초창기에 홍매라고 있었지.
도앵 그럼요, 기억하죠. 여기서 나간 뒤로 어디 방직공장 후처로 들어갔다고 들었는데요.
소복 그 영감 죽은 뒤로 한 재산 받은 모양이다. 그 돈으로 어디 투자할 데 없나, 여기저기 알아본다는구나.
도앵 (표정 밝아진) 잘됐네요. (그러다 고개 갸웃하는) 근데 홍매가 그때 좋게 나간 것도 아니었는데 이제 와서 무슨 생각으로 만나자고 하는 걸까요.
소복 홍매도 그때 국극을 해봤으니 아직 애착이 남은 거겠지. 방금도 아주 적극적이더구나. (희망에 가득 찬) 이번에 얘기만 잘되면 무대를 올릴 수 있어.

들떠 보이는 소복과 달리 걱정이 가득해 보이는 도앵.

---

#12 요릿집 안. 밤

소복, 긴장해서 홍매에게 설명을 하는. 화려하게 입은 홍매, 〈신라의 여왕〉 대본을 건성으로 훑어보는. 소복, 그런 홍매를 불안하게 살피면서 열심히 얘기하는.

소복　우선 오디숀을 봐서 각 배역을 뽑을 생각이다. 저번 합동공연 때도 오디숀을 봐서 큰 화제를 불러일으킨 적이 있고, 오디숀부터 사람들의 기대를 불러 모으면 나중에 공연 홍보도 자연스럽게 될 거다. (살짝 눈치 살피는) 뭐, 궁금한 거 있으면 얼마든지 물어보렴.
홍매　(살짝 웃는) 단장님 열정은 여전하시네요. (대본 덮으며) 근데 공연 얘긴 이만하면 된 거 같고요, 지금부터 진짜 사업 얘기를 해볼까요?
소복　(의아하게 보는) 응?
홍매　본론부터 말씀드릴게요. 매란국극단 건물, 저한테 파는 게 어떠세요. 값은 후하게 쳐드릴게요.

소복, 순간 당황해서 할 말을 잊는.

소복　아니…… 매란국극단 건물을 팔라니? 그게 무슨, (황당한) 공연에 투자하려고 만나자고 한 줄 알았는데…… 아니었니?
홍매　저 이제 국극 같은 거 관심 없어요. 그 건물 사들이면 크게 요정을 할 생각이에요.
소복　(입술 파르르 떨리는) 요정이라니…… 지금 우리 매란을 요정으로 바꾸겠다는 거니?

홍매 (피식 웃는) 왜, 자존심 상하세요? 하긴 단장님은 제가 밖에서 매란 이름 팔아서 돈 벌고 다닌다고 그날로 쫓아내셨으니까요. 그때 뭐라고 하셨더라, 아 그래. 그렇게 아무 데서나 얄팍한 재주를 팔고 다니니 절대 예인이 될 수 없는 거라고 하셨죠.

소복 (날카롭게 홍매 보는)

홍매 (얼굴은 웃고 있지만 눈빛은 살벌해지는) 그렇게 고매하신 분이 이 자리 나온 거 보면 진짜 돈이 궁하긴 하셨나 보죠?

소복 (분노와 모멸감에 굳을 대로 굳은 표정) 괜히 나왔구나, 이만 일어나마. (벌떡 일어나는)

홍매 (냉정한) 단장님 그 건물 지을 때 빌린 돈도 아직 다 못 갚으셨잖아요. 지금 저한테 넘기시면 제가 다 해결해드릴게요.

소복 (충격받아서 보는) 네가……그걸 어떻게 알아?

홍매 제 동업자가 하나 있거든요. 단장님도 잘 아는 사람일 거예요. (밖 향해) 들어오세요.

소복, 문 쪽을 본다. 문이 열리더니 고 부장이 들어온다. 소복, 충격받아서 고 부장을 보는.

고 부장 (씩 웃는) 그간 잘 지내셨어요.

소복 (충격받아서 멍하니 고 부장 보기만 하는) 당신이…… 어떻게…… (홍매와 고 부장을 번갈아 보는) 그럼 둘이 작당을 하고 매란 돈을 빼돌린 거야?

고 부장 거, 말씀 참 섭섭하게 하시네. 빼돌리다뇨, 단장님. 전 당연히 받아야 할 제 몫을 챙겨갖고 나온 겁니다. 그리고 마침 좋은 기회가 와서 같이 동업을 하기로 한 거고요.

소복 (기가 막혀 헛웃음이

나오는)

고 부장 괜히 버티지 말고 좋은 기회 왔을 때 넘기시죠.

소복 (쏘아보는) 못 넘겨, 아니 절대 안 넘겨! 그 건물이 무슨 의미인 줄이나 알아? 그 건물은 매란국극단 기반이나 마찬가지야! 그냥 사고파는 물건이 아니라고!

고 부장 (픽 웃는) 아이고, 우리 단장님 진짜…… 매란국극단은요, 언젠가는 없어지게 돼 있습니다. 그 날짜가 좀 당겨지냐, 늦춰지냐 그 차이죠.

소복 (분노로 떠는) 금수만도 못한 놈.

고 부장 그러게…… 진작 제 얘기를 좀 귀담아들으셨어야죠.

소복 (부들부들 떨며 고 부장을 보는)

홍매 (무표정하게 소복을 보며) 지금 단원들 출연료도 못 주신다면서요. 빈 깡통 같은 집만 붙잡고 있느니 저한테 넘기시는 게 백번 낫지 않겠어요? (생긋 웃는) 저, 긍정적인 답변 기대하고 있을게요, 아셨죠? (일어나는)

홍매와 고 부장 나가는. 소복, 분노와 모멸감, 자괴감으로 홍매와 고 부장을 보는.

---

#13 매란국극단 대문 앞. 밤

기사, 차 뒷문 열어주고 소복, 차 뒷좌석에서 힘겹게 내리는데 순간 휘청하는. 기사, 얼른 부축하는데,

소복 (자세 간신히 잡으며) 괜찮아요.

힘겹게 대문 안으로 들어서는 소복.

---

#14 매란국극단 일각. 밤

소복, 기운 없이 걸어가는데 짐

가방 들고 나오던 숙영, 금희와 정면으로 맞닥뜨린다. 숙영과 금희, 당황하고 소복, 처참한 기분으로 둘을 보는.

소복 가는 거니?
숙영, 금희 (차마 눈 못 마주치고 떨구는)

정년, 지나가다 셋을 보는.

소복 어디 갈 데는 있고?
숙영 (죄지은 사람처럼 기어들어 가는 목소리로) 아는 분이 영화사에서 일하셔서요…….
소복 (고개 끄덕이는) 그래. (가라앉은) 내가 너희들한테 면목이 없다.
금희 (화들짝 놀라서) 아네요, (눈도 못 마주치며 기어들어가는) 오히려 저희가 죄송해요.
소복 (비참하지만 애써 웃으며) 아직 밀린 출연료도 다 못 줬는데 그거는 받고 가야지.
숙영 나중에 주셔도 돼요. 죄송합니다, 단장님.

숙영과 금희, 고개 숙여 인사하고 얼른 그 자리를 벗어나는. 소복, 서글프게 아이들 뒷모습을 본다. 정년, 매란의 몰락을 목도하는 것 같아 처참한 마음으로 소복을 지켜보는. 다시 걸음을 떼려던 소복, 어지럼증이 몰려온다. 그 자리에서 픽 쓰러지는 소복. 지켜보던 정년, "단장님!" 화들짝 놀라서 뛰어온다.

---

#15 병실 안. 밤

링거 꽂은 소복, 끙끙 앓으며 누워 있는. 충격과 걱정에 사로잡힌 정년, 소복을 지켜보는. 문이 벌컥 열리더니 도앵이 들어온다. 도앵, 소복부터 살피는.

도앵 의사 선생님은 뭐라고 하셔?

정년 너무 무리하셔갖고 그란대요. 며칠 푹 쉬고 나면 괜찮아지실 거라고 하대요.
도앵 어떻게 된 거야. 무슨 일 있었어?
정년 ……숙영 선배랑 금희 선배가 떠나부렀어요. 단장님이 그것을 다 보셨어라.

도앵, 가슴이 아픈. 정년, 약해진 소복의 모습을 보며 막막해지는.

---

### #16 병실 앞 복도. 밤

도앵, 정년과 이야기하는.

도앵 난 여기 지키고 있을 테니까 네가 가서 애들 좀 안심시켜줘. 애들한테는 매란 사정 안 좋은 거 절대 말하지 마. 괜히 걱정만 더 하게 되니까.
정년 예.
도앵 그리고…… 정년이 네 입단시험은 아무래도 미뤄야 할 거 같다. 단장님 회복하시면 그때 다시 의논하자.
정년 (심란하지만 이내 의연하게) 그래야제라.

---

### #17 매란국극단 식당 안. 밤

식사 시간. 아이들, 주먹밥에 단무지가 다인 초라하기 짝이 없는 밥을 보고 당황하는. "애걔, 이게 뭐야" "주먹밥이 뭐야, 다시 전쟁 난 것도 아니고" "양도 뭐 이렇게 적어".

복실 (기겁하는) 뭐야, 갈수록 밥이 왜 이렇게 부실해? 점점 반찬 가짓수가 줄어들더니 이젠 주먹밥이야?
연홍 주방에서 바빠서 시장을 제대로 못 봤나? 내일부터는 다시 제대로 나오겠지.
필순 야, 꿈 깨라. 앞으로도 주먹밥에 다꽝이 전부일 테니까. 매란 좋은 시절 다 갔어.

연홍 (겁먹는) 왜? 설마 우리 매란 망하는 거야?

원철 당장 망하진 않겠지만 전성기가 다시 오긴 힘들 거란 말이야. (주위 눈치 살피고) 이건 우리끼리 얘기지만, 합동공연 때문에 생긴 빚이며 위약금도 우리 매란에서 다 떠안았대.

복실 어쩐지 안 그래도 쥐꼬리만 한 용돈이 반토막 났더라니…… (한숨) 그나마 잘 나오던 밥도 부실해지고, 이제 뭘 보고 버티냐.

연홍 (울상되는) 나 다짱 싫어하는데…….

초록 다들 조용히 해. 단장님이 쓰러지셨는데 지금 밥투정이 나와?

복실 근데 단장님은 왜 쓰러지신 거지.

연홍 오늘 숙영 선배랑 금희 선배 나갔잖아. 충격받으신 거지 뭐.

봉선 야, 우리도 나가서 살길 찾아봐야 되는 거 아냐?

순간, 좌중 조용해지는. 밥 먹다가 서로 눈치 보는 아이들. 영서, 무표정한 얼굴로 봉선을 보는. 주란, 조마조마해서 눈치 보는.

연홍 (소심하게) 단장님도 쓰러지신 마당에 그건 좀…… 너무한 거 아니에요?

소향 단장님이 돌아오시면 뭐가 달라질 거 같아? 먼저 나간 사람들이 그래도 똑똑한 거야. 두고 봐, 남은 사람들만 바보 될 게 뻔하니까.

초록 (날카롭게) 나가고 싶으면 선배들끼리 조용히 나가지, 왜 애들을 부추겨요?

봉선 너 말 이상하게 한다? 우리가 언제 부추겼어? 그냥 사실을 말하는 거잖아!

초록 (열받아서) 아니, 남으면 바보라는 둥, 우리까지 불안하게 만들고 있잖아요!

왜요? 선배들끼리 나가면 민망하니까 순진한 연구생 몇 명 더 꼬셔서 데리고 나가려고요?

봉선 (발끈) 얘 싸가지 좀 봐? 너 말 다 했어?!

초록 못 했어요! 왜요? 더 해요?

영서 (어두운 표정으로 다툼을 듣다가 나가버리는)

초록 연구생들은 뭐 몰라서 가만있는 줄 알아요? 문옥경 나간 뒤로 안 그래도 연구생들 불안한데 중심 잡아줘야 할 선배들이 살길 찾겠다고 더 난리잖아요!

봉선 우리들끼리 옹기종기 모여서 살길 찾으면 그게 찾아져? 문옥경도 버리고 간 판인데? 지금 매란은 아사리판 나기 직전이라고!

초록 그러니까 가고 싶으면 가시라고요. 그 잘난 영화든 뭐든 나가서 하면 되잖아요. 괜히 연구생들 붙잡고 흔들 시간에! (비아냥) 아, 영화사에서 뉴페이스 몇 명 더 데리고 오라고 했나 보구나? 선배들로는 만족이 안 되니까?

소향 (눈 뒤집혀서) 보자 보자 하니까 이게 미쳤나.

소향, 초록 머리끄덩이 잡아버리고 초록, 지지 않고 소향 머리채 잡고 싸우는. 복실과 연홍, 초록의 편을 들며 싸우다가 선배들과 엉켜서 싸우기 시작하는. 싸우는 사람, 말리는 사람 뒤섞여서 엉망진창. 주란, "싸우지 마, 왜들 이래요" 싸움을 말리며 어쩔 줄 몰라 하는. 그때 정년, 들어오는. 정년, 아수라장인 식당 안을 보고 기겁해서 싸움 말리는.

정년 아니, 왜들 싸우고 그라요!

정년, 초록을 간신히 뜯어말린다.

초록, 복실, 연홍 무리와 소향, 봉선, 상대를 서로 죽일 듯이 씨근덕거리며 노려보는.

소향 좋아! 이까짓 망해가는 국극단 내가 버려준다. 나도 이제 미련 없다고. (봉선과 함께 자리에서 뜨는)

정년 (뒤따라 가려고 하는) 아니, 잠깐만,

초록 (붙잡는) 됐어. 다 끝난 일이야.

정년 그래도,

초록 붙잡는다고 해도 언젠가는 나간다고! 마음 뜬 사람들 억지로 붙잡아두고 뭘 할 건데?

초록, 복실, 연홍도 자리 뜨는. 어수선한 분위기. 아이들도 수군거리며 자리 뜬다. 정년, 어찌할 바를 모르고 아이들을 둘러보는데 마찬가지로 얼이 빠진 듯 서 있던 주란과 눈이 마주치는. 주란, 정년과 눈이 마주치자 얼른 시선을 피하고 자리를 떠버리는. 정년, 울컥 화가 나서 그런 주란을 보는.

---

#18 매란국극단 일각. 밤

주란, 걸어가는데 정년, 쫓아간다.

정년 홍주란!

주란 (걸음 멈추는)

정년 (주란 앞에 선다. 애써 화 참으며) 안에 엉망인 거 네 눈에는 안 보이냐? 머리 맞대고 수습할 궁리를 해도 모자랄 판에, 왜 도망을 가냐? 나랑 마주치기만 하면 어째 그라고 계속 피해 다니냔 말이여?

주란 (정년을 똑바로 못 보는) 그런 거 아니야…….

정년 (꾹꾹 참고 또 참는) 아니긴 뭐가 아니여. 피해서 나가는 걸 분명히 봤는디. 나랑 숨바꼭질하는 것도 아니고,

이게 뭐 하자는 거여.
주란 (그러나 여전히 죄책감과 미안함, 이제 나누지도 못할 비밀까지 안고서 정년의 눈을 도저히 보지 못하는) 미, 미안해.
정년 (그런 주란을 보며 서운하고 답답하다 못해 점점 화가 나는) 미안? 뭐가 미안한디? 내가 지금 미안하다는 소리 듣자고 한 소리가 아니잖어.
주란 …….
정년 (폭발하는) 너까지 왜 그러는디! 매란은 이 모양이지, 안즉 소리를 지대로 할 수 있을지, 없을지 것도 모르겄어서 죽겄는디 인자 너까지 왜 그러냔 말여! 내가 널 해코지라도 하냐? 내가 뭘 어쨌간디 날 피해 다니는디! 나 힘들 때는 너라도 옆에 있어줘야제. 그래야 친구 아니냔 말이여! 넌 친구도 아니여 이 가시나야!

마구 퍼붓다가 서러움에 정년, 눈물 흘리는. 주란, 정년의 서러움과 불안, 절망을 느끼고 마음이 찢어질 것 같은. 눈가가 붉어지는 주란. 그럼에도 차마 정년에게 아무 말 할 수 없는. 정년, 충혈된 눈으로 주란을 야속한 듯 보다가 자리를 떠버리는. 주란, 그런 정년 뒷모습을 보고 가슴이 미어진다.

---

### #19 매란국극단 연습실 안. 낮

아이들, 의기소침해서 앉아 있는. 정년, 연습실에 들어온다. 듬성듬성 빠진 자리가 눈에 보이는.

정년 (애써 아무렇지 않은 척) 뭣 한대? 오늘 연습 안 해?
복실 사람이 많이 빠져서 머릿수가 안 맞아. 금희 언니랑 숙영 언니 나갔지, 그리고 이제 소향 언니랑 봉선 언니까지 나갔잖아.
초록 야야, 그렇게 마음 뜬 사람들은 차라리 나가는 게 우리한테 더 도움되는 거야.
정년 그람 남은 사람들끼리라도 해야제. 이라고 손 놓고 가만히 있을거여?
복실 할 의욕도 안 나. 이러다 공연 엎어질 수도 있는데…….

더 어두워지는 분위기. 정년, 아이들을 보다가 안 되겠다 싶은.

정년 무대 올리자.
초록 무슨 무대?
정년 아, 원래 내일이 나 입단시험 보는 날 아니냐. 내일 하자고.
연홍 단장님도 안 계시고, 심사위원 선생님들도 없는데 어떻게 하려고?
정년 아, 심사위원들만 평가할 수 있대? 길거리 누구라도 내 소리 듣고 반응해주면 평가받는 거나 마찬가지제.
복실 그럼 길거리 관객들한테서 평가를 받겠다고?
정년 응.
초록 (솔깃한, 표정 밝아지는) 재밌겠네. 정년이 말이 맞잖아. 관객들이 정년이 소리 듣고 박수 쳐주면 그것 이상 더 좋은 평가가 어딨어.
원철 야, 그래도 그건 아니지. 사람들 한 열 명 불러 모으고 박수 쳐주면 그걸로 통과한 거야? 그건 아니잖아. 기준이 있어야 할 거 아니야.
영서 내가 그 기준이 돼줄게.
정년 (영서 보는)
영서 나도 나가서 공연을 할게. 내 공연을 보러 오는 사람 이상으로 너도 불러 모아. 네가 나보다 한 사람이라도 더 끌어모으면 우리 매란에 다시 입단하는 거야. 어때?

정년, 긴장해서 영서 보는. 아이들,

덩달아 긴장해서 정년과 영서 보는.

영서 대신 나보다 한 사람이라도 덜 모으면 넌 우리 매란에 발도 못 붙이는 거야. (도발하듯) 어때, 윤정년, 할 수 있겠어?
정년 (잠시 고민하는 표정으로 영서 보다가 결심한 듯) 좋아. 해보자고.
영서 각오해. 나 너 목 꺾였다고 적당히 봐주고 그러진 않을 거야. 넌 내 라이벌이니까.
정년 아, 그람 나야 더 좋제. 네가 적당히 봐줘불면 내 자존심이 상당히 상하지 않겄냐? 아주 인정사정없이 해봐. 나도 사정 안 봐주고 끝까지 밀어붙여불랑께.

각오가 단단히 선 정년의 단호한 눈빛. 그 눈빛을 받아치듯 보는 영서. 정년과 영서, 팽팽하게 서로를 보는.

---

#20 서울역 앞. 낮

원철과 필순, 홍보 전단지를 사람들에게 나눠주며 소리친다.

원철 오늘 오후 두 시에는 창경궁에서, 오후 다섯 시에는 서울역에서 각각 허영서와 윤정년의 국극 공연이 있을 예정입니다! 많이 와서 봐주세요! 모두에게 열려 있으니 누구든지 오셔서 볼 수 있습니다!
필순 창경궁에서는 허영서, 서울역에서는 윤정년의 공연이 있을 예정입니다. 꼭 기억해주십쇼, 오늘 오후 두 시 창경궁! 오후 다섯 시 서울역!
시민1 (전단지 받아서 보다가 돌아서서 가는) 창경궁에서 허영서가 공연할 거라고요? 〈바보와 공주〉 허영서?

원철 네! 맞습니다!
시민2 어머, 꼭 가야겠다.

시민들 "허영서래" "허영서가 공연을 한대" 하면서 가는.

---

#21 창경궁 안. 낮

사람들, 공연할 곳으로 모여들고 초록, 복실, 연홍, 공연장 입구쯤에 서서 들어가는 사람들 수를 세는.

초록 몇 명이야?
복실 벌써 백 명이 코앞이야. 영서 공연한다고 소문나서 줄까지 서고 있대.
초록 이건 정년이한테 너무 불리한 싸움이야. (툴툴대는) 영서는 벌써 합동공연 한 번 선 걸로 이름이 알려져 있는데…….
연홍 저기 영서 팬클럽도 왔다.

영서 이름이 적힌 플래카드를 들고 신나게 몰려가는 교복 입은 여학생들.

초록 (한숨) 저것 봐, 정년이가 불리하다니까.

한쪽에서 칸막이 쳐놓고 이몽룡 분장하던 영서, 거울로 매무새를 점검하고 일어선다. 영서, 군중들 앞에 선다. 왁자지껄 떠들던 군중들, 영서가 앞에 서자 일시에 조용해지는. 주란, 사람들 사이에 섞여 영서를 보고 있는. 정년, 뒤늦게 도착해서 사람들 사이를 헤치고 나와 영서를 본다. 주란, 그런 정년을 본다.

영서 춘향아. 오늘 밤이 가면 내일 밤이 또 오고, 책방에 홀로 앉아 너를 생각하는 낮은 오지 말고 너와 함께할 수 있는 밤만 있어주면.

영서, 부채를 짝 펴 든다. 경쾌한

소리와 함께 관객들을 확 둘러보는 영서. 어디선가 악, 하며 좋아하며 소리 지르는 소녀들.

영서 (사랑가 부르는) *사랑 사랑 내 사랑아, 어허 둥둥 내 사랑이지 광한루서 처음 보고 산하지맹 깊은 사랑 하월삼경 밤이 짧아 새벽닭이 원수로구나—*

여기저기서 탄성 지르는 관객들. 영서, 관객들 사이로 걸어 들어간다. 여자들, 손 한번 잡아달라고 꺅 소리 지르며 손을 내밀고 영서, 그 손을 잡아준다. 자지러지게 좋아하는 여자 관객, 그 옆에선 부러움의 탄성들.

영서 애꿎은 오는 밤을 사랑가로 즐겨보세. (다시 노래하는) *사랑 사랑 내 사랑이야 오호둥둥 네가 내 사랑이지야 이리 보아도 내 사랑 저리 보아도 내 사랑—*

점점 달아오르는 분위기. 영서가 가는 걸음마다 들썩이는 사람들, 흥겨운 분위기. 주란, 긴장해서 분위기를 살핀다. 정년, 영서에게서 눈을 떼지 않는다.

연홍 (멍히 보다가 입을 벌리고) 근데 영서, 예전에 연구생 공연에서 이몽룡 할 때랑은 너무 다르지 않아?

초록 (감탄하며 보다가) 그러네. 그때도 잘하긴 했지만 오늘 영서는…… 완벽한 왕자님 같아.

정년 (표정 굳어지는)

영서 (소리하는) *나의 넋은 나비 되어 이삼월 춘풍 시에 네 꽃송이를 내가 안어 두 날개를 쩍 벌리고 너울너울 춤추거든 네가 나일 줄을 알려무나.*

신이 난 중년 관객, 영서 앞으로

나서는.

관객1 도련님은 오늘같이 즐거운 날에 어찌 죽는 말씀만 하시오?

영서 (여유 있게 웃는) 그럼 업고도 놀고 정담도 하여보지!

관객들, 와, 감탄하며 웃는.

영서 (소리하는) *이리 오너라 업고 놀자! 이리 오너라 업고 놀자—*

중년 관객과 어울려 같이 춤추며 신나게 사랑가를 부르는 영서. 영서가 노래를 다 부르자 관객들, 열렬하게 박수 치며 좋아하는. 여기저기서 앵콜! 소리가 터지는. 영서, 관객들을 둘러본다. 열광적인 관객 반응에 영서, 만족해서 둘러보는. 그러다가 영서, 정년과 눈이 마주친다. 영서, 희미한 미소. 정년, 긴장해서 영서를 본다. 주란, 굳어버린 정년을 눈치챈다.

---

**#22 서울역 앞. 낮**

정년, 한쪽에서 분장한다. 주란, 관객들 쪽을 본다. 대충 봐도 아직 10여 명 정도밖에 모이지 않은 초라한 숫자. 사람들 숫자 세는 원철과 필순 쪽으로 가는 주란.

주란 몇 명이야?
원철 열 명도 안 돼.
주란 (표정 흐려지는)

주란, 사람들 둘러보다가 정년 쪽으로 간다. 정년, 눈을 감고 집중하고 있는. 주란, 선뜻 다가가지 못하는데 원철이 정년에게 다가가는.

원철 다섯 시 지났어, 정년아.
정년 (눈을 살짝 뜨는, 긴장한 듯 미세하게 떨리는 정년의 손)

주란, 긴장한 정년을 불안하게 보는. 정년, 떨리는 자신의 손을 내려다본다. 주란, 자신도 모르게 정년에게 다가가려다가 용기가 나지 않아 멈칫하는.

원철 (조심스럽게) 사람들 더 올 때까지 기다려볼까?
정년 (크게 심호흡하는, 차분하게) 아녀, 준비됐어. 가자잉.

---

#23 병실 안. 해 질 녘

도앵, 물병을 갖고 들어가다가 멈칫한다. 창가에 기운 없이 서서 밖을 내다보는 소복. 늘 단정하던 모습은 간데없고 초췌해 보인다. 도앵, 물병을 내려놓고 죽 그릇을 본다. 손도 대지 않고 싸늘히 식은 죽 그릇. 도앵, 영 마음이 안 좋은.

도앵 단장님, 뭐라도 드셔야죠.
소복 (그저 밖만 보는)
도앵 며칠째 거의 아무것도 안 드셨잖아요.
소복 ……도앵아. (사이) 내가 어디서부터 잘못한 걸까?

도앵, 가슴이 덜컹 내려앉아서 소복을 보는.

소복 옥경이 마음이 떠나지 않게 미리미리 비위를 맞춰줬어야 됐나? 하지만 옥경이 요구대로 실험적인 극들을 마구 올리다간 관객들이 떨어져 나갈 수도 있었는데?

소복, 노이로제 상태가 돼서 눈빛이 불안정하게 흔들리는. 도앵, 불안하게 소복을 본다.

소복 (불안하게 왔다 갔다 하기 시작하는) 아냐, 네 말대로 옥경이랑 혜랑이가 나갈 때를 대비해서 연구생들을 좀 더 키워놨어야 됐어. 둘 의존도를

너무 높여놓은 것부터가
화근이었어.
도앵 (안타까운) 단장님.
소복 아님, 무리하게
합동공연을 진행하지 말았어야
했나? 하지만 여성국극을
하나로 이어줄 유일한 공연은
그것밖에 없었는데?

점점 무너져가는 소복. 그런
소복을 보며 가슴 찢어지는 도앵.

소복 하느라고 했어! 하느라고
했다고! 근데 남은 게 뭐니!
(눈물 흘리며 자조적으로 웃는)
믿었던 사람한테 배신당하고,
빚만 잔뜩 생기고, 이젠 애들도
못 지키고 있어. (흐느끼는) 우리
단원들, 나만 믿고 있었는데, 나
같은 못난 사람을 단장이랍시고
믿고 있었는데……! (절규하는)
애들도 못 지키면서 내가 무슨
단장이야……!

오열하는 소복. 완전히 무너진
소복을 보면서 도앵, 눈물을
흘린다. 도앵, 영원히 무너지지
않을 것 같았던 차갑고 단정했던
소복이 절망하는 것을 보며
괴로운. 도앵, 마음 추스르는.

도앵 일어나세요. 가서 꼭
보셔야 할 게 있어요.

---

**#24 서울역 앞. 해 질 녘**

열 명 남짓 모여 있는 관객들.

관객2 누구라고?
관객3 (홍보 전단지를 보는)
윤……정년? 처음 들어보는
이름인데. 어디 얼마나
잘하는지 한번 보자고.

정년, 관객들 앞에 나선다. 관객들,
팔짱 끼고 얼마나 잘하나 보자
벼르는 얼굴, 그저 무표정한 얼굴
등 제각각. 창경궁의 호의적인

관중들하고는 사뭇 다른 분위기. 정년, 마음을 다잡으려 심호흡하고 관객들을 본다.

정년 (분위기를 풀려 밝게)
아따, 솔찬히 오랜만에 사람들 앞에 선께 쪼까 긴장이 돼요. 지금부터 지가 소리 한 자락을 들려드릴란께 마음 가는 대로 추임새도 넣어주고, 박수도 쳐주쇼.

관객들 몇 명, 짝짝 열의 없는 박수. 주란, 원철, 필순은 열심히 박수 쳐주는. 정년, 관객들 반응 신경 쓰지 않고 자신의 연기에 몰입하려 마음을 가다듬고 관객들을 보는. 떨지 않는 정년의 눈빛.

정년 (긴장한 기색 없이 유려하게) 옛날 옛적 황주땅 도화동에 봉사 아버지를 모시고 사는 효녀가 있었는디, 성은 심가요 이름은 청이라.
원철 (놀라는) 심청가를 하겠다고? 그 어려운 심청가를?
필순 (긴장해서) 설마…… 추월만정을 부르진 않겠지?
정년 (대사) 아비 눈 띄우려 인당수에 몸 던지니 하늘이 효성에 감동하여 연꽃으로 생환시켜 황후로 앉혔더라. 심황후 입궁 후에 연년이 풍년이오, 가가호호 태평이라.

막힘없이 뻗어나가는 정년의 연기. 관객들 중 일부가 팔짱을 풀고 정년의 연기를 집중해서 보는. 지나가던 사람 몇몇이 걸음을 멈추고 정년 쪽으로 다가든다. 정년, 관객들 반응에 고무돼서 한층 더 몰두하는. 주란, 여전히 정년의 연기를 긴장해서 지켜보는.

정년 뜻밖에 가을이 되니 어김없이 기러기 한 마리가 날아드는구나. 방향을 보아하니

내 고향 도화동이로다. 일야는
옥난간에 높이 앉어 부친
생각 가득 헐제, (한없이 표정
슬퍼지더니 소리 시작하는)
*추월은,*

정년이 추월만정을 부르자 움찔
놀라는 주란, 원철, 필순.

정년 *만정허여,*
필순 (안타까운) 너무 거칠어.
고음도 안 나오겠어.
주란 (긴장해서 정년을 보는)
정년 *산호주렴 비춰들 제—*
관객2 아, 이게 무슨 창이야.
뚝뚝 끊기고 잠기고, 이것도
창이라고?
관객3 (벌떡 일어나며)
집어치워!

그때까지 몰두해 있던 정년,
관객들의 반응에 처음으로
멈칫하는. 원철과 필순, 당황하고.
관객들 반응에 움츠러들었던 정년,
마음을 다잡듯 떨리는 손을 꽉
쥔다. 절벽 끝에 매달려 있는 듯
눈빛이 처절해지는 정년, 소리를
계속하는. 주란, 고군분투하는
정년만을 뚫어져라 보는.

정년 *청천의 외기러기난—*
관객2 에헤이, 귀 버렸네!
주란 (부글부글 끓어오르는,
참고 참다가 폭발하는) 가세요,
그럼!
관객2 뭐야?
주란 (살벌한 눈매, 평소 주란
같지 않게 한없이 날 서 있는)
방해하지 말고 가시라고요!

정년, 눈앞의 소란에 주란과
눈 마주치는. 주란, 괜찮다고
정년에게 고개 끄덕여준다. 내내
떨고 있었던 정년, 그런 주란을
보자 마음이 안정되는. 정년,
고개를 끄덕이고 계속 소리를
한다.

정년 *월하에 높이 떠서*
*뚜르르르르낄룩 울음을 울고*
*가니—*

관객, 점차 집중해서 정년의 소리를 듣기 시작하는. 정년의 소리 점점 더 애절해지고, 불만을 떠들던 사람들도 정년의 소리에 압도당해서 조용해진. 주란, 원철, 필순을 비롯한 관객들, 정년의 소리에만 집중하는.

용례 (따뜻하게 정년을 보는) 정년이 너는 뭘로 빈 소리를 채울래?

---

**#25 바닷가. 새벽 (회상, 10부 #56 이어서)**

정년, 용례를 본다. 정년, 고민하는 듯하다가 단단해지는 표정.

정년 난 몸짓으로 채울라네.
용례 몸짓?

정년 난 소리를 잃었지만 대신 아직 연기를 할 수 있어. 춘향이를 하든, 심청이를 하든, 그 사람이 돼버릴라네. 내 눈빛, 손짓, 발짓꺼정 그냥 다 그 사람이 돼버릴라네. 그래서 빈 소리를 아주 차고 넘치게 다 채워버릴 거여.

용례, 정년을 보다가 흐뭇하게 고개를 끄덕인다.

---

**#26 서울역 앞. 해 질 녘 (#24 이어서)**

정년, 애절한 표정과 애끓는 듯한 소리로 추월만정을 부른다. 정년의 애절한 표정과 몸짓에 한 번 놀라고 깊은 소리에 두 번 놀라는 관객들.

정년 *오느냐 저 기럭아 소중랑 북해상에 편지전턴 기러기냐—*

애절하다 못해 처절한 정년의 소리에 관객들, 보다가 눈물 흘리기 시작한다. 점점 더 빽빽하게 몰려드는 관객들. 서울역 앞에 도착한 소복과 도앵, 정년 쪽으로 다가온다. 도앵의 부축을 받으며 다가온 소복, 정년을 보고는 눈가가 뜨거워지면서 울컥 눈물이 고인다. 처절하게 소리를 하는 정년을 떨리는 마음으로 보는 소복. 내내 정년을 지켜보던 주란 역시 눈물을 흘린다.
영서, 서울역 앞으로 정신없이 뛰어온다. 뒤이어 달려오는 초록, 복실, 연홍. 영서, 빽빽하게 모여서 정년을 구경하는 사람들 정신없이 헤치고 앞으로 나간다. 영서 눈에 소리하는 정년이 눈에 들어오는.

정년 (눈물 고여 소리하는)
*도화동을 가거들랑 불쌍허신*
*우리 부친 전에 편지 일장을*
*전하여라—*

정년의 눈에서 눈물이 떨어진다. 정년, 하염없이 눈물을 흘리며 소리하는. 관객들, 홀린 듯 정년을 보다가 하나둘씩 흐느끼기 시작하는. 소복, 숨을 죽이고 정년의 공연에만 집중하다가 눈물을 흘리는. 정년을 지켜보던 영서의 눈에도 눈물이 고이는.

초록 (멍한) 이게…… 이게 어떻게 된 거야…… 분명히 떡목이 됐었는데…… 어떻게 소리를 하는 거야?
영서 저기 있는 건…… 목이 부러진 정년이가 아니라 아버지를 그리워하는 심청이니까. 심청이가 된 정년이는 춤이든, 노래든, 소리든, 무엇이든 할 수 있어.

정년을 보던 영서 눈에서 눈물이 후두둑 떨어진다.

영서 무대 위에서

정년이는…… 무엇이든…… 될 수 있어.

소리를 마친 정년. 정년, 눈물을 흘리며 아직 공연의 여운에 벗어나지 못하는. 잠시 쥐 죽은 듯 그런 정년을 보는 관객들. 다음 순간, 정년을 향해 열광하고 눈물 흘리며 박수 치는 관객들. 소복, 얼굴에 환한 미소가 번진다. 소복, 반쯤 웃고 반쯤 울면서 감동에 젖어 한 단계 올라선 정년을 본다. 정년, 열광하는 관객들을 얼떨떨하게 보다가 해냈구나, 싶어서 미소가 번지는. 초록, 복실, 연홍, 미친 듯이 좋아하며 박수 친다. 영서도 눈물을 흘리며 진심을 다해 박수를 친다. 주란, 박수 칠 생각도 하지 않고 눈물이 고여 정년을 보는. 정년, 주란과 눈이 마주친다. 주란, 눈물이 고여 웃는다. 주란의 얼굴을 보자 해냈다는 것을 실감하는 정년, 주란을 보며 환히 웃는다.

[시간 경과]

정년의 공연이 끝나고 흩어지기 시작하는 사람들. 정년은 초록, 복실, 연홍과 이야기하는.

복실 축하해. 영서 쪽에도 관객들 많이 모였는데 네가 조금 더 모았어.

정년 (좋아하는) 참말로?

초록 그래, 네가 해냈어!

정년, 좋아하다가 문득 소복을 발견한다. 정년, 소복에게 다가간다. 정년, 자신이 해냈다는 성취감에 흥분한. 소복, 감격과 뿌듯함에 젖어 정년을 보는.

소복 소리해보니까 어땠니.

정년 시작하기 전에는 쪼까 긴장됐었는디…… 막상 시작한께 심청이에 폭 빠져갖고 소리가 저절로 나와불드라고요. 거시기, 옛날만치 마음먹은

대로 소리가 나온 건
아니었지만…….
소복 (고개 젓는) 이제 너한테
꺽인 목은 문제가 되지 않아.
너는 오늘 심청이 그 자체였어.
정년 (깜짝 놀라며 감격하는)
참말이어라?
소복 (눈물 참는) 그래. 정말
잘했다, 정년아.
정년 (좋아서 어쩔 줄 몰라
하는) 워메, 이게 뭔 일이여.
무사히 끝까지 부르기만 하자,
그 생각만 했었는디……
고맙구만이라!
소복 (좋아하는 정년을
눈물겨워서 흐뭇하게 보는)
정년 단장님, 오늘까지
쳐서 저를 세 번이나
받아주셨잖아요. 아따,
그라면 끝까지 저를 책임져
주셔야제라. 인자 머, 포도시
연구생인께 정식 단원 되고,
니마이 될 때꺼정 지켜봐
주십시요.

소복 (그 말에 기어이 눈물이
나오는) 그래, 그러마.

소복, 이제 정년이 다 컸구나 싶어
뿌듯한 마음과 미안함, 그리고
형언할 수 없는 감동으로 정년을
보는. 한 번도 약해진 적 없었던
소복의 눈물을 보며 정년, 마음이
미어지는. 하지만 울지 않는 정년.
정년, 용례를 볼 때처럼 애틋하게
소복을 보다가 소복을 끌어안는다.
소복, 정년을 마주 끌어안는다.
그렇게 흡사 모녀지간 같은
사제지간. 주란, 그런 둘을 보다가
표정 어두워지는. 이제 자신에게
정년과의 시간이 얼마 안 남았음을
느끼고 가슴이 뻐근한.

---

#27 매란국극단 일각. 밤

정년, 걸어가는데 주란, 뒤쫓아
오는.

주란 (잠시 망설이다가 용기

내서) 정년아!

정년 (돌아보는)

주란 아까 정말 잘했어. 네가 해낼 줄 알았어.

정년 (쑥스러운) 뭘…… 아까는 고맙다. 덕분에 무사히 다 해냈어.

주란 아냐, 다 네가 잘한 거야. 다시 매란에 들어온 거 축하해.

정년 축하는 무신……
(어색해서 괜히 너스레) 아따, 이놈의 입단시험 아주 징해서도 두 번 다시 뛰쳐나가지 말아야 쓰겄어.

주란 그러게.

둘, 어색하게 웃는다. 아직은 애매한 둘 사이. 마음의 앙금이 완전히 가시지 않은 두 아이 사이에 잠시 어색하기 짝이 없는 침묵이 흐르는.

주란 (애써 웃는) 돌아온 거 축하한다고, 그 얘기 하고 싶었어.

정년 ……그래, 그라면 나 먼저 들어가보께. (가려는데)

주란, 어색해하며 돌아서는 정년을 보다가 이번이 정말 마지막 기회임을 직감하는.

주란 (있는 용기, 없는 용기 다 긁어모아 살짝 떨리는) 정년아, 잠깐만.

정년 (돌아보는)

주란 사실은…… 나, 너한테 꼭 할 얘기가 있어. 그때, 우리 오디숀 얘기,

정년 (아픈 데 덴 듯 순간 움찔) 인자사 뭔 그때 얘기를 한다고 그라냐. 괜찮해, 나 다 잊어부렀어. (황급히 가려는데)

주란 (애타는) 아니, 아니, 난 꼭 지금 해야 돼. 지금 아니면 나 말 못 할 거 같아.

정년 (심상찮은 기색에 주란 보는)

주란 (있는 용기를 다 끌어모아 힘겹게) 그때 너랑 못 하겠다고 한 거, 그리고…… 너한테 의지할 수 없다고 한 거, 진심이 아니었어.
정년 (가슴이 쿵 내려앉아 주란을 보는)
주란 내가 스스로 연기에 자신이 없었던 걸 네 탓을 했던 거야. (떨리는) 미안해, 네 문제가 아니라 내 문제였어.

주란의 진심을 알고 나니 마음의 응어리가 스르르 풀리는 정년. 괴로워하는 주란을 안쓰럽게 보는 정년.

주란 그치만 그건 알아줘. 나 사실…… 너랑 정말 하고 싶었어.
정년 (어색해서 능치듯이) 인자 와서 나 달래주겄다고 맘에도 없는 소릴,
주란 아냐, 진짜야. 영서가 내 완벽한 파트너였던 건 맞지만…… 내가 뭘 연기하고 있는지 잊어버릴 정도로 심장을 뛰게 만들었던 건…… 너였어.

정년, 그 말에 가슴이 내려앉으며 완전히 풀려버리는.

주란 그래 놓고는 너하고 하면 내 연기가 흔들려버릴까 봐 네 탓을 했어. 네가 날 평생 미워한대도 할 말 없어…….
정년 (눈물 왈칵 솟아나는) 야이 가시나야, 어째 이라고 답답하냐. 내가 네 잘못 아니라고 몇 번이나 말했냐. 내 목 그렇게 된 거 너 때문이라고 생각한 적 진짜 한 번도 없었다. 아, 그라고 내가 널 어떻게 미워한대. 나 이 국극단 처음 들어왔을 때 제일 먼저 웃어준 것이 너였는디.

주란, 가슴이 내려앉는다. 정년의

말에 눈물 고여서 애써 웃어 보이는 주란. 그런 주란을 보고 눈물 고여서 웃는 정년.

정년 아까 말이여, 사람들 앞에서 오랜만에 소리를 할란께 심장이 벌렁벌렁함서 손도 떨리고, 목소리도 겁나게 떨려불드라. 근디 너랑 눈이 딱 마주친께 그라던 것이 딱 멈춰부렀어. 주란이 네가 봐주고 있다고 생각한께 더 이상 떨릴 것도, 겁날 것도 없드라. 그래서 말이여, 작은 소원이 있는디…… (간절한 소망과 설렘을 담아) 앞으로도 오늘처럼 계속 내 옆에서 지켜봐줘.

주란 (울컥해서 정년 보는)

정년 아마도 제일가는 소리꾼은 될 수 없겄제. 그래도 노력하면 제일가는 국극배우는 될 수 있어. 너한테 약속할게. 나 뭔 일이 있어도 국극 계속할 거여. 무르팍이 백번 꺾이든, 천 번을 꺾이든 악착같이 다시 일어나서 해낼 거여. 그란께 너도 내가 어떻게 해내는지 끝까지 봐야 쓴다이.

주란, 가슴 먹먹해서 정년을 보다가 차마 입 밖으로 대답도 하지 못하고 간신히 고개만 크게 끄덕인다. 정년, 그제야 안심한 듯 표정 조금 밝아지는. 주란, 더더욱 말할 수 없는 무거운 비밀과 정년에 대한 깊어지는 마음 사이에서 흔들린다. 정년, 이제 주란과 사이 완전히 회복했다, 안심하며 주란을 본다. 둘, 서로 각기 다른 생각을 품고 그렇게 서로를 보는.

---

### #28 매란국극단 단장실 안. 낮

소복과 용근과 수연, 상의한다. 소복, 아프기 전으로 돌아간 변함없는 모습.

소복　생각해봤는데 〈신라의 여왕〉은 아무래도 무리일 거 같아요. 세트를 아무리 줄여서 짓는다고 해도 힘들 거예요.

수연　잘 생각하셨습니다. 계속 〈신라의 여왕〉을 고집하시면 어쩌나 고민했는데.

소복　그런데 다른 걸 하자니 권영섭 선생님은 더 이상 국극 대본을 안 쓰시겠다고 하고, 다른 각본가 선생님들도 부탁드려 봤는데 영화 시나리오를 쓰시겠다고 하고요. (고민하는) 기존에 했던 공연을 재탕하고 싶진 않은데…… 쉽지 않네요.

용근　(조심스럽게) 요새 애들끼리 고민하는 대본이 하나 있는 거 같던데요. 혹시…… 〈쌍탑전설〉 기억나세요?

소복　〈쌍탑전설〉이요? 그거 너무 실험적이어서 포기했던 건데요.

용근　예, 하지만 신선하고 인상적이기도 했습니다.

소복　그건 알지만…… 실험적이라는 건 그만큼 위험하단 뜻이기도 해서……. (고민에 잠기는)

수연　다른 건 크게 문제되지 않아요, 문제는 후반부예요.

용근　맞습니다, 광기에 찬 예술가를 연기해야 하는데…… 어지간한 배우들은 다 나가떨어질 거예요.

용근, 수연　(고민하는 소복을 지켜보는)

소복　(생각에 잠겼다가 결심하는) 해봅시다. 지금의 정년이나 영서라면 해낼 수 있을지도 몰라요.

---

**#29 매란국극단 연습실 안. 낮**

〈쌍탑전설〉 대본을 보며 고민하는 아이들.

도앵　〈쌍탑전설〉은 기본적으로

사랑 이야기라고 생각하면 돼. 아내 아사녀를 다시 만날 날을 꼬박꼬박 기다리며 탑을 짓던 석공 아사달. 아사달의 재능을 질투하지만 동시에 그의 재능을 아끼는 동료 석공 달비, 이 세 사람에 관한 이야기야. 어때, 너네들은 이거 무대에 올릴 수 있겠어?

정년 지금까지 봤던 대본들하고는 확실히 다른디 그래서 더 좋아요. 니마이가 왕자도, 영웅도 아니고 평범한 석공이라서 더 좋은디요.

영서 (정년 향해) 근데 지금까지 못 봤던 대본이란 건 반대로 말하면 관객들이 낯설게 받아들일 수 있단 얘기잖아.

원철 그래, 국극 보러 오는 사람들 기대치가 있잖아. 왕자 공주 얘기, 권선징악, 이런 거.

초록 아, 왕자 공주 애기 지금까지 질리게 했잖아. 근데 결국 관객들 지겹다고 점점 안 오고 있고.

필순 야, 지겨워도 계속한 이유가 뭔데. 지금까지 계속 통했단 애기잖아. 관객들은 결국 〈춘향전〉 같은 익숙한 걸 찾게 돼 있어.

정년 (고개 젓는) 지금 매란 끝났다고 생각하는 관객들한테 거 아니라고 보여줘야 쓴디 골백번 했던 〈춘향전〉, 〈심청전〉으로 승부를 보겄다고? (고개 젓는) 그것은 아니제. 아, 새로운 얼굴들로 인사를 드릴라면 새로운 극으로 시작해야 맞는 거여.

아이들, 왁자지껄. "정년이 말이 맞아" "무슨 소리야, 관객들은 〈춘향전〉, 〈심청전〉 보고 싶어서 국극을 찾는 거라고!" "야, 나도 〈춘향전〉, 〈심청전〉 지겹다!" "넌 지겨워도 관객들이 좋아한다니까?" 도앵, 그런 아이들 지켜보며 고민에 잠기는.

정년　(아이들 향해) 야야! 좀 조용히들 해봐! (도앵 향해) 선배는 어떤 걸 하는 게 맞다고 생각하시는디요?
도앵　내 생각엔…… (결심한 듯 아이들 향해) 〈쌍탑전설〉을 해야지. 이건 새로운 매란을 온 세상에 알리는 공연이야. 정년이 말대로 한 번도 본 적 없는 새로운 공연을 올리는 게 맞아.

조용해진 아이들, 도앵의 말에 생각에 잠기는.

영서　그러다 실패하면요? 이건 시작부터 위험부담을 안고 시작하는 거잖아요.
정년　뚜껑 열기 전부터 성공이 보장된 작품이 어딨대. 인자 우리도 껍딱 깨고 나와야제, 안 그냐?

영서, 정년을 본다. 정년의 확신에 찬 눈빛.

영서　(잠시 고민하다가) ……좋아.
정년　(표정 환해지며 아이들 보는) 느그들 생각은 어때?

아이들, 고개 끄덕이며 "나도 하고 싶어!" "나도!" 하는. 신이 난 아이들과 밝은 정년을 보며 표정 어두워지는 주란.

---

#30 양장점 안. 낮

주란, 한복에 면사포를 쓰고 나온다. 기다리고 있던 주란 모, 만족한 듯 고개 끄덕인다. 주란 모, 주란 쪽으로 와서 이리저리 뜯어보는. 주란은 자포자기한 듯 생기 없는 얼굴.

주란 모　됐다, 아주 고와.
주란　…….
주란 모　넌 얼마나 복 받았니.

신랑이 이렇게 면사포까지 씌워서 성대하게 결혼식도 올리겠다고 하고.

잔뜩 들뜬 주란 모에 대비돼서 가라앉아 보이는 주란.

주란 모　국극단에 그만둔다고 말은 했니?
주란　……아니.
주란 모　결혼 날짜까지 나온 마당에 언제까지 미루려고. 결혼 전부터 시댁에 밉보일 생각 말고 하루라도 빨리 짐 정리해서 나와.

주란, 표정 없이 허공을 보는.

---

#31 매란국극단 연습실 안. 밤

정년, 홀로 〈쌍탑전설〉 대본을 보고 있는. 주란, 그런 정년을 마음 아프게 보다가 연습실 안에 들어간다.

주란　(아무 일 없는 듯 평소처럼 밝게) 뭐 해?
정년　어, 왔냐. 새로 받은 대본 보니라고.
주란　〈쌍탑전설〉?
정년　응, 재미지네. 근디 대본이 너므 슬퍼. 아사달도, 달비도, 아사녀도, 누구 하나 안 불쌍한 사람이 없어야.
주란　아사달로 오디숀 볼 거지?
정년　응. 그래야제. 넌 아사녀로 볼 거제? 그래야 너랑 나랑 한 무대에서 같이 연기를 할 거 아니냐. 너 나랑 한 약속 잊어불면 안 된다이, 알았냐.

주란, 그 말에 울컥해서 정년을 보는.

정년　나 말이여, 매란의 왕자가 될 거여. 그란께 인자부터 네 도움이 꼭 필요해.
주란　내 도움?

정년 아, 왕자 혼자 연기할 수 있겄냐. 공주가 옆에서 딱 호흡을 맞춰줘야제.

주란 (가슴이 꽉 막히는 듯한. 눈물을 참고 정년을 보는)

정년 물론 왕자 되긴 쉽지 않을 거여. 영서랑 죽자고 싸워야 되니께. 고 가시나가 그새 또 실력이 허벌라게 늘었을 것인디. (투덜대는)

주란 (애써 눈물을 참고) 정년아. 나 너한테 부탁 하나 있는데. 지금 나랑 〈쌍탑전설〉 연기해보자.

정년 지금? 그래, 해보자. 뭔 장면 해볼까?

주란 아사달의 꿈 장면. 죽어가는 아사녀가 아사달의 꿈에 나오는 장면 해보고 싶어.

[시간 경과]

주란(아사녀), 정년(아사달)에게서 좀 떨어져 등지고 서 있다. 주란, 돌아서다가 정년을 발견하고 반가움에 어쩔 줄 몰라 한다.

주란 아사달 님!

정년 (역시 기쁨에 얼굴이 환해지는) 아사녀!

둘, 한달음에 달려가 포옹한다. 정년, 주란의 얼굴을 애틋하게 보는.

정년 어여쁜 아사녀! 얼마나 당신이 그리웠는지 모르오.

주란 (기쁨에 차서) 아아, 아사달 님! 아사달 님을 다시 만나니 저는, 이 아사녀는,

주란, 기쁨에 차서 정년을 보다가 서서히 표정이 어두워지며 말을 잇지 못한다.

정년 (의아한) 아사녀, 이 좋은 날에 어찌 얼굴에 수심이 가득한 게요.

주란 (애써 밝게) 낭군님을 다시 만나니 반가움에 목이 메어 그렇습니다.

정년 (안쓰러운) 아아, 아사녀. 가여운 나의 아내!

정년, 주란의 얼굴을 애틋하게 어루만진다. 주란, 정년의 손길에 가슴이 후드득 떨어지는 듯한.

주란 아사달 님, 부디…… 저를 찾아와주세요.

정년 (의아한) 아니, 그게 무슨 소리요, 우리는 이미 만났는데…….

주란 (고개를 젓는) 아사달 님이 오실 때까지 이 아사녀는 오매불망 기다리고 또 기다리겠습니다. 그러니 꼭,

하다가 목이 메는 주란. 주란, 연기를 더 이어가지 못하고 눈물을 떨군다. 주란, 울음을 참으려 하지만 그럴수록 더 눈물이 나는.

정년, 연기가 아님을 느끼고 의아해서 주란을 본다.

정년 주란아…….

주란 (얼른 눈물을 닦는, 눈물범벅이 된 얼굴로 애써 웃는) 어떡하지, 나 너무 아사녀에 빠졌나 봐. 내 연기 괜찮았지.

정년 (영문 모른 채) 야, 괜찮은 정도가 아니여. 아주 아사녀가 대본 뚫고 나온 줄 알았다. (좋아하는) 우리 주란이 언제 또 연기가 이라고 늘어부렀다냐.

정년, 아무것도 모른 채 해맑게 웃고 주란, 애써 웃어주지만 이제 정년과 함께하는 시간이 마지막을 향해 달려가고 있음을 알기에 가슴이 미어지는.

---

#32 매란국극단 일각. 밤

주란, 정년과 함께 샀던 브로치를 만지작거린다. 브로치를 보는

주란의 눈빛, 한없이 처연하다.
이제 더 이상 미룰 수 없는 주란,
결심을 하고 눈빛이 단호해진다.

---

### #33 매란국극단 대연습실 안. 낮

소복, 단원들에게 이야기한다.

소복 〈쌍탑전설〉 대본은 한 명도 빠짐없이 다 받았지?
단원들 네!
소복 이번 공연은 공연 날짜까지 시간이 부족하니까 아사달, 아사녀 역할만 오디숀을 봐서 정하고 나머지 역할은 나랑 도앵이가 상의해서 정하도록 하겠다.
단원들 네!
소복 그럼 2주 후에 아사달 오디숀을 보도록 한다.
누구든지 오디숀 보고 싶은 사람은 도앵이한테 말하면 된다.
초록 단장님, 시간도 없는데 우리 압축시켜서 봐요. 어차피 아사달 연기할 수 있는 사람은 지금 정년이랑 영서밖에 없는데요.
복실 맞아요, 정년이랑 영서가 맞붙어야 구경하는 저희도 재밌어요.

단원들, 맞아요, 맞아요, 하는.

소복 (웃는) 그래? 그럼 아사달 역에는 정년이랑 영서가 보기로 한다. (정년과 영서 보는) 어때, 2주 안으로 준비할 수 있겠지?
정년, 영서 네.
소복 자, 그럼 아사녀 역은,
복실 이것도 압축시켜서 봐요, 단장님. 주란이랑 초록이로요.
소복 그래? 주란이랑 초록이도 동의하니?
초록 네! 전 좋습니다.
소복 주란이는?

아이들, 주란의 대답을 기다린다.

주란, 대답하지 않고 무표정하게 앉아 있는. 정년, 의아하게 주란을 보는.

소복 왜, 준비할 시간이 너무 짧아서 그러니?
주란 그게 아니고 저…… (결심하고 소복을 보는) 단장님, 저 오디숀을 못 볼 거 같습니다.

아이들, 놀라는. 정년과 영서, 놀라서 주란을 보는.

소복 (의아한) 왜? 무슨 일 있니?
주란 저…… 곧 국극단을 그만둬야 할 거 같아요.

순간 찬물 뿌린 듯 조용해지는 연습실 안. 다음 순간, 아이들 "그만둔다고?" "왜 그만두는데?" 왁자지껄 시끄러워지는. 정년, 충격받아서 그대로 굳어버린. 영서, 놀라서 주란을 보다가 다음 순간 정년을 보는. 정년, 표정 새하얗게 질려서 주란을 보고 있다. 무표정하게 앉아 있는 주란, 그 누구도 보고 있지 않은.

소복 (당황해서) 국극단을 그만두겠다니…… 왜?
주란 저 곧 결혼해요.

아이들, 주란의 연이은 폭탄선언에 놀라서 수군거리고 충격받은 정년, 주란을 뚫어져라 본다. 주란, 그제서야 무표정한 얼굴로 정년을 본다. 그 어느 때보다 차게 가라앉아 있는 주란과 그런 주란을 충격과 배신감으로 보는 정년.

---

#34 매란국극단 단장실 안. 낮

소복과 주란, 이야기하는.

소복 결혼이라니, 갑자기 무슨 소리야. 그동안 결혼 얘긴 전혀 없었잖아.

주란 얼마 전에 결정됐어요.

소복 (당혹스러운 한숨) 그래, 좋아, 결혼할 수 있지. 근데 꼭 이렇게 오디숀도 안 보고 그만두기까지 해야 하니? 이번 공연까지 하고 그만둬도 되잖아.

주란 아뇨, 저…… 이번 주 안으로 그만두겠습니다.

소복 (놀라서 주란을 보는) 그렇게 빨리?

주란 ……시댁에서는 결혼하고 나면 제가 내조에만 신경 쓰길 바라세요. 친정에서도 마찬가지고요.

소복 그건 어른들 생각이고, 네 생각은? 네 앞날, 네가 선택해야 후회가 없을 거 아니니.

주란 (담담한 미소) 매란국극단에서의 제 시간은 끝났어요. 이제부턴 저에게 주어진 현실을 살아가려고요. 이게…… 제 선택이에요.

소복, 그 말이 무엇인지 알기에 더 이상 말릴 수 없는. 심란하게 주란을 보는 소복. 주란, 애써 웃어 보이지만 이내 표정 어두워지는.

---

**#35 매란국극단 일각. 낮**

주란, 걸어 나오는데 정년, 화가 나서 굳은 표정으로 앞을 가로막는.

정년 너 지금 뭐 하냐?

주란 (담담히 정년을 보는)

정년 결혼은 뭐고, 국극단 때려치우겠다는 건 뭐여! 참말이여? 니 국극 완전히 그만둔다고?

주란 ……그래.

정년 나 서울 올라온 뒤로 계속 이상하게 굴었던 것이 이거 때문이었구만.

정년, 분노와 배신감으로 주란을 본다. 주란, 아프게 정년을 보는.

정년 너한티는 국극이 그것밖에 안 되는 거였어? 한철 불장난한 것처럼 이라고 쉽게 때려치우고 나가버리겄다고?

주란 (힘겹게) 이것밖에…… 방법이 없어.

정년 (더 화나는) 왜 이 방법밖에 없는디? 네 남편 될 사람이 당장에 때려치우지 않으면 결혼 안 하겄다고 협박이라도 하냐?

주란 그런 거 아니야.

정년 그런 거 아니면! 결혼이 뭣이 급하다고 이러냔 말이여! 안 돼, (주란 잡아끄는) 가! 가서 나랑 오디숀 준비해.

주란 (울 것 같은 목소리로) 나도 버틸 만큼 버틴 거야.

정년 (움찔해서 주란을 보는, 주란을 잡은 손에서 힘이 빠지는)

주란 그 사람이랑 결혼하면…… 우리 언니 병원비랑 약값을 평생 책임져 준다고 했어. 정년아, 나 더 이상 우리 집 외면하고 살 수가 없어.

주란, 눈물 흘리는. 정년, 그런 주란을 보다가 눈물 고이는.

정년 그럼 나는?

주란 …….

정년 나랑 약속했잖애. 언젠가 나는 남자 주인공으로, 너는 여자 주인공으로 한 무대에 서자고 약속하고 맹세하고 했냐 안 했냐! 네가 먼저 몇 번을 그래놓고 인자 와서 뭐 하는 거여!

정년, 배신감과 아픔으로 뒤범벅돼서 주란을 보는. 주란, 그런 정년을 보며 눈물 흘리는. 정년, 원망스럽게 주란을 보다가 돌아서서 가버리는. 주란, 그런 정년을 가슴이 미어져서 보는.

---

**#36 매란국극단 마당. 밤**

주란, 어두운 표정으로 밤하늘을 올려다보는데 영서, 심란하게 그런 주란을 보다가 다가가는.

영서　언제 떠나는 거야?
주란　내일 새벽에 애들 일어나기 전에 나가려고.
영서　그렇게 빨리……? 너 꼭 이렇게 그만두기까지 해야 돼?
주란　(영서 보는)
영서　이번 공연까지라도 하고 가면 좋잖아.
주란　시간 끌어 봤자…… 미련만 생기잖아. (쓸쓸하게 웃는) 몰랐는데…… 나 원래 이렇게 독했었나 봐.
영서　(물끄러미 주란을 보는) 독해서 그런 거 아니잖아. 너 시간 끌다가 맘 약해질까 봐, 그래서 도망가는 거잖아.

자신의 마음 꿰뚫어 보는 영서 말에 눈물 고이는 주란.

주란　영서야, 너 덕분에 최고의 연기를 할 수 있었어. 너 아니었으면 그런 연기 할 수 없었을 거야.
영서　(눈물 고여 주란 보는) 나야말로…… 고마웠어. 너 때문에 연기는 혼자 하는 게 아니란 걸 알았어.
주란　(눈물 고여 웃는)
영서　고마워, 주란아. 넌 내 최고의 상대역이었어.

영서, 울지 않으려고 하지만 뜨거운 것이 울컥 치밀고 올라와 기어이 눈물 흘린다. 그런 영서를 위로하듯 안아주는 주란. 울지 않고 그저 영서를 다독이듯 안아주는. 주란을 마주 안는 영서. 그렇게 마지막 인사를 하는 두 사람.

---

**#37 매란국극단 정년 방 안. 밤**

정년, 맹렬히 대본을 보고 있다.

주란이고 뭐고 다 잊겠다는 듯
대본만 보고 있는 정년. 영서,
들어온다.

영서 주란이, 내일 새벽에 떠날
거래.
정년 (멈칫하는)
영서 연습실에서 기다릴 거래.
가서 얼굴이라도 한번 봐.
그래야 너도, 주란이도 마음
편해지지 않겠냐.

정년, 잠시 눈빛 흔들리다가 다시
대본 보고 영서, 그런 정년을
안타깝게 보다가 방을 나간다.
정년, 눈에 들어오지도 않는
대본을 보다가 성질나는. 대본을
탁 덮는 정년. 주란에 대한 원망과
이제는 두 번 다시 볼 수 없을 거란
막막함이 뒤섞여 복잡한 기분.
주란을 보러 갈 수도, 안 갈 수도
없어 마음이 갈팡질팡한, 미치겠는
정년.

#38 매란국극단 연습실 안. 밤

주란, 정년을 기다린다. 열심히 문
쪽을 기웃거리지만 정년은 보이지
않는. 주란, 쓸쓸한 표정.

---

#39 매란국극단 연습실 안. 새벽

창밖이 어스름하게 밝아져 온다.
주란, 팔에 얼굴 묻고 있다가
고개를 든다. 고요한 주변. 주란,
결심한 듯 일어난다.

---

#40 매란국극단 정년 방 앞. 새벽

주란, 정년 방 앞에 코티분 한 통과
쪽지 한 장을 쥐고 선다. 주란,
쪽지를 펼쳐서 본다. '정년아,
잘 있어. 최고의 국극배우가
되길.' 주란, 코티분과 쪽지를
내려놓는다. 발걸음이 쉽게
떨어지지 않아 망설이며 방문을
보던 주란, 결국 그 앞을 떠나는.

#41 매란국극단 대문 앞. 새벽

주란, 짐 가방을 들고 대문을 나선다. 주란, 몇 걸음 떼는데 끼익 뒤쪽에서 문 열리는 소리가 들린다. 주란, 놀라서 돌아본다. 주란, 이내 눈빛이 떨려온다. 코티분과 쪽지를 쥔 정년이 정신없이 쫓아 나와서 숨을 몰아쉬며 서 있는. 정년, 주란 쪽으로 다가온다. 한숨도 못 잔 듯한 수척하고 초췌한 정년의 얼굴. 정년, 냉정해져야지, 흔들리지 말아야지, 단단히 마음먹고 주란에게 다가오는.

정년 (일부러 무뚝뚝하게) 쪽지 한 장 달랑 써놓는 게 인사대.

주란 (정년을 보고 눈물 참으며 웃는다)

정년 (어이없는) 왜 웃냐.

주란 (진심으로 안도하는) 다행이야, 너 얼굴 보고 갈 수 있어서.

정년 (불퉁하게) 니 보고 잡아서 나온 거 아니다. 너 가는 걸 내 눈으로 봐야 깔끔하게 잊어불 거 같아서 나온 거여.

주란 (정년의 아픈 속마음 알겠는) 그래, 알아.

정년 (외면하는) 잘 살라는 말 같은 건 못 해줘. 넌 맘 편해지면 안 되니까.

주란 …….

정년 그라면 나 같은 건 금세 잊어불 거 아니여.

주란 (울컥하는)

눈이 시뻘게져서 울려고 하는 주란을 보자 정년, 침착하게 굴려던 거 다 잊어버리고 덩달아 울컥하는.

정년 (안 울려고 되레 화내는) 맞잖어, 여기서 있었던 일도, 나도 다 잊어불고 그라고 살 거자네!

주란 (고개 젓는) 아니야. 절대

아니야.

정년 아니긴 뭐가 아니여. 인자 네 말은 콩으로 메주를 쑨다 해도 안 믿어.

말은 매정하게 하지만 정년, 금방이라도 울 것 같은 서러운 눈. 주란, 그런 정년을 보고 마음이 찢어질 듯 아파 눈물 흘린다. 정년, 주란이 울자 더 미치겠는.

정년 옘병…… 이 나쁜 가시나야! 너 진짜……. (말 못 잇고 울음이 치밀어 올라서 목이 꽉 막혀버리는)

정년, 어떻게든 울지 않으려고 필사적으로 울음 참지만 눈물이 흘러내린다. 주란, 그런 정년을 끌어안는다.

주란 정년아, 넌 다 잊어버리고 살아도 돼. 대신 내가 다 기억할게. 평생 맘 불편하게 살게. 너 생각할 때마다 맘 아파하면서 살 거야.

정년 (눈물 하염없이 떨어지는, 차마 주란을 마주 안지도 못하는)

주란, 몸 떼고 정년을 본다. 한없이 흔들리면서 정년을 뚫어져라 보는 주란의 애절한 눈빛.

주란 (떨리는 목소리로) 잘 있어, 정년아. 내 하나뿐인 왕자님.

정년 (심장이 멎을 듯 눈앞이 아찔하다)

주란, 떨리는 눈으로 정년을 보다가 입을 맞춘다. 처음이자 마지막, 한없이 떨리고 애달픈 입맞춤. 정년, 이 입맞춤을 마지막으로 두 번 다시 주란을 못 본다는 것을 알기에 가슴이 저미는 듯한. 주란, 잠시 정년을 보다가 돌아서서 간다. 정년, 차마 아무 말도 하지 못하고 붙잡지도

못한 채, 발에 뿌리내린 듯 꼼짝
않고 서서 주란의 뒷모습을 멍히
본다. 주란, 돌아보지 않고 그대로
멀어지는. 정년, 그런 주란을
보면서 심장 한쪽이 떨어져
나가는 것 같다. 정년, 고통스럽게
흐느끼는 데서 11부 엔딩.

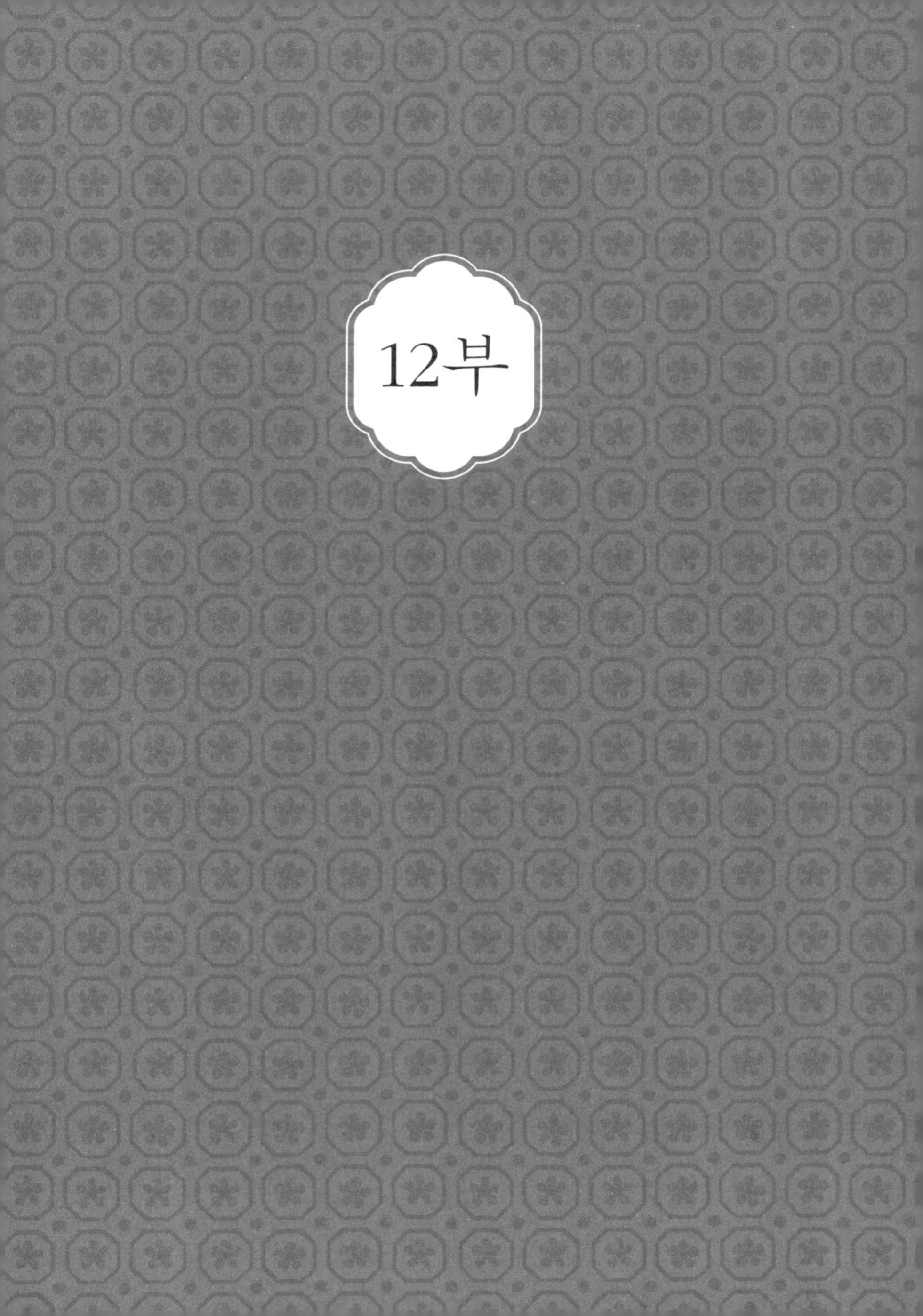

# 12부

(정년) 먹고살기만도 쎄가 빠지게 힘든 세상에
별천지나 쫓겠다고 하면 미쳤다고
할지도 모르지만…… 근디 저한테는
그 별천지가 고단한 바깥세상을
버티게 해주는 꿈이어라.

#### #1 매란국극단 정년 방 안. 새벽

정년, 이불 위에 오도카니 쪼그리고 앉아 끝도 없는 상념에 잠겨 있는. 주란을 잃은 충격과 슬픔에서 헤어나지 못한 듯 반쯤 넋 나간 표정. 정년, 손안에 주란이 준 브로치를 쥐고 무의식적으로 만지작거리는. 정년, 창밖이 밝아오는 것을 멀거니 본다. 눈 감고 자는 척하고 있던 영서, 슬며시 눈을 뜨고 그런 정년을 보는. 떠난 주란 때문에도, 상심하고 있는 정년 때문에도 심란한 영서.

#### #2 매란국극단 연습실 안. 낮

정년과 영서를 비롯한 단원들, 연습하려고 모여 있다. 소복, 들어온다. 소복 눈길이 자연스럽게 주란의 빈자리에 멎는다. 영서, 소복 눈길 따라가다가 표정 어두워지는. 정년, 표정 변화 없이 주란의 빈자리를 외면하듯 앞만 보고 있는.

소복 아사녀 역할은 모두의 의견대로 초록이가 하기로 한다. 초록이, 준비 철저히 해야 한다, 알았지?

초록 네.

소복 윤정년, 허영서, 이번 오디숀은 내가 장면을 정해주지 않을 거니까 너희들이 원하는 장면을 각자 정해서 연기하면 된다.

정년 둘이 같은 장면을 연기할 수도 있는 거지요이?

소복 그렇지. 너희들이 가장 잘할 수 있는 연기를 보고자 함이니까 신중하게 잘 선택하도록 해.

정년 네.

영서 (반박자 느리게) 네.

소복 우선 목부터 풀어보자.
누가 선창할래?

정년 제가 하겠습니다.

소복 그래, 시작해라.

정년 (광대가 부르는) *광대라 하는 것은 제일은 인물치레,*

단원들 *광대라 하는 것은 제일은 인물치레,*

정년, 아무 일 없었다는 듯이 열심히 선창하는. 영서는 소리하는 건 건성이고 딴생각에 골똘히 잠겨 있는.

---

#3 매란국극단 연습실 안. 밤

정년, 대본을 홀로 읽으며 연습한다.

정년 아사녀! 어여쁜 아사녀! 얼마나 당신이 그리웠는지 모르오.

하다가 멈칫하는 정년.

[플래시백 - 11부 #31]
연습 때 정년을 보며 눈물을 흘리던 주란.

정년, 주머니 속의 브로치를 꺼내서 본다. 브로치를 보는 정년의 표정, 눈이 금방이라도 울 것 같다. 정년, 갑자기 화가 치밀어 오르는. 정년, 브로치를 창밖으로 집어 던져버린다. 정년, 다시 연습하는.

정년 아사녀, 이 좋은 날에 어찌 얼굴에 수심이 가득한 게요.

하다가 정년, 연습을 뚝 멈춰버린다. 정년, 안 되겠다 싶어 연습실에서 뛰쳐나간다.

### #4 매란국극단 마당. 밤

정년, 브로치를 찾아 마당 여기저기를 미친 듯이 찾아 헤매는. 영서, 그런 정년을 멀찌감치서 심란하게 보다가 자기 손안에 있는 브로치를 본다. 영서, 잠시 고민하다가 정년에게 다가간다. 정년, 영서를 본다.

영서　너한테 돌려주는 게 맞는 건지 나도 모르겠는데……
(한숨 쉬고 브로치 건네는) 여기.
이거 찾는 거지?
정년　(브로치 받는 손이 떨린다)
영서　(안쓰럽게 정년을 보는)

정년, 그동안 참았던 눈물이 터지며 흐느끼는. 영서, 마음 아파서 그런 정년을 본다.

---

### #5 매란국극단 일각. 낮

도앵, 걸어가는데 건물을 둘러보는 고 부장이 보인다. 도앵, 표정 굳어서 다가간다.

도앵　당신이 여긴 무슨 일이야.
고 부장　곧 내 건물이 될 거니까 슬슬 봐둬야지. (얄밉게) 관리는 잘하고 있나…….
도앵　무슨 헛소리야! 단장님은 파실 생각이 없는데!

영서, 지나다가 그들을 본다.

고 부장　지금은 팔 생각이 없어도 곧 넘기게 돼 있어.
도앵　(분노로) 당장 나가!
단장님이 당신을 용서해서 신고 안 한 줄 알아? 경찰 부르기 전에 빨리 나가!
고 부장　(실실 웃는) 신고해.
지금 내가 없어지면 너희 건물 사줄 마지막 구세주도 사라지는 거야. 빚까지 잔뜩 낀 이 건물을 사줄 사람이 또 있을 거 같아?

도앵, 굳어버리는. 영서, 놀라는.

고 부장 강 단장한테 시간 너무 질질 끌지 말라고 해. 홍매 그렇게 참을성 좋은 사람이 아니니까.

고 부장, 자리 뜬다. 도앵, 비참한……. 영서, 지켜보고 있다가 도앵에게 다가오는.

영서 이게 다 무슨 소리예요? 건물을 넘기다뇨?
도앵 넌 알 거 없어.
영서 말씀해주세요, 건물을 넘길 정도면 지금 심각한 거잖아요!
도앵 (한숨)
영서 저번 합동공연 때 생긴 빚 때문에 그러는 거죠?
도앵 ……저번 합동공연 때 적자 난 걸 다 끌어안아서 빚을 많이 졌어. 어떻게든 〈쌍탑전설〉 제작비라도 구하려고 하는 중인데 쉽지 않을 거 같아. 이미 소문이 나서 투자자들이 단장님을 만나줄 생각도 안 해.
영서 (충격받아 멍해지는) 그 정도인 줄은 몰랐어요.
도앵 단장님하고 나만 알고 있었던 얘기야. 단장님 내색하지 않으려고 많이 애쓰고 계시니까 너도 모르는 걸로 해. (안심시키는) 걱정 마, 단장님께서 무슨 수를 써서든 공연은 올리실 거야.

영서, 고민하는. 그때 복실이 달려온다.

복실 도앵 선배! 큰일 났어요!

---

**#6 매란국극단 휴게실 안. 낮**

남자 몇 명이 여기저기 가구며, 텔레비전을 빼 가는. 빚쟁이가 버티고 서서 이걸 빼 가라, 저걸 빼 가라 지시하고 있다. 단원들, 겁에 질려 웅성거리며 지켜본다. 정년, 심상찮은 분위기에 다가와서 보다가 깜짝 놀라는.

정년 (가구 빼 가는 남자를 가로막으며) 시방 뭐 하요?

빛쟁이 저리 안 비켜!

정년 (빚쟁이에게 다가가) 당신 뭐요!

빚쟁이 너네 단장한테 가서 물어봐.

정년 (화가 나서) 여기가 어딘 줄 알고 이런 식으로 쳐들어와서,

소복 정년아, 비켜줘라.

정년, 보면 소복이 참담한 얼굴로 서 있는.

정년 (반발하는) 단장님.

소복 비켜줘.

정년, 할 수 없이 마지못해 비켜선다. 물건들을 실어 나가는 남자들. 영서와 도앵, 달려온다. 영서, 엉망진창인 휴게실 안을 충격받아서 보는. 빚쟁이는 소복을 위아래로 못마땅하게 훑어보고 나간다. 소복, 꼿꼿이 서 있지만 속은 말이 아닌. 정년과 영서, 참담한 기분으로 그런 소복을 보는. 영서, 결심한 듯 돌아서서 어딘가로 간다. 다른 애들은 웅성거리고 눈치 보며 자리를 뜬다. 도앵도 울컥해서 돌아서서 가는. 정년만이 남아서 소복을 지켜본다. 정년, 처참한 기분으로, 하지만 외면하지 않고 무너지기 직전의 고목 같은 소복을 보는.

---

**#7 매란국극단 대문 앞. 밤**

정년, 무력감과 좌절감에 대문을 나서는데 여학생 1, 2, 3과 마주친다.

여학생1 어, 정년 언니! 연습

안 하고 어디 가요! 〈쌍탑전설〉 한다면서요.

정년 (피하고 싶어서 건성으로) 어, 담에 얘기하자잉. (자리 뜨려는데)

여학생1 (지들끼리 한껏 들떠서 안 듣는) 우리 〈쌍탑전설〉 잔뜩 기대하고 있어요!

여학생2 (신나서) 저두요! 새로운 왕자님이 탄생할 거잖아요!

정년 (멈칫해서 보는)

여학생들 (기대에 차서 정년 보는)

정년 (당황) 새로운 왕자님…… 누구, 나?

여학생3 당연히 언니죠. 우린 방자전, 아니, 〈춘향전〉 때부터 언니의 떡잎을 알아보고 점찍어 놨어요. 이것은 아주 파릇파릇한 것이 새로운 왕자님의 떡잎이로구나. 우리 눈 정확하다고요.

여학생들, 반짝반짝 기대에 찬 눈으로 정년을 본다. 정년, 여학생들이 귀엽기도 하고 가슴 찡하기도 한.

정년 난 너네들 문옥경 없다고 이제 공연 안 보러 올 줄 알았어.

여학생1 에이, 우린 매란이 쌓아온 모든 걸 사랑한 거지, 문옥경만 사랑한 건 아니에요. 매란은요, 언제까지나 우리한테는 꿈일 거예요.

순간 머리 한 대 얻어맞은 듯 멍해지는 정년.

---

#8 영서 집 대문 앞. 낮

영서, 대문 앞에 서서 고민하다가 결심한 듯 벨을 누르려고 하는데 그 순간, 문이 열리더니 짐 가방을 든 영인이 나온다. 영서, 놀라서 영인을 본다.

영인 (반가운 듯 웃는) 엄마 만나러 왔니? 안 그래도 작별 인사하러 만나러 갈 참이었는데 잘됐네.

영서 작별 인사? 언니 어디 가? 그 짐은 다 뭐고?

영인 나 집 나왔다. 결혼할 거야.

영서 (놀라는) 결혼? 결혼할 남자가 있었단 말이야?

영인 응, 미국 가자마자 할 거야. 그리고 나, (잠시 사이) 성악도 그만둘 거야. 방금 엄마한테도 다 말씀드렸어.

영서 (입을 벌리고 멍하니 보다가) 아니, 이게 다 무슨…….

영인 나도 이제 엄마 뜻대로 살지 않을 거야. (피식 웃는) 원래 내가 먼저 말씀드리려고 했는데 네가 선수 칠 줄은 몰랐어.

영서 (얼떨떨) 어머니 지금 제정신 아니시겠네.

영인 한평생 엄마 뜻에 맞춰 살았어. 그 정도 충격은 알아서 감당하실 거야.

영서 ……그 남자 언니한테 잘해주긴 해?

영인 그럼, 좋은 사람이야. 내가 유명한 소프라노가 아니라 평범한 사람이 된대도 한결같이 날 사랑해줄 거야.

영서 난 언니가 항상 부러웠는데…… (왠지 눈물 날 것 같은, 뭐라 말할 수 없이 복잡하고 착잡한, 투정 부리듯) 애초에 나 판소리 시작한 것도 언니 때문이었단 말이야. 성악으로는 언닐 뛰어넘지 못할 게 뻔하니까.

영인 난 네가 항상 부러웠었어. 적어도 넌 네가 원해서 국극 하는 거였잖아. 예술은 너 같은 사람이 하는 거야.

영서 (일부러 퉁명스럽게) 나처럼 예술가입네, 자존심만 센 사람?

영인 아니, 너처럼 묵묵히

한 우물만 뚫을 줄 아는 사람.
예술가의 최고 경지는 너 같은
사람만 다다를 수 있는 거야,
내가 아니라.

영서, 울컥해서 영인을 본다. 영인, 동생을 향해 따뜻하게 웃어준다.

---

**#9 영서 집 거실. 낮**

기주, 기가 차서 영서를 본다.
영서, 차분한 얼굴.

기주 (어이없는) 두 번 다시 안 볼 것처럼 하고 나가더니, 기껏 와서 한다는 소리가 유산에서 네 몫을 미리 달라고?
영서 할아버지가 제 몫으로 남겨주신 유산이 있다고 들었어요. 지금 주셨으면 좋겠어요. (간절하게) 부탁드릴게요.
기주 (속이 확 뒤집히는) 이거는 뭐, 큰딸년이나, 작은딸년이나 타이밍 맞춰서 내 속을 뒤집기로 작당들을 한 건지. (잔뜩 독이 올라서) 너, 네 언니 결혼하는 거 알아, 몰라?
영서 방금 문 앞에서 만나서 들었어요.
기주 (분이 나서 미치는) 그래, 백번 양보해서 결혼은 그렇다 쳐. 뭐, 성악을 그만둬? 배은망덕도 유분수지…… 내가 너희들한테 뭘 그렇게 잘못했니! 다 너네들 잘되라고 한 거였잖아!
영서 …….
기주 (꾸역꾸역 참았던 게 폭발하며 설움 터지기 직전) 내가 어떤 심정으로 너네들을 키웠는데! 그 잘난 한기주, 그래 봤자 아들도 하나 못 낳고 기집애 둘만 낳았다고, (살짝 목메는) 그 죄인 취급 지긋지긋해서 더 기를 쓰고 너네들 키웠어! 열 아들 못지않게 키워냈단 소리

들으려고 최고급으로 먹이고 입히고, 최고로만 가르쳤다고! (눈물까지 글썽거리는) 근데, 근데 너희들이 날…….

영서 (냉정했던 영서, 바닥을 보이는 엄마를 서서히 가여움으로 보는)

기주 (부글부글) 돌아가! 돈 한 푼도 못 준다!

영서 저…… 쉽게 부탁드리는 거 아니에요.

기주 그래! 그러니까 더 못 주겠다고! 그 잘난 자존심 꺾어가면서 나한테 사정하고 있는 너 미워서! 매란국극단이 너한테 뭔데! (영서가 야속하고 원망스러운) 내 걱정은 하나도 안 되고, 오로지 피 한 방울 안 섞인 너희 단장만 걱정되니?

분노와 억울함, 설움에 차서 어쩔 줄을 몰라 하는 기주. 영서, 평정심을 완전히 잃어버린 기주의 절망을 조금은 알 것 같은. 영서, 연민으로 기주를 본다.

영서 (차분하게) 돈 주시면…… 어머니가 시키는 대로 할게요.

기주 (놀라서 영서 보는) 시키는 대로 하겠다니?

영서 매란을 나오라고 하면 나오고, 국극을 그만두라고 하면 그만둘게요.

기주 (놀라는, 반신반의하는) 진심이니?

영서 네, 이번 공연만 무사히 끝나고 나면 뭐든 할게요. 그러니까…… 부탁드릴게요.

기주, 분이 좀 가라앉아서 영서 보며 고민하는.

---

**#10 매란국극단 휴게실 안. 낮**

정년, 휴게실로 들어온다. 아까와는 달리 많이 차분해진 정년. 텔레비전이며 가구가 다 빠져서 휑한 휴게실 안은 남은 집기가 여기저기 뒤집어져서 난장판이다. 정년, 바닥에 떨어진 깨진 액자를 본다. 소복, 옥경, 혜랑, 도앵 등 매란국극단 원년 멤버들이 찍은 사진. 매란이 건재했던 그 시절, 돌아올 수 없는 황금기, 네 사람의 모습을 보던 정년의 눈빛이 잠시 흔들린다. 이 처참한 상황이 더 믿기지 않는. 하지만 깨진 액자 속의 사진을 보던 정년, 이내 눈빛이 차분해진다. 외면할 수도 부정할 수도 없는 매란의 위기, 차가운 현실을 직시하자 오히려 머리가 맑아지는 정년, 눈빛이 단단해진다.

---

### #11 매란국극단 단장실 안. 밤

소복, 빚쟁이들이 다 뒤집고 가서 엉망진창이 된 단장실을 울컥해서 둘러본다. 소복, 간신히 마음을 다잡고 엉망이 된 단장실을 치우기 시작하는데 영서, 들어온다.

영서 단장님, 드릴 말씀,
(하다가 단장실을 치우는 소복을 보고 놀라는) 단장님, 놔두세요. 제가 할게요.

소복 (계속 치우며) 괜찮아, 혼자 해도 된다.

영서 (그런 소복을 보며 울컥하는) 단장님, (간신히 마음 가라앉히고) 단장님, 저 드릴 말씀이 있어요.

소복 (영서 보는)

영서, 소복에게 돈이 든 봉투를 내민다. 소복, 놀라서 영서를 본다.

소복 너…… 이게 무슨 돈이야.

영서 어머니가 도와주셨어요.

소복 (도로 미는) 갖고 가라. 네 마음은 고맙다만 너까지 이럴 필요는 없어. (마음 아픈) 네 자존심에 이 돈을 어떻게 받아 온 거야.

영서 (간신히 웃는) 진짜

중요한 걸 위해서라면 제 자존심 같은 건 얼마든지 꺾을 수 있어요. 지금 제일 중요한 건 어떻게 해서든 공연을 올리는 거예요.

소복 (그 말에 가슴 내려앉아서 영서 보다가 손을 꼭 잡아주는) 영서야, 내가 약속하마. 공연 어떻게 해서든 올릴 거야. (봉투 영서 손에 쥐여주는) 그러니까 이 돈은 넣어둬.

영서 단장님, (더 설득하려는데)

소복 (고개를 저으며) 네 진심만으로도 이미 충분해. (눈물 고여서) 너희들까지 돈 걱정을 하면 안 되는 건데…… (애써 웃는) 걱정 마라, 어떻게 해서든 이 고비 넘길 테니까.

소복을 보는 영서 마음 찢어지고.

---

#12 매란국극단 단장실 밖. 밤

단장실 나서는 영서의 표정, 어둡기 그지없다. 결국 자신도 매란의 위기에 도움이 되지 못한다는 자괴감에 괴로운.

---

#13 매란국극단 휴게실 안. 밤

영서, 휴게실로 들어오는. 정년, 홀로 청소를 하고 있다. 많이 깨끗해진 휴게실 안. 영서, 정리를 하고 있는 정년을 보다가 거들기 시작한다. 둘, 아무 말 없이 묵묵히 청소를 하는. 그러다 영서, 울컥한다. 영서, 눈물이 뚝 떨어진다. 영서, 분노와 자괴감, 절망감에 견디기 어려운. 영서, 정리하고 있던 물건을 내팽개치는.

영서 이런 게 다 무슨 소용이야……!

정년 (영서의 분노와 절망을 알 것 같은 정년, 심란하게 영서를 보는)

영서 청소는 해서 뭐 해! 어차피 남의 손에 넘어갈

건물인데!

정년 (다가와서 치우는) 그때 일은 그때 일이고, 지금은 우리가 할 수 있는 일을 해야제.

영서 우리가 할 수 있는 일이 뭔데? 이번 공연 올리는 거? 돈이 없는데 우리끼리 애를 쓴다고 그게 돼? 무슨 발버둥을 치든 다 소용없어! 의미 없는 짓이라고!

정년 (울컥하는) 다 의미 없다고 생각하면 그냥 다 손 놔불고 모르는 척해불제, 왜 그라고 속을 끓이냐?

영서 아무것도 안 할 수 없으니까 그러는 거잖아. 아무것도 안 하면 미칠 거 같으니까! (울음 터지는) 매란이 무너져가는 걸 손 놓고 보는 건 더 돌아버리겠으니까!

영서, 좌절감과 무력감, 절망감에 휩싸여 엉엉 우는. 정년, 그런 영서를 보면서 눈물이 후드득 떨어진다.

영서 (엉엉 울며) 우리 노력만으로 돌이키기엔 이미 늦었어…… 앞이 안 보여. 정년아, 미래가 없단 말이야…….

정년 (눈물 훔치는, 마음 다잡는) 뭔 소리대. 왜 미래가 없어. 우린 계속 공연을 할 거여.

영서 (울다가 정년 보는)

정년 아, 너 나한테 뭐라고 했냐, 다른 사람들 다 떠나도 너는 어디 안 가고 계속 여그서 자리 지킬 거라고 안 했냐. 나도 마찬가지여. 어디 안 가고 계속 너랑 무대 올릴 거란 말이여. 우리가 발 디디고 서는 곳이 다 무대가 될 텐디 그람 된 거제, 뭐가 더 필요하겄냐.

영서 (눈물 닦으며, 마음 좀 달래지는) 그치만…… 이제 극장에서 공연하는 건 당분간 힘들지도 몰라.

정년　(영서를 눈물겹게 보다가) 그럼 최고로 근사한 공연을 올려야 쓰겄네. 우리 공연을 본 관객들이 두고두고 잊어불 수 없는 그런 공연을 하는 거여, 어짜냐?

영서　(울어서 퉁퉁 부은 얼굴로 훌쩍이며 미소 짓는) 그래, 그러자.

정년과 영서, 눈물에 젖어서 서로를 보는.

---

#14 매란국극단 단장실 안. 낮

소복, 나갈 준비 하는데 노크 소리 들린다.

소복　네.

용근　(들어오는) 아, 나가시려고요.

소복　아닙니다. 이리로 앉으세요.

용근　(자리에 앉는) 아, 다름이 아니고 저기, 요새 안 그래도 빚쟁이들 상대하시느라 머리 아프신 거는 아는데요.

소복　(또 떠나겠다는 건가 마음이 덜컥하는) 떠나시는…… 건가요?

용근　예?

소복　저…… 고수님께서 지금까지 남아주신 것만도 정말 감사드리고 있습니다. 다만 지금까지 밀린 봉급은 어떻게든 구할 테니 그거라도 받고 가셔야 제 마음이 편할 거 같아요.

용근　아이고, 무슨 말씀을, 저 그런 얘기 하러 온 거 아닙니다. 지금까지 단장님께 입은 은혜가 어딘데, 오디숀까지 앞둔 이 중요한 시기에 고작 봉급 좀 밀렸다고 떠나겠습니까?

소복　그럼…….

용근　그게 아니라, 돈 때문에 고민이 많으신 거 같아서 제가 여기저기 알아보고 다녔습니다.

단장님, 협동조합을 한번
가보시는 게 어떻겠습니까.

소복　협동조합이요?

용근　서민들끼리 돈을 모아서
만들었는데 요새 사람들
사이에서 믿고 돈을 맡길
수 있는 곳이라고 소문이
자자합니다. 필요할 때 싼
이자로 돈을 빌려준다던데 한번
도움을 받아보시죠.

소복　(생각에 잠기는)

---

**#15 신협 전경. 낮**

---

**#16 신협 지점장 사무실 안. 낮**

소복, 지점장과 마주 앉아 있는.

지점장　빚을 갚고 새로운
공연을 올리실 거라고요.

소복　네.

지점장　외람된 말씀입니다만
이번 공연이 매란국극단 마지막
공연일 수도 있단 얘기를
들었습니다. 마지막 공연 한
번을 위해 이렇게 무리하실
필요가 있을까요. 새롭게
대출을 받으시느니 차라리
건물을 팔아서 빚을 해결하시는
게 나으실 텐데요.

소복　(단호) 아뇨, 우리
단원들한테는 이번 공연을
올리는 게 꼭 필요합니다. (사이)
이번 공연은 어쩌면 저한테는
마지막 공연일 수도 있습니다.
하지만 이번 〈쌍탑전설〉에서
새로운 왕자가 탄생할 거고,
그럼 우리 매란 단원들한테는
새 역사가 시작하는 겁니다.

지점장　(고민하는)

소복　〈쌍탑전설〉은 우리
매란의 새로운 이정표가 될
작품입니다. 그러자면 과거
빚 청산부터 필요합니다.
(간곡하게) 지금 매란의 현재가
아니라 미래를 보고 투자한다고
생각하시고 도와주세요,
지점장님.

지점장 (생각에 잠기는) 미래에 투자한다라…….

소복 (긴장하며 보는)

지점장 이만큼 사업이 커졌으니 이제 저희도 문화예술계 쪽에 뜻깊은 일을 할 때가 된 거 같네요. (잠시 고민하다가) 좋습니다. 매란의 새로운 역사에 저희가 도움을 드리겠습니다.

소복 (표정 밝아지는) 감사합니다.

---

#17 신협 앞. 낮

소복, 나온다. 기다리던 도앵, 긴장해서 소복을 보는.

소복 (고개 끄덕이는) 빚은 해결됐다. 돈을 빌려준다고 하는구나.

도앵 (안도하는) 정말 다행이에요.

소복 이제 제작비만 구하면 되는데…….

도앵 (망설이는) 저기…… 〈쌍탑전설〉 올리는 거 당분간 미루시는 게 어떻겠어요?

소복 무슨 소리야, 그게?

도앵 이제 겨우 급한 불만 끈 거잖아요. 제작비를 구하려면 또 어디서 돈을 빌려야 하고 그걸 갚아야 하는데 지금 그럴 여력까진 없어요.

소복 그렇다고 아이들 지금 다 무대를 기다리고 있을 텐데 그걸 미루자고? 안 돼, 그나마 아이들은 그 힘으로 버티고 있을 텐데.

도앵 아예 안 올리자는 게 아니에요. 좀 재정비를 하고 나중에 다시 올리는 게 좋겠다는 거예요. 단장님, 지금 무대를 올린다는 건 도박을 하는 거나 마찬가지예요. 매란이 먼저 살아 있어야, 아이들도 있는 거잖아요.

소복, 마음이 흔들려 고민하는.

---

#18 매란국극단 일각. 밤

소복, 고민하며 마당을 걷고 있는데,

정년 손! 손만은 안 됩니다요!

소복, 소리가 난 쪽으로 다가간다.
정년, 혼자서 연습을 하고 있는.

정년 탑을 지어야 된께 지발 손만은! 워메 나 죽네! (혼잣말) 이게 아닌디…….
소복 (다가가는) 뭐가 잘 안 돼?
정년 (소복을 발견하고 울상인) 단장님! 큰일 났어라. 아사달을 연습한디 자꾸 사투리가 나온당께요. 니마이가 사투리를 쓰면 안 되는디…….
소복 글쎄…… 안 될 것도 없을 거 같은데? 아사달은 백제 사람이잖니.
정년 (반신반의) 그래도 니마인디…… 그래도 될란가요?
소복 이건 네 아사달이잖니. 윤정년만의 아사달을 보여줘도 괜찮아.
정년 (밝아지는) 네!
소복 (안쓰럽게 보는) 분위기가 뒤숭숭하니까 집중하기 힘들지? 요새 불안한 거 다 안다.
정년 (잠시 소복을 보다가) 별천지에서 왔다고 했어라.
소복 (뚱딴지같은 말에 어리둥절) 뭐?
정년 (웃는) 처음 국극 보고 온 날 말이어라. 제가 가슴이 벌떡대서 잠을 못 자고 있응께 즈이 언니가 하는 말이 '그 사람들은 별천지에서 온 사람들이여, 잊어부러.' 아, 딱 맞는 말 아니요, 바지락 캐던 목포 가시나들 눈에 그 삐까번쩍한 무대가 당연히 별천지로 보이제.

소복　(웃는)
정년　먹고살기만도 쎄가 빠지게 힘든 세상에 별천지나 쫓겠다고 하면 미쳤다고 할지도 모르지만…… 근디 저한테는 그 별천지가 고단한 바깥세상을 버티게 해주는 꿈이어라.
소복　(그 말에 가슴이 쿵 하는) 꿈…….
정년　아, 저뿐만이 아니어라. 저 대문 밖에서 우리 무대만 목 빼고 기다리는 가시나들도, 그라고 영서랑 초록이도, 징하게 힘든 일이 있어도 국극만 있다면 꿀떡꿀떡 참을 수 있응게요. 같이 무대 올릴 사람들도 있고, 우리 무대를 봐줄 사람들도 남아 있는디 불안할 게 뭐가 있당가요. 사람들이 남아 있으면 전부 다 있는 거나 마찬가진디요.
소복　(눈물 날 거 같아 간신히) 그렇구나. 아직 사람들이 남아 있었구나.
정년　(따뜻하게) 그란께 단장님도 혼자 힘들어하지 않으셨으면 좋겄어요. 우리 다 보기보다 강한께요.

소복을 안심시키듯 웃는 정년.
소복, 그런 정년을 울컥해서 보는.

---

### #19 파스텔 다방 안. 밤

소복과 고 부장, 마주 앉아 서류 작성하는. 도장 찍고 고 부장에게 서류 주는 소복. 고 부장, 서류를 검토한다. 소복, 치욕감 애써 참는 표정.

고 부장　네, 됐습니다.
소복　(냉정한) 대신 계약대로 공연 끝나고 나서 비울 테니 그렇게 알아요.
고 부장　그렇게 하시죠. (묘하게 살살 긁듯 웃는) 어떻게 생각이 바뀌셨어요? 그 자존심에 곧 죽어도 안 팔 거 같더니. 역시

급하긴 하셨나 보죠?
소복 (단호한 눈빛으로) 우리 배우들 위해서 제대로 된 공연 올려주는 게 내 진짜 자존심이니까요.
고 부장 (그 눈빛에 움찔해 표정 굳어서 소복을 보는)
소복 (자리 뜨는)

남겨진 고 부장, 어쩐지 전혀 후련하지 않은 표정으로 씁쓸하게 웃는.

---

#20 매란국극단 마당. 아침

영서, 외출복 차림으로 마당에 들어서는. 마당 쓸고 있는 소복이 보인다. 영서, 화들짝 놀라 소복 쪽으로 뛰어가는.

영서 (빗자루 뺏으려 하며) 이리 주세요. 왜 이런 걸 단장님이 하세요.
소복 됐어, 거의 다 했다. (한숨 돌리며) 저기 가서 좀 쉬자.

적당한 데 걸터앉는 소복과 영서.

소복 (영서 보며) 오디숀 날인데 새벽부터 어디 갔다 오니. 혹시 또 절에 갔다 오는 거야?
영서 (놀라는) 저 절에 가는 거 알고 계셨어요?
소복 당연히 알았지. 그래, 거기 가서 어떻게 너만의 아사달은 찾았니?
영서 네. 제 아사달은…… 구도자예요.
소복 구도자라…… 진리를 추구하는 자세로 존귀한 부처님을 새기는 예술가겠구나. 좋은 해석이다.
영서 (표정 밝아지는) 정말요? (다음 순간 흐려지는) 근데 아마 정년이는 더 좋은 해석을 찾았을 거 같아요.
소복 (영서를 보는)

영서 (씁쓸하게 웃는) 저도 알아요, 승부에 연연하면 안 된다는 거. 근데도 꼭 이기고 싶어요.

소복 승부에 연연해도 돼. 이기고 싶어 해도 되고. 지금은 그러기 위해서 네가 가진 모든 걸 보여줘야 하는 때야.

영서 (의외의 말이라 소복을 보는)

소복 영서야, 나도 누군가의 뒤통수를 쳐다보며 괴로워했던 순간이 있었다. 그래서 네가 얼마나 초조할지, 순간순간 절망스러울지 누구보다 잘 알아.

영서 어떻게 극복하셨어요? 아니, 극복이 되긴 하는 건지…….

소복 그거 아니? 예인의 인생은 길어. 쉴 새 없이 올라가고 내려가고 그 끝도 없는 굴곡을 겪으며 버티다 보면 어느 순간 넌 가장 높은 곳에 올라가서 가장 멀리 내다보는 사람이 돼 있을 거야. 너는 그 정도로 큰 예인의 자질을 갖췄다.

영서, 눈물이 고여서 소복을 본다.

소복 이따 오디숀 기대하마.

영서 (눈물 고여 웃는) 네, 단장님.

---

### #21 매란국극단 대문 앞. 낮

사람들로 북적이는 대문 앞. 여학생들, 저마다 '매란국극단 차기 왕자님 허영서' '연기 천재 윤정년' 등 각자가 써 온 플래카드 들고 "윤정년이 될 거야" "무슨 소리야, 허영서지." 와글와글 떠드는. 간만에 매란국극단 앞에 활기가 돈다.

---

### #22 매란국극단 마당. 낮

마당에 단원들과 기자들이 모여 있다. 복실, 신바람이 나서 초록과 연홍 쪽으로 뛰어온다.

복실 오디숀 한다고 소문나서 지금 극장 앞에 팬들이 잔뜩 모였어!

초록 (기자들 눈짓하며) 기자들도 취재하러 왔어. 저번에 창경궁이랑 서울역 앞에서 사람들 모인 뒤로 다들 이번 대결에 관심이 커진 거 같아.

---

**#23 매란국극단 대연습실 안. 낮**

소복과 수연과 용근, 단원들과 기자들이 모인 쪽으로 온다. 사람들을 둘러보는 소복.

소복 잠시 후에 〈쌍탑전설〉 아사달 오디숀을 시작하기로 하겠습니다. 오늘 심사를 해주실 분들로는 조수연 선생님, 그리고 이용근 선생님, 그리고 이번 〈쌍탑전설〉 연출을 맡아줄 백도앵 연출가님을 모셨습니다. 그리고 오늘 오디숀 심사는 이분들 외에도 특별히 이 자리에 참석해주신 매란국극단 전원이 다 같이 하도록 하겠습니다. 여러분들 눈으로 윤정년 양과 허영서 양의 연기를 보고 누구를 아사달로 할지 심사해주시면 되겠습니다. 자, 그럼 지금부터 〈쌍탑전설〉 아사달 오디숀을 시작하도록 하겠습니다.

정년과 영서, 사람들 앞에 나온다. 사람들, 박수 치는.

소복 둘 다 연기할 장면은 정했니?

영서 네, 4막 2장 아사달이 석불을 완성하는 장면입니다.

소복 정년이 넌?

정년 저도 그걸 골랐는디요이.

정년과 영서, 서로를 마주 본다. 긴장하는 두 사람. 아이들, 술렁인다.

복실 결국 같은 걸 골랐네?
연홍 그 장면이 연기력 보여주기엔 좋은 장면이잖아.
초록 근데 그만큼 어려운 장면이야. 잘못하면 연기 삐끗해서 역효과가 날 수도 있고…….
도앵 자, 그럼 순서를 정하도록 하겠습니다. (막대 두 개가 든 통을 정년과 영서에게 내미는) 짧은 것을 뽑은 사람이 먼저 하도록 한다.

정년과 영서, 막대를 각기 뽑아 든다. 영서가 짧은 것, 정년이 긴 것.

영서 제 것이 더 짧은데요.
도앵 좋아, 그럼 영서가 1번, 정년이가 2번이다. (영서 향해) 준비되면 시작하도록 해.
영서 네.

정년, 잘하라고 영서에게 눈빛 보낸다. 영서, 고개 끄덕인다. 정년, 관객석에 가서 앉는다. 영서, 마음을 가다듬고 무대에 단정히 앉는다. 영서, 눈을 감았다 뜬다. 관객들을 보는 서글픈 영서의 눈빛.

영서 (대사하는) 스승님 아래 망치와 끌 배우고 연꽃 같은 내 아내 세상살이 즐거움 가르쳤네. 공주님 부르심으로 정다운 고향 땅 떠나 서라벌에 당도하니 오직 불사만 보았다.

영서, 잠시 바닥을 보고 숨을 고르는. 영서, 두 주먹으로 바닥을 쾅 치고 분노와 원한, 괴로움이 얽힌 눈빛으로 강하게 관객들을 본다. 관객들, 흠칫하는.

영서 (대사) 허나 서라벌이 내게 무엇을 주었는고? (소리하는) *추한 질투 억지누명 온갖 고초 시달리다 다행히도 사귀는 벗이 있어 믿음으로 지내었더니 명분을 간하고 의리를 기망한다.*

영서의 매서운 눈빛과 강렬한 연기에 모두들 놀라는. 영서, 점점 더 감정이 고조되는. 눈에서 분노로 불이 쏟아지는 듯한 영서. 정년, 영서의 연기를 한순간도 놓치지 않겠다는 듯 집중해서 보는.

영서 (소리하는) *천신만고 끝에 석가탑 완성하고 달려오니 죽은 아내 신 한 켤레가 나를 반기누나* (죽은 아사녀의 신을 바라보는 영서의 눈빛이 점점 처연하게 바뀌기 시작한다. 잠시 신을 보던 영서, 다시 소리를 하는. 직전과는 전혀 다른 서글픈 느낌으로) *청청하늘 구름 가듯 들판에 꽃피우듯 곱디고운 아사녀야 나는 간다 말도 못 이르고 가는가.*

아사녀의 신발을 끌어안고 눈물을 흘리는 영서.

영서 *내 아내 고운 두 발 삼도천을 건너네 내 아내 작은 두 발 아장아장 건너네—*

흐느끼는 영서. 관객들, 숨을 죽이고 영서의 연기를 지켜보는. 영서, 바닥에 떨어진 끌과 망치에 시선이 멎는다. 영서, 끌과 망치를 집어 든다. 석불 앞에 선 영서의 표정, 광기에 휩싸인다. 그 광기를 보고 순간 놀라는 정년.

영서 (먼 곳을 보며 대사하는) 저기에 부처님이 앉아 계셔. (소리하는) *한 손에 끌을 쥐고 또 한 손에 망치를 들어*

(망치로 끌을 내려치는) *이쪽을 내리치니 쩡 하니 울리고* (다시 한번 망치로 끌을 내려치는 시늉 하는) *저쪽을 올려치니 꽝 하고 깨진다.*

눈물을 쉴 새 없이 흘리면서 분노와 광기에 휩싸여 마구 망치질을 하는 영서. 그러다 손을 멈추고 자신이 완성한 석불을 멍하니 보는 영서. 영서의 표정에서 광기와 분노가 사라지고 가라앉는.

---

**#24 사찰 불상 앞. 낮 〔회상〕**

불상 앞에 앉아 경건한 마음으로 보는 영서. 영서, 자애로운 불상의 얼굴을 보면서 점점 마음이 편안해지는 것을 느끼는.

---

**#25 매란국극단 대연습실 안. 낮 〔현재〕**

영서, 자신이 사찰에서 봤던 불상을 떠올리며 석불을 편안한 마음으로 보는.

영서 *내 망치 아래 부처님 존귀존안 드러나네—*

영서, 망치와 끌을 단정하게 내려놓고 그 자리를 떠난다. 기진맥진해서 몇 걸음 걷던 영서, 그 자리에 주저앉는다. 영서, 그대로 그 자리에 쓰러진다. 눈물을 흘리며 영서의 연기를 보던 사람들, 정신없이 박수를 친다. 정년도 눈물을 흘리며 박수를 친다. 영서, 몸을 일으켜서 사람들을 둘러본다. 자신을 향한 사람들의 박수에 영서, 서서히 미소가 번진다. 영서, 사람들을 향해 고개를 숙인다.

용근 (흥분해서) 영서가 이 정도로 했으면 더 이상 오디숀을 볼 것도 없는 것

아닙니까? 이 이상 더 완벽한 아사달이 어디 있습니까?
수연　그러게요, 완벽한 테크닉을 갖고 있던 애가 감정까지 물이 올랐어요.

정신없이 박수 치고 환호하면서 달아오른 분위기. 정년, 영서에게 다가간다.

영서　(흥분해서 상기된) 이게 내가 찾은 나만의 아사달이야.
정년　그래, 네가 어떤 아사달을 찾았는지 단박에 알았어. 참말로 끝내주는 무대였구먼. 인자는 내 차례여. (씩 웃는) 지금부터 신나게 한판 놀아볼란께 잘 봐야 쓴다잉?

정년의 자신만만한 웃음에 영서, 이 순간에 웃음이 나온단 말이야? 순간 소름이 돋아서 움찔하는. 정년, 사람들 앞에 선다. 순식간에 조용해지는 사람들. 정년, 눈 잠시 감았다 뜬다. 그 어느 때보다 침착하고 착 가라앉은 정년의 표정. 영서, 정년은 이미 몰입했구나, 긴장해서 보는. 정년의 시선이 아사녀의 신으로 향한다.

정년　(대사하는) 스승님 아래 망치와 끌 배우고 연꽃 같은 내 아내 세상살이 즐거움 가르쳤네. 공주님 부르심으로 정다운 고향 땅 떠나 서라벌에 당도하니 오직 불사만 보았다.

정년, 아사녀의 신 앞에 쪼그려 앉는다. 신을 보던 정년의 얼굴에 미소가 떠오른다. 흡사 미친 사람 같은 미소. 보고 있던 사람들 흠칫한다. 실성한 사람처럼 미소 짓던 정년, 사람들을 보는데 미소가 싹 사라진다. 광기에 찬 정년의 눈빛. 사람들, 정년의 눈빛에 놀란다. 뭔가 엄청난 연기가 나올 거라는 걸 직감한 소복, 긴장해서 정년을 본다.

---

## #26 매란국극단 마당. 낮

안에 다 못 들어가고 마당에서 기다리고 있던 기자들, 안에서 함성 소리가 들리자 깜짝 놀라 '뭐야?' 본다. 안쪽에서 흥분한 기자 한 명이 뛰어나온다.

기자1 뭐야, 뭔 일 났어요? 누구 차례였는데 그래요?

기자들, 흥분해서 다 같이 연습실 쪽으로 뛰어 들어간다.

---

## #27 매란국극단 대연습실 안. 낮

영서, 정년의 연기를 보고 그 충격으로 넋 나간 듯 정년을 보고 있다. 연기를 끝내고 숨을 몰아쉬는 정년. 안은 아수라장이 돼서 정년에게 갈채를 보내고 있다. 영서, 눈물이 고여 정년을 본다. 정년이 자신을 이겼음을 직감하는 영서, 얼굴에 씁쓸한 미소가 떠오른다. 후회 없는 맞대결이었지만 그래도 마음이 아픈. 눈물 흘리는 영서.

소복 (발표하려고 좌중 진정시키는) 자, 조용히 해주십쇼!

주변, 그래도 흥분이 가라앉지 않는데 영서, 눈물 슥슥 닦고 결심한다.

영서 단장님, 굳이 발표하실 필요 없어요.
소복 (의아하게 영서를 본다)
영서 이미 모두가 다 알잖아요. 정년이가…… 새로운 왕자예요.

소복, 놀라서 영서를 보는. 눈물 고여 있지만 그 어느 때보다 의연한 영서. 소복, 그런 영서의 마음을 누구보다 잘 알기에 마음 아프게, 그러나 훌쩍 성장한 영서를 대견하게 본다.

소복 정말…… 괜찮겠니?
영서 (살짝 웃는) 네.

영서, 아직 무대 뒤의 여운으로 흥분이 가라앉지 않은 정년에게 다가간다. 정년, 영서를 본다.

영서 (웃는, 온 마음으로 축하해주는) 축하해, 정년아. 네가 우리들의 새로운 왕자야.

정년, 그 말에 놀라서 영서를 보는. 사람들, 환호하는. 반신반의하며 영서를 보는 정년. 영서, 고개 끄덕인다. 정년, 떨리는 시선으로 소복을 본다. 소복도 웃으며 살짝 고개 끄덕인다. 정년, 울컥하는. 정년, 눈물 고여 영서를 보다가 영서를 끌어안는다. 영서, 정년을 마주 끌어안는다. 라이벌이자 친구인 둘의 포옹에 사람들, 박수 쳐준다. 소복, 웃으며 정년과 영서를 지켜보는. 이루 말할 수 없이 대견하고 기특하고 애틋한 마음.

---

**#28 매란국극단 대문 앞. 낮**

소복, 자신의 차 뒷좌석에 오른다.

기사 어디로 모실까요?
소복 (생각에 잠긴)
기사 단장님.
소복 (잠시 생각하다가) 혜랑이 집으로 갑시다.

---

**#29 옥경 집 대문 앞. 낮**

소복, 차 뒷좌석에서 내리다가 대문 앞에 풀 죽어서 쪼그리고 앉아 있는 은재를 발견한다. 소복, 은재에게 다가간다.

소복 은재 여기서 왜 이러고 있어. 이모는?

은재 (고개 도리도리 젓는)

소복 (은재가 안쓰러워지는, 은재 손을 잡아준다) 들어가자.

---

#### #30 옥경 집 거실. 낮

소복, 은재 손을 잡고 어두컴컴한 거실로 들어서다가 멈칫한다. 여기저기 술병이 나뒹굴고 있고 혜랑, 흐트러진 차림으로 엉망으로 취해서 소파에 널브러져 잠들어 있는. 소복, 한심하기도 하고 딱하기도 해서 혜랑을 보는. 은재는 소복 치마를 잡고 뒤에 숨어버린다.

소복 은재, 방에 가 있어. 이모랑 잠깐 얘기 좀 할게.

은재 (방 쪽으로 뛰어가는)

소복, 커튼을 확 젖힌다. 밝은 빛이 쏟아져 들어오면서 혜랑, 움찔한다. 혜랑, 소복을 보자 느릿하게 몸을 일으킨다.

혜랑 (냉랭한) 어떻게 오셨어요.

소복 (자리에 앉는) 기껏 한다는 게 술타령이니?

혜랑 (자조적인) 할 수 있는 게 술 마시는 것밖에 없으니까요. 왜 오셨냐니까요.

소복 오늘 〈쌍탑전설〉 오디숀을 봤다.

혜랑 (호호 웃는) 참, 단장님도, 애들도 불굴의 의지네요. 이 마당에 오디숀을 보고 공연을 올리겠다고. (비꼬는) 그래, 누가 니마이가 됐나요? 윤정년? 허영서?

소복 정년이가 됐다.

혜랑 (눈물 고여서 흐흥, 비웃는) 그랬겠죠. 옥경이가 그토록 이뻐하던 윤정년, 타고난 천재…… (자조적으로 웃다가 얼굴 일그러지는) 왜 오셨어요! 이제 매란이 나랑 무슨 상관이라고!

소복 앞으로도 계속 술만

마시면서 허송세월할 작정이니?

혜랑 (오기에 가득 찬) 네에! 그러려고요! 누가 나 같은 거 신경 쓰나요? 윤정년이 저번에 와서 그러더라고요. 난 헛껍데기만 남았다고. 윤정년은 목이 꺾여도, 옥경이가 떠나도 끄떡없이 지 갈 길 가겠지만 저는 달라요. 나는 걔처럼 강하질 못하다고요. 국극배우로도 실패했고, 옥경이도 절 버렸고, 전 그냥 망했어요. (몸도, 마음도 무너져 내리는) 이제 다 끝났다고요! 단장님도 절 버리셨잖아요! 그냥 이대로 살다 죽을 거니까 가세요, 좀!!!

흐느끼는 혜랑. 망가진 혜랑을 연민의 눈으로 보는 소복.

소복 우리 국극단에 여역을 맡겠다고 들어온 아이들, 이구동성으로 한 얘기가 있었어. 서혜랑의 연기를 보고 들어왔어요, 언젠가 서혜랑을 뛰어넘는 연기를 하고 싶어요.

혜랑 (울다가 소복을 본다)

소복 그 애들한테는 네 연기가 늘 기준점이었다. 지금까지 너는 옥경이만 보고 달려왔겠지만, 누군가의 인생에는 네가 쭉 자리 잡고 있었어.

혜랑, 가슴이 쿵 해서 소복을 본다.

소복 국극배우를 하지 않더라도…… 너는 아직 너무 젊고 할 수 있는 일들이 너무 많아. 네 옆에 잠시 머물다 간 옥경이는 그만 놔주고 이제 네 인생 살아. 너 아니면 안 되는 은재도 있잖니.

혜랑, 소복의 진심 어린 말에 그동안 잔뜩 날 세우느라 지치고 다쳤던 마음이 허물어져 눈물 흘리고 소복, 혜랑을 안쓰럽게 보는.

#31 매란국극단 연습실 안. 밤

영서, 도앵의 이야기에 깜짝 놀라는.

영서 제가 달비를 하라고요?
도앵 그래. 단장님하고 상의해 봤는데 네가 달비를 연기할 적임자인 거 같다.
영서 (놀라는) 달비는 아사달 다음으로 비중도 크고 매력적인 역이잖아요. 안 그래도 달비 욕심내는 아이들 많은 거 같았는데…….
도앵 맞아, 달비는 아사달의 재능을 질투하는 가다끼처럼도 보이지만, 한편으로는 아사달의 재능을 누구보다 아끼는 조력자이기도 해. 이런 인물의 내면을 연기할 수 있는 건 지금 너밖에 없어.
영서 (고민하는)
도앵 어때, 하고 싶니?
영서 네, 저 정말 하고 싶어요. 시켜만 주시면 열심히 하겠습니다.
도앵 (웃는) 좋아. 우리 좋은 무대 올려보자.

#32 매란국극단 연습실 안. 밤

대본을 보며 왁자지껄 떠드는 단원들.

초록 이 〈쌍탑전설〉이 보면 볼수록 아주 모단한 거라니까? 왕자랑 공주가 주인공도 아니고, 해피엔딩도 아니고, 거기다 니마이는 왕자도 영웅도 아닌 그냥 평범한 백성이고. 우린 역사에 길이 남을 공연을 올리는 거야.
복실 (불안한) 관객들이 좋아해줄까?
초록 좋아하지, 당연히. 이런

모단한 내용의 극이 요즘
젊은 관객들한테 잘 통하거든.
거기다 우리 매란이 연기를
좀 잘하니? (잘난 척) 여자
주인공도 포함해서.

원철 (어이없는) 뭔 소리를
하나 했네. 결국 네 자랑 하려는
거잖아!

깔깔 웃는 단원들. 정년, 시끄럽게
떠드는 아이들을 따뜻하게 웃으며
보는. 그동안 꿈꿔왔던 첫 공연을
목전에 두고 많은 감정이 엉키는.
정년, 생각에 잠겨 아이들을 보는.

---

#33 매란국극단 일각. 밤

정년, 밖으로 나오는데 감회에
젖어 국극단을 둘러보는 소복이
보이는. 정년, 소복에게 다가간다.

정년 뭐 보고 계세요?

소복 이 국극단 부지 사서 건물
올리던 때가 생각나서…… 기와
하나, 벽돌 하나, 내가 하나하나
다 고르고 인부들하고 같이
집을 지었어. (웃는) 심지어
공사도 안 끝나서 지붕도
없는데, 밤마다 여기서 잠을
잤어.

정년 여기서 잠까지요?
와따메, 얼마나 좋으면
그러셨어라.

소복 정말 행복했어……
힘든지도, 피곤한지도 몰랐어.

그때처럼 행복한 듯 미소를 짓는
소복. 그런 소복을 짠하게 보는
정년.

정년 ……이 건물이 딴
사람한테 넘어간다고
들었는디요, 마음이 많이
아프시제라.

소복 (편하게 웃는) 아냐,
그때 네 얘기 듣고 깨달았다.
매란국극단의 기반은 이 건물이
아니라 사람들이야. (정년을

보는) 너도 있고, 영서도 있고, 공연을 올릴 사람들만 있으면 언제든지 다시 시작할 수 있어.

정년 (웃는) 백번 맞는 말씀이요.

소복 이번 공연 니마이로서 어떻게 끌고 갈진 생각했니?

정년 네, 근디 쪼까 걱정돼요. 인자는 예전처럼 제 맘 가는 대로 할 수 없고 실수도 하면 안 되니께요. 이것이 그 뭐시냐⋯⋯ 왕자로서 느끼는 무게⋯⋯ 뭐 그런 것일 게라?

소복 (희미하게 웃는) 아마 네가 지금부터 계속 느껴야 할 무게겠지. 하지만 정년이 너라면 그 무게에 짓눌리지 않는 방법도 곧 스스로 터득해낼 게다. 지금은 내가 니마이로서 뭘 놓치고 있는 게 아닐까? 뭐 하나라도 잘못하면 어떡하지? 모든 게 걱정되고 전전긍긍하겠지만 공연 끝나고 돌아보면 네가 훌륭하게 해냈다는 걸 알 거야.

정년 (가슴 뭉클한)

소복 한 가지만 명심하면 된다. 중요한 건 〈쌍탑전설〉은 온전한 네 무대고, 그 무엇보다 네 무대를 마음껏 만끽하고 즐겨야 돼.

정년 네, 단장님.

소복, 다정한 눈길로 뿌듯해서 정년을 본다.

---

### #34 국제극장 앞. 낮

암표 파는 행상들과 군것질거리 파는 장사꾼들, 팬들로 여느 때처럼 붐비는 극장 앞.
여학생 1, 2, 3 여느 때처럼 수다 떠는.

여학생1 (〈쌍탑전설〉 간판 보며) 아사달 윤정년. 그것 봐라. 내 안목은 틀리지 않는다니까? 내가 처음부터 윤정년이

니마이가 될 거라고 했잖아.

여학생2 너만 알아봤냐? 나도 알아봤거든!

여학생3 (넋이 나가서 〈쌍탑전설〉 간판의 영서 얼굴만 뚫어져라 보는)

여학생1 (시선 따라가는) 뭐야, 누굴 보는 거야.

여학생3 (감탄하는) 허영서. 역시 얼굴부터 기품이 있어. 저게 바로 타고난 성골의 기품인 거야.

여학생1 뭐야, 너 허영서 팬이었어?

혜랑, 은재의 손을 잡고 극장 앞에 선다. 많이 안정돼 보이는 모습의 혜랑, 〈쌍탑전설〉 간판을 올려다본다. 배우가 아닌 관객의 입장에서 보니 기분이 묘한. 은재, 자길 보라는 듯 혜랑의 손을 잡고 흔든다.

은재 이모, 우리 뭐 보러 온 거야?

혜랑 〈쌍탑전설〉이라고 국극 공연 보러 온 거야. (허리 굽혀서 은재와 눈높이를 맞추는) 은재야.

은재 응, 이모.

혜랑 (미안함과 죄책감으로 보는) 이제 집에서도, 밖에서도 이모라고 안 불러도 돼.

은재 (눈치 보는) 그럼?

혜랑 엄마라고 불러. 엄마, 은재 엄마잖아.

은재 (환해지는) 진짜?

혜랑 그럼 진짜지. (눈물 참는) 은재야, 지금까지 엄마가 거짓말 시켜서 정말 미안해.

은재, 혜랑에게 안긴다. 혜랑, 어린 딸을 말할 수 없는 미안함과 고마움으로 마주 안아주는.

---

**#35 국제극장 분장실 앞 복도. 낮**

의상들과 무대 소품들을 옮기느라 시끌벅적한 복도.

## #36 국제극장 분장실 안. 낮

단원들, 분장하느라고 정신없다. 정년과 영서도 분장하는. "아, 코티분 다 떨어졌어!" "내 거 빌려줄게!" "악, 의상 찢어졌어!" "이리 갖고 와, 빨리 고치게!" "내 것도!" 여느 때처럼 정신없는 분장실 안.

---

## #37 국제극장 안. 낮

관객들, 자리 찾고 수다 떠느라고 왁자지껄한. 용례와 정자, 같이 들어오는. 둘 다 극장 안이 어색해서 두리번거리는. 티켓을 보고 자리를 찾는 용례.

용례 도대체 어디에 앉아야 되는 거여.

기주 (자리에 앉아 있다가 그런 용례 보는) 이쪽에 앉으시면 돼요. (패트리샤 옆자리 가리키는)

용례 아이고메, 감사합니다.

용례와 정자, 패트리샤 옆자리에 앉는. 용례, 패트리샤와 눈 마주치자 목례하는. 패트리샤도 웃으며 목례하는.

기주 (용례 얼굴 보고 갸웃) 분명히 어디서 본 얼굴인데? 내 팬인가? (알았다는 듯 득의양양한 웃음) 그런가 보네. 아유 참, 당연히 어딜 가나 내 팬이 있지 그럼.

---

## #38 국제극장 분장실 안. 낮

한창 준비하느라 분주한 단원들. 스스로 분장하는 정년과 영서. 정년, 눈썹을 그리는데 긴장해서 손이 엇나가는. 정년, 떨리는 자신의 손을 보는. 영서, 정년에게 다가와 눈썹을 고쳐 그려주는. 정년, 조금씩 마음이 안정된다.

초록 (입술연지 바르다가) 아, 뭐야, 다 썼어.

복실 (자기 입술연지 건네는) 내 거 써.

초록 네 거 비싼 거잖아.

복실 뭐 어때, 어차피 이번 공연이 마지막인데 다 써도 돼.

정년과 영서, 멈칫해서 복실을 보는. 단원들도 멈칫해서 복실을 보는.

초록 (기겁, 나지막이) 야, 우리 말 안 하기로 했잖아.

복실 (아차 싶은) 아, 그랬지. 하여간 요놈의 입방정…….

정년 뭐여, 느그들 알고 있었어?

초록 눈치로 알고 있었지. 뭐야, 그럼 너도?

정년 그람, 알고 있었제. 아따, 말하면 느그들 기운 빠질까 봐 입 딱 다물고 있었는디.

원철 됐어, 나도 알고 있었어. 분위기가 계속 그랬는데 어떻게 몰라. 그치? 다들 알고 있었지?

단원들 너도나도 "그래, 나도 알고 있었어." 하는.

정년 워메, 괜히 비밀로 하니라고 진땀 뺐네. 근디 어떻게 용케 티를 안 내고 있었대?

초록 단장님께서 그렇게 애쓰고 계신데 어떻게 티를 내. 그리고 마지막 공연이더라도,

아이들, 일제히 "아아, 마지막이라고 하지 말라니까!" "마지막 아니야!" 아우성치며 질색팔색하는.

초록 (어이없는) 알았어, 알았어. 내 말은, 이게 끝이든 아니든 뭐 달라지는 거 있냐고. 공연은 다 똑같은 공연이지.

아이들, "맞아, 맞아" 맞장구치는.

정년 우리 초록이 철

들어부렀네. 맞어, 다 똑같은 공연이여. 처음 우리 연구생 공연했을 때맹키 오늘도 신나게 해불면 되는 거제.

영서 오, 그거 좋은데? 야, 우리 구호로 써도 되겠다.

정년 구호? 좋아, 우리 말 나온 김에 구호 하자.

단원들, 다 같이 모인다. 손 모으는 단원들.

정년 자, 오늘도 신나게 놀아불자!

단원들 놀아불자!

아이들, 조금도 어두운 기색 없이 밝고 활기차다. 도앵, 들어온다.

도앵 아직도 준비 안 끝내고 뭣들 하고 있는 거야. 빨리들 서둘러! 공연 시작까지 얼마 안 남았어!

단원들 네!

정년, 분장하는데 원철, 꽃다발과 편지를 정년에게 건넨다.

원철 이거 누가 너한테 주라고 하던데?

정년 (받으며) 누군디?

원철 몰라, 그 사람도 모르는 사람한테 부탁받은 거라고 하더라고. (자리 뜨는)

정년 (어리둥절하게 편지 뜯어서 훑어보다가 '주란'이란 글자가 먼저 눈에 들어오자 멈칫한다. 정년, 순간 가슴이 내려앉는 것 같아 편지를 계속 읽지 못하고 황급히 편지를 접는다)

---

#39 국제극장 일각. 낮

정년, 안절부절못하고 편지를 들고 왔다 갔다 하다가 간신히 진정한다. 정년, 심호흡을 하고 떨리는 손으로 다시 편지를 펼쳐서 읽기 시작하는.

주란 [소리] 정년아, 그거 아니? 넌 나한테 꿈이고, 그리움이고, 하나뿐인 왕자님이었어. 난 다시 내 자리로 돌아왔지만, 널 만나기 이전으로 난 두 번 다시 돌아갈 순 없을 거야. 고마워, 그리고 너의 왕자님으로서 첫 번째 무대 축하해. 이제 모두의 왕자님이 될 정년이에게, 주란이가.

정년, 편지를 읽으며 눈물이 고인다. 주란이 상처받은 자신의 마음을 어루만져주는 듯한. 정년, 그렇게 주란이 준 상처와 아픔을 떠나보낸다.

---

#40 국제극장 안. 낮

관객들, 빽빽하게 들어차서 떠드는. 그러다 무대 위 조명이 어두워지자 조용해진다. 백성들, 단체로 나와서 군무를 춘다.

백성들 *에헤라 어여라 에헤야 어와 좋다꾸나 대자대비하신 부처님 은덕으로 태평성대 태평성대로구나—*

---

#41 〈쌍탑전설〉 프롤로그

어두운 가운데 돌 쪼는 소리가 울려 퍼지는. 화면이 밝아지면서 영서가 홀로 돌을 쪼는 것이 보인다. 돌을 쪼던 영서, 작품을 요리조리 보다가 영 맘에 안 드는 듯 손을 멈춘다.

영서 (한숨) 벌써 몇 번째인가…… (관객을 보는) 나는 석공 달비요. 신라의 대왕께서 불국사에 다보탑을 지으라 명하셔서 벌써 3년 넘게 이 일에 매달리고 있소만…… (고개 절레절레 젓는, 그러다 옆자리를 보고 울컥) 나를 더 미치게 하는 건 내 옆에서 석가탑을 만드는 석공 아사달이요. (석가탑을 보며) 내가 한발 앞서갔다 싶으면 그놈은 어김없이 두 발을 앞서간단 말이오. 그놈이 밉소! 그놈한테 그런 재주를 내려준 하늘도 원망스럽소! 그놈이 만드는 이 석가탑도 다 무너져버렸으면 좋겠소! (화가 나서 숨을 헐떡이던 영서, 화가 잦아들며) 근데 참으로 이상한 것은…… 마음 한편에선 아사달이 어떤 걸작을 만들지 하루빨리 보고 싶기도 하단 말이지. (어디선가 사찰의 타종 소리가 들려온다. 영서, 종소리가 나는 쪽을 보는) 나도 내 맘을 모르겠구랴…….

---

#42 국제극장 안. 낮

석가탑과 다보탑이 만들어지다 만 현장. 영서는 들어오다가 조공과 만난다.

영서 아사달은?

조공 술을 드시러 출타하셨사옵니다.

영서 또? (못마땅한) 부처님의 뜻을 새기는 석공이 그렇게 매일같이 술독에만 빠져 있다니!

영서, 그러다 석가탑에 시선이 멎고 멈칫한다.

영서 저 기단은 무엇이냐?

조공 아사달 님이 만드셨습니다요.

영서 하룻밤 사이에? 어디 보자! (소리하는) *모퉁이 바깥 기둥 말끔하고 면석 사이사이 안기둥 단단하다 단정하고 아담한 생김생김 어찌 밤사이 세상에 나왔을꼬—*

조공, 무대에서 퇴장하고 영서, 석가탑에서 눈을 떼지 못한다.

## #43 국제극장 대기실 안. 낮

정년, 나갈 준비를 한다. 정년, 심호흡을 한다. 침착한 정년. 도앵, 정년에게 다가가는.

도앵 아사달 나갈 차례다, 준비됐어?

정년 (자신감 있게) 네.

무대 위로 올라가는 정년. 그런 정년의 모습을 든든하게 보는 소복과 도앵, 단원들.

---

## #44 국제극장 안. 낮

정년, 술병을 들고 술에 취해서 비틀거리며 들어온다. 정년이 무대에 나타나자 용례와 정자, 반갑고 신기해 어쩔 줄 모른다.

영서 자네 정말 이걸 하룻밤 사이에 만들었나?

정년 그랬지. 기단밖에 떠오르지 않아 그것밖에 못 만들었네.

영서 떠오르다니?

정년 아, 돌에서 석가탑의 상이 떠올라야 만들 거 아닌가.

영서 (멍해지는) 그럼 자네는 매번 영감이 떠오를 때만 돌을 쪼았다는 건가?

정년 당연한 거 아닌가? 영감이 없이 백날 돌을 쪼아봤자 그건 그냥 바윗덩이일 뿐일세. 자네도 이미 잘 알 터인데?

영서, 말문이 막혀 멍히 서 있는다.

정년 (술병을 입에 털어 넣지만 더 이상 술이 나오지 않자 실망하는) 술 가지고 와, 술!

정년, 술에 취해서 아무 데나 기대 잠이 든다. 영서, 그런 정년을 보고 자괴감과 열등감에 절망한다.

영서　나는 3년이 지나도록 이 돌덩이밖에 만들지 못했는데, 아사달은 불과 하룻밤 만에 이런 엄청난 작품을 만들었어. (눈물을 흘리며 절규하는) 어째서 하늘은 아사달한테만 엄청난 재주를 주시고 나한테는 그 재주를 알아보는 눈만 주셨단 말이냐!

기주, 영서의 연기를 뭉클해서 본다. 눈물이 고이는 기주.

[시간 경과]

화랑 건파랑 일당이 정년을 마구 매질하는. 정년, 죽는다고 아이고, 아이고 소리를 지르는.

정년　손! 손만은 안 됩니다요! 석가탑을 지어야 하니 제발 손만은! (과장되게) 아이고 나 죽는다!

건파랑　이놈! 더 맞아봐야 정신을 차리겠구나, 어디서 감히 엄살이냐. 지으라는 석가탑은 안 짓고 술만 축내고 있다니! 네놈이 미령공주님의 총애를 믿고 방자하게 구는 것이 아니더냐. 내 오늘 이놈의 버릇을 단단히 고쳐놓으리라. 여봐라! 이놈을 매우 쳐라!

일당의 매질이 더 거세지는데 영서, 허겁지겁 뛰어 들어온다.

영서　건파랑 님!

건파랑　아니, 자네는 달비 아닌가? (못마땅한) 쓸데없이 끼어들 생각일랑 말게!

영서　건파랑 님! 아사달이 미천한 놈이긴 하나, 그래도 돌을 쪼는 재주가 비상해 공주님께서 친히 데리고 오셨습니다. 지금 대왕님께서도 석가탑이 완성될 그날만을 기다리고 계시온데 이놈이 다치기라도 하면 정말 큰일입니다.

건파랑 (움찔하는) 대왕님이라? 그럼 아니 되지…… (분한 듯) 오늘 네놈 운수가 좋았다. (부하들 향해) 얘들아, 가자!

건파랑 일당, 무대에서 빠진다.

영서 (인상을 쓰고 못마땅하게) 자네, 대체 이번엔 또 무슨 짓을 했나?

정년, 자리에서 벌떡 일어나 앉는다. 정년, 몰골이 엉망이지만 두 눈은 반짝거린다.

정년 (정면을 보고) 탑!

영서 (어리둥절) 뭐? 탑이라니?

정년, 허공의 보이지 않는 돌에 끌을 대고 망치로 내리치는 시늉을 한다.

정년 (희열에 차서 소리하는) *한 손에 끌을 쥐고 또 한 손에 망치 들어 이쪽을 내리치니 쩡 하니 울리고 저쪽을 올려치니 꽝 하고 깨진다—*

영서 아니, 이 사람 정신이 나갔나?

정년 (계속 망치질하는 시늉하며 소리하는) *어허 어허야 부처님 말씀 이 손 망치 아래 드러나고 어허 어허야 광명진언 이 손 끌 끝에 증명하네—*

단원들 (떼창으로) *어허 어허야 부처님 말씀 아사달 망치 아래 드러나고 어허 어허야 광명진언 아사달 끌 끝에 증명하네…….*

환희에 찬 정년, 어리둥절한 영서의 양팔을 붙잡는다.

정년 이보게, 달비! 이제 됐네! 탑을 어떻게 만들어야 할지 알겠어!

덩실덩실 춤을 추는 정년.

영서 (멍해지는) 영감이 떠올랐나 보구나. (번쩍하는) 석가탑이 완성될 날이 머지않았어. (서서히 흥분하는) 이제껏 본 적 없는 작품이 이 세상에 모습을 드러낼 거야.
정년 (그저 들떠서 춤을 추는) 이 탑만 완성되면 난 백제로 돌아가서 아사녀를 만날 수 있네! 월궁항아 같은 아사녀, 내 아내를 만날 수 있어!

---

#### #45 국제극장 대기실 안. 낮

정년과 영서, 대기실로 들어온다. 도앵, 둘에게 다가가는.

도앵 아사달, 달비, 감정은 좋은데 대사 치는 속도 좀 신경 써. 둘 다 빨라.
정년, 영서 네.
도앵 특히 아사달, 자꾸 빨라지지 마. 달비까지 자꾸 네 속도에 말리잖아.
정년 넵, 알았구마이라, 연출가님.

초록, 긴장해서 대기하는.

도앵 아사녀, 나갈 차례다.
초록 네.
도앵 여자 주인공으로서 첫 번째 데뷔 무대야. 맘껏 즐기고 와.
초록 (긴장된 가운데 살짝 웃는) 네.

소복, 흐뭇하게 도앵과 아이들을 보는.

---

#### #46 국제극장 안. 밤

초록, 초조하게 못가에서 기다리는데 영서가 다가온다.

초록 저기, 아사달 님은…….
영서 석가탑이 완성되면 여기 못에 석가탑 그림자가 떠오를 것이오. 그때까지 기다리시오.

초록 (희망에 차서)

그러겠습니다. 그럼 그때까지

기다릴 터이니 부디

아사달 님께 제가 여기서

기다리노라고, 그 말씀만

전해주셔요.

영서 당신도 참 딱한

사람이오!

초록 네?

영서 아사달은 미령공주님과

사랑에 빠졌소. 석가탑이

완성되면 아사달은 공주님과

혼례를 올릴 것이오.

영서, 그 자리를 떠난다. 충격받은 초록, 그 자리에 주저앉는. 초록, 애절한 눈빛으로 소리하는.

초록 (소리하는) *나의*

*아사달 그리운 아사달 억겁*

*세월 윤회전생 당신을 만나*

*백년해로하려고 하였더니—*

관객들, 초록의 소리에 눈물 찍어내는.

---

#### #47 국제극장 대기실 안. 밤

단원들, 초록 소리를 감탄하며 듣는. 소복도 흐뭇하게 초록의 연기를 지켜본다.

---

#### #48 국제극장 안. 밤

초록, 못가에 쓰러져 있다. 병이 들어 기력이 쇠진한 초록, 몸을 일으켜 어떻게 해서든 가려고 하지만 결국 다시 쓰러지고 마는. 정년, 달려와서 초록을 발견한다.

정년 (경악하는) 아사녀!

(초록을 안아 올리는) 아사녀,

이게 어찌 된 일이오?

초록 (간신히 정년을 보는)

당신이 여길 어떻게……

미령공주님과 혼례를 올리는 중

아니었나요?

정년 아니, 혼례라니 그 무슨 말이오?

초록 달비라는 분이 이 못에 석가탑 그림자가 떠오를 때까지 여기서 기다리라고, 그리고 석가탑이 완성되는 그날, 당신은 공주님과 혼례를 올릴 거라고 했어요…….

정년 그 무슨 말이오! 나는 일을 끝내고 당신을 다시 만날 그날만을 기다렸는데…… (분노하는) 내, 달비 이놈을!

초록 (붙잡는) 아니에요, 이제와 다 그게 무슨 소용이에요. 그 누구도, 그 무엇도 원망하지 마세요. (소리하는) *나의 아사달 그리운 아사달 억겁 세월 윤회전생 당신을 만나 다시 만나도 내 사랑 다시 태어나도 내 지아비—*

정년, 초록을 붙잡고 흐느낀다. 관객들도 여기저기서 우느라고 정신없는.

정년 아사녀! 아사녀! 정신 차리시오! 우리 백제로 돌아갑시다.

초록 그래요, 백제로 가요. (점점 기운 빠지는) 그리운 고향 땅, 내 나라로 돌아가요……. (정년 얼굴을 애틋하게 쓰다듬는)

숨을 거두는 초록, 팔이 툭 밑으로 떨어진다. 정년, "아사녀!" 울부짖으며 오열한다.

관객들, 흐느껴 우느라고 정신없는. 용례도 딸의 연기를 보며 눈물 흘린다. 패트리샤도 눈물을 찍어내는.

패트리샤 (용례 향해) 아사달 연기 잘하죠.

용례 (눈물 닦으며) 네.

패트리샤 (뿌듯함과 감동으로) 윤정년이라고 제 제자예요. 정말 백 년에 한 번 날까 말까 한, 기가 막힌 재능이에요.

용례, 처음 보는 타인에게서 딸의 재능을 극찬하는 소리를 듣자 이루 말할 수 없이 뿌듯하고 좋은.

[시간 경과]

정년, 아사녀의 신을 보더니 표정이 처연해진다.

정년 스승님 아래 망치와 끌 배우고 연꽃 같은 내 아내 세상살이 즐거움 가르쳤네. 공주님 부르심으로 정다운 고향 땅 떠나 서라벌에 당도하니 오직 불사만 보았다.

그러다 물끄러미 신을 보는 정년. 정년, 아사녀의 신 앞에 쪼그려 앉는다. 신을 보던 정년의 얼굴에 미소가 떠오른다. 흡사 미친 사람 같은 미소. 보고 있던 사람들 흠칫한다. 실성한 사람처럼 미소 짓던 정년, 사람들을 보는데 미소가 싹 사라진다. 광기에 찬 정년의 눈빛. 사람들, 정년의 눈빛에 놀란다.

정년 ……허나 서라벌이 내게 무엇을 주었는고?

---

**#49 매란국극단 대연습실 안. 낮 (회상, #25 이어서)**

정년, 심사위원들과 단원들을 돌아본다. 광기에 찬 정년의 눈빛. 소복과 영서, 정년의 연기를 잔뜩 집중해서 보는.

정년 (소리하는) *추한 질투 억지 누명 온갖 고초 시달리다 믿음으로 지내었더니 다행히도 사귀는 벗이 있어 명분을 간하고 의리를 기망한다.*

광기에 차서 소리하던 정년의 눈빛, 점차 서글픔과 원통함으로 가라앉는다. 정년, 기운이 빠진 듯 그 자리에 주저앉는다.

숨을 가쁘게 쉬던 정년, 호흡이 가라앉으며 눈빛에 절망과 슬픔이 가득하다. 정년, 주란과의 연습 장면을 생각한다.

[플래시백 - 11부 #31]
정년과 주란의 〈쌍탑전설〉 연습 장면. 이별을 앞둔 주란의 애절했던 눈빛. 정년을 보고 울음을 참으려 애쓰던 주란의 얼굴.

정년, 주란이 눈앞에 있는 듯 한없이 애절해지고 처절해지는 눈빛. 정년, 아사녀의 신을 보더니 그쪽으로 기어가기 시작한다.

---

### #50 국제극장 안. 밤 (현재)

아사녀의 신을 향해 기어가는 정년. 관객들, 정년의 연기에 숨소리도 못 내고 본다.

정년 (춤을 추며 소리하는)

*내 아내 작은 두 발 아장아장 건너네 내 아내 고운 두 발 삼도천 건너네 내 아내 작은 두 발 아장아장 건너네—*

[플래시백 - 11부 #41]
정년과 주란의 이별. 정년에게 가슴 아픈 입맞춤을 한 주란, 정년을 홀로 남겨두고 돌아서 가는. 주란의 뒷모습을 보며 가슴이 갈가리 찢기는 정년.

정년, 눈빛에 그날의 고통과 절망이 가득하다. 정년의 광기 어린 연기와 소리에 관객들, 압도당하는. 영서, 나타나서 정년의 광기를 안절부절못하며 보는.

영서 아사달. 나네, 달비. 돌아가세. 자네 건강이 너무 쇠했어. 왜 그러나?
정년 (신이 나서 춤을 추다가 동작을 뚝 멈추고 석불 쪽을 본다)

저기 부처님이 계신다……
(손가락으로 가리키며 부르짖는)
저기 부처님이 계신다! 저기에
부처님이 앉아 계셔!
영서 뭐? 부처님이라니?

정년, 바닥에 떨어진 끌과 망치를
집어 들고 석불 쪽으로 신나게
달려가는. 정년, 광기에 휩싸여
망치로 끌을 내려치기 시작한다.

정년 (소리하는) *이쪽을
내려치니 쩡 하니 울리고!*

춤을 추듯 움직이며 망치로 끌을
내려치는 정년.

---

**#51 매란국극단 대연습실 안. 낮**
**〔회상, #49 이어서〕**

석불을 향해 망치로 끌을 내려치는
시늉을 하는 정년.

정년 (소리하는) *저쪽을 올려
치니 꽝 하고 깨진다—*

그야말로 광기 그 자체인 정년.
소복, 영서, 기자들과 단원들,
정년의 연기에 압도당해서
숨죽이고 보는.

---

**#52 국제극장 안. 밤 〔현재〕**

영서 (죄책감으로 울부짖는)
아사달! 내가 잘못했네.
죽을죄를 지었어. 나를
원망하게. 차라리 나를 죽이게!
이러다가 자네마저 죽네.

영서의 울부짖음에도 아랑곳없이
춤을 추며 망치질을 하던 정년,
한발 물러나 숨을 몰아쉬며 석불을
본다. 정년의 손에서 망치와
끌이 스르륵 떨어진다. 정년,
표정이 편안해진다. 정년, 석불을
어루만지듯 허공을 향해 손을
뻗는다.

정년 (소리하는) *내 손끝에*
*부처님 광명진언 나타나고—*

정년, 지금까지의 광기에 찬
미소와는 다른 희미한 미소가
떠오른다. 모든 고통을 겪은
사람의 해탈한 듯한 미소.

정년 (소리하는) *내 망치 아래*
*부처님 존귀존안 드러나네—*

석불을 보던 정년의 눈에서 눈물이
흘러내린다. 소리 없이 흐느끼던
정년, 아사녀의 얼굴을 쓰다듬듯
석불의 얼굴을 쓰다듬는다.

정년 (소리하는) *내 망치 아래*
*부처님 존귀존안 드러나네…….*

모든 것을 내려놓은 정년, 눈에서
눈물이 흘러내린다. 석불 앞에
큰절을 올리는 정년, 그 자세
그대로 엎드려 있는. 영서, 그런
정년을 보다가 석불을 본다.

얼이 빠진 듯 석불을 보던 영서,
감동을 받아 눈물을 흘린다. 영서,
털썩 주저앉아 석불 앞에 무릎을
꿇는다. 정년, 흐느끼는지 어깨가
잘게 떨린다. 관객들, 미친 듯이
기립 박수를 친다. 열광적인
분위기. 정년, 일어난다.
정년, 엄마를 본다. 용례, 눈물을
흘리며 정신없이 정자와 박수 치고
있는. 정년, 엄마를 보자 눈물이
나온다. 환하게 웃는 정년.

[시간 경과]

매란국극단 모든 배우들이 나와서
관객들에게 인사한다. 도앵과
소복도 나와서 인사한다. 관객들,
환호하며 박수 친다. 혜랑도
은재와 함께 환하게 웃으며 박수
친다.
정년, 관객들 사이의 용례, 정자,
패트리샤 등을 본다. 정년,
자신에게 환호하는 가족들과
패트리샤를 보며 환하게 웃는다.

기주도 진심으로 박수를 쳐준다.
영서는 기주를 보지 못한. 기주,
환하게 웃고 있는 딸을 보다가
영서가 자신의 품을 벗어난
자식이라는 것을 깨닫는. 기주,
씁쓸하게 웃고는 그 자리를
떠난다.
소복, 용례와 눈이 마주친다. 용례,
환하게 웃으며 박수 치는. 소복도
용례를 보고 환하게 웃는다.
비로소 몇십 년 만에 같이 웃을 수
있게 된 두 친구.
관객들, 환호하는 가운데 여학생
1, 2, 3 감동해서 울고 있는.

여학생1 (들떠서) 야, 우리
윤정년이 방자부터 니마이까지
선 거 다 봤다? 완전히 역사의
산증인이야.
여학생2 (황홀하게 정년을 보며
멍하게) 오늘 공연, 죽어도 못
잊을 거야.
여학생3 (티켓 꺼내 본다) 나, 이
티켓 영원히 간직할 거야.

단원 모두의 인사가 끝나고
관객들이 "윤정년!"을 외친다.
어느새 관객들 모두가 "윤정년!"을
연호하며 박수 치는. 정년,
얼떨떨해서 서 있는데 소복,
웃으며 정년을 무대 가운데로
인도한다. 정년, 몇 걸음 나와서
홀로 서는. 관객들, 한층 커진
함성과 박수 소리. 정년, 감격해서
눈물을 글썽인다. 새로운 왕자
탄생의 순간. 단원들도 모두
진심으로 박수 치며 축하해준다.
꽃잎이 비처럼 떨어지기 시작한다.
그 가운데 서 있는 정년. 용례도
감격해서 눈물을 글썽이며 박수를
친다. 정년, 황홀하게 내리는
꽃비를 본다. 그토록 바라왔던
소중한 순간. 목포에서부터
지금까지의 고통과 환희가 정년의
머릿속을 스쳐 지나간다. 정년,
가슴이 터져나갈 듯 벅차오른다.
정년, 감격한 표정으로
오래오래…….

## #53 국제극장 앞. 밤

공연을 보고 나온 관객들,

공연의 여운에서 헤어 나오지

못하고 극장 앞을 쉽게 떠나지

못하는. 폭죽이 터진다. 사람들,

좋아하는. 〈쌍탑전설〉 간판 위로

화려하게 터지는 폭죽들. 황홀하게

불꽃놀이를 보는 사람들에서

〈정년이〉 엔딩.

대본집

# 정년이 2

**초판 1쇄 인쇄** 2024년 11월 10일
**초판 1쇄 발행** 2024년 11월 20일

**지은이** 최효비
**펴낸이** 김선식

**부사장** 김은영
**콘텐츠사업2본부장** 박현미
**책임편집** 곽수빈 **책임마케터** 박태준
**콘텐츠사업6팀장** 임경섭 **콘텐츠사업6팀** 정지혜, 곽수빈, 조용우, 이한민, 이현진
**마케팅본부장** 권장규 **마케팅1팀** 박태준, 오서영, 문서희 **채널팀** 권오권, 지석배
**미디어홍보본부장** 정명찬 **브랜드관리팀** 오수미, 김은지, 이소영, 박장미, 박주현, 서가을
**뉴미디어팀** 김민정, 홍수경, 변승주, 고나연
**지식교양팀** 이수인, 염아라, 석찬미, 김혜원, 이지연
**편집관리팀** 조세현, 김호주, 백설희 **저작권팀** 이슬, 윤제희
**재무관리팀** 하미선, 김재경, 임혜정, 이슬기, 김주영, 오지수
**인사총무팀** 강미숙, 이정환, 김혜진, 황종원
**제작관리팀** 이소현, 김소영, 김진경, 최완규, 이지우, 박예찬
**물류관리팀** 김형기, 김선민, 주정훈, 김선진, 한유현, 전태연, 양문현, 이민운
**외부스태프(디자인)** 위드텍스트 이지선

**펴낸곳** 다산북스 **출판등록** 2005년 12월 23일 제313-2005-00277호
**주소** 경기도 파주시 회동길 490
**전화** 02-704-1724 **팩스** 02-703-2219
**이메일** dasanbooks@dasanbooks.com
**홈페이지** www.dasan.group **블로그** blog.naver.com/dasan_books
**용지** 한솔피앤에스 **인쇄** 상지사피앤비 **제본** 상지사피앤비 **코팅 및 후가공** 제이오엘앤피

ISBN 979-11-306-5872-8 (04680)
979-11-306-5870-4 (세트)